U0061901

中國本草圖錄

卷九

蓋載之三墳者也其三百六十五

百二十種為君主養命以應天無

老延年之說中藥一百二十種為

有過病補虛益損之用下藥一百

可久服故有除寒熱邪氣破積聚

尹湯液之與本平神農仲景傷寒

卷九

中國本草圖錄

商務印書館（香港）有限公司
人民衛生出版社合作出版

中國本草圖錄　卷九

全書主編 —— 蕭培根

本卷主編 —— 趙素雲　李永江

編寫 ——《中國本草圖錄》編寫委員會

責任編輯 —— 孫祖基　江先聲

編輯顧問 —— 李甯漢

圖片編輯 —— 王鑑豐

裝幀設計 —— 王鑑豐

出版 —— 商務印書館(香港)有限公司

　　　　香港鰂魚涌芬尼街 2 號 D 僑英大廈

　　　　人民衛生出版社

　　　　北京天壇西里10號

製版 —— 亞洲製版公司

　　　　香港柴灣豐業街10號業昌中心 7 字 D 座

印刷 —— 中華商務彩色印刷有限公司

　　　　香港九龍炮仗街75號

版次 —— 1990年12月第 1 版第 1 次印刷

　　　© 1990 商務印書館(香港)有限公司

　　　ISBN 962 07 3086 0

版權所有，不准以任何方式，在世界任何地區，以中文或任何文字翻印
仿製或轉載本書圖版和文字之一部分或全部。

© 1990 The Commercial Press (Hong Kong) Ltd.
All rights reserved. No part of this publication may be
reproduced, stored in a retrieval system, or transmitted in
any form or by any means, electronic, mechanical, photocopying,
recording and/or otherwise without the prior written permission of the publishers.

All inquiries should be directed to:
The Commercial Press (Hong Kong) Ltd.
Kiu Ying Building, 2D Finnie Street, Quarry Bay, Hong Kong

中國本草圖錄編輯委員會

主任委員

蕭培根　中國醫學科學院藥用植物資源開發研究所所長，研究員

副主任委員

董綿國　人民衛生出版社社長兼總編輯，編審

編輯委員

連文琰　中國醫學科學院藥用植物資源開發研究所研究員

嚴仲鎧　吉林省中醫中藥研究院中藥研究所中藥室主任，研究員

高士賢　長春中醫學院中藥系主任，教授

裴盛基　中國科學院昆明植物研究所所長，研究員

戴天倫　四川省中藥研究所副研究員

鄔家林　四川省中藥學校校長，副教授

胡廷松　廣西藥用植物園副主任，副主任技師

鄭漢臣　上海第二軍醫大學藥學院副教授

仇良棟　廣州市藥品檢驗所主任藥師

孫祖基　人民衛生出版社藥學編輯室主任，編審

朱兆儀　中國醫學科學院藥用植物資源開發研究所藥用植物資源室主任，研究員

張效傑　吉林省中醫中藥研究院中藥研究所主管技師

夏光成　天津市醫藥科學研究所藥用植物室主任，研究員

李永江　內蒙古扎蘭屯農牧學校講師

《中國本草圖錄》卷九編者名單

編寫單位

四川省中藥研究所、天津市醫藥科學研究所、華南植物研究所、扎蘭屯農牧學校、四川大學、廣西藥品檢驗所、廣州市藥品檢驗所、長春中醫學院、上海第二軍醫大學、成都生物研究所、北京植物研究所、人民衛生出版社。

主編

趙素雲　李永江

編者

趙素雲　夏光成　李澤賢　李永江
何明友　黃燮才　仇良棟　高士賢
徐學明　鄭漢臣　張愛娟　吳文娟
連文琰　劉玉琇　劉向東　戴　斌
馬　琳　孫祖基　岳松健　鄔家林
李　黎　袁仲賢　余再柏　趙達文

圖片攝影

李澤賢　李永江　趙素雲　王澤富
卬開蒲　彭治章　仇良棟　鄭漢臣
劉玉琇　許介眉　顧長明　王　忳
李　黎　余再柏　劉向東　李文虎
郎楷永　何明友　吳光第　岳松健
郭　蘇

編寫輔助人員

李顯㐀

審閱者

樓之岑　謝宗萬

本書在編寫過程中，得到了下列單位及個人的支持和協助，謹此一併致謝。

中國科學院華南植物研究所羅獻瑞研究員、北京農業大學楊集昆教授、華西醫科大學藥學院、中國科學院動物研究所、新疆阿爾泰地區藥檢所、杭州植物園。

本卷主編的話

　　中醫中藥是燦爛的東方文化的重要組成部分，在保障人類生命健康中有其獨特的價值和作用，源遠流長，內容豐富。《中國本草圖錄》是迄今爲止對中醫藥品種來源和應用進行的最爲全面的滙總性著作。準確的現代科學考證，簡要的文字介紹，生動精美的圖片，將使讀者在美的享受中認識、接受並弘揚中醫藥，增强對提高人類整體健康水平的信心。

　　本書爲《中國本草圖錄》第九卷，共收載中草藥 500 種，計植物藥 455 種，動物藥 45 種。由四川省中藥研究所、內蒙古扎蘭屯農牧學校、華南植物研究所、天津市醫藥科學研究所等十一個單位共同協作完成，主要爲四川地區、內蒙古地區及華南地區的中草藥品種，如四稜筋骨草、苦檀子、刺通、紅花綠絨蒿、沙蓬、刺藜、水柏枝、石蟬草、糞箕篤、麒麟尾等。重要中藥有川羌活、決明子、貝母、重樓、茴香蟲、鎖陽、肉蓯蓉、荔枝、龍眼、石韋、蛇蛻等。中國杜鵑花舉世矚目，其研究中心即在四川省，許多品種具有止咳定喘、清熱解毒、抗風濕等多種作用，本卷作了重點介紹。少數民族藥物亦是中醫藥學中十分特殊的組成部分，本卷計收載蒙藥、藏藥近百種，希望能爲當今世界正蓬勃興起的民族藥物學研究提供一些基礎性資料。

　　本書的編寫工作係國家自然科學基金資助項目，並得到了許多兄弟單位的支持和幫助，在此我們表示衷心的謝意。

　　參加本卷編寫及拍攝的全體作者，爲使此書能早日與讀者見面，三年多來，孜孜不倦，歷盡艱辛，未敢有絲毫懈怠，但不妥之處可能存在，敬希廣大讀者不吝指正，謝謝。

趙素雲

1990 年春節於北京

編 寫 說 明

1. 《**中國本草圖錄**》收載中草藥(包括植物、動物、礦物)五千種,分十冊出版。全書採用彩色照片拍攝中草藥的生態環境、生長狀態(活植物、活動物體態),礦物則拍攝藥材形狀。

2. 每種中草藥附有簡要的文字描述,目的在於彌補彩照的不足,並使讀者對該中草藥有一個概括的認識。

3. 本書編排以植物(動物)科爲順序;植物科以恩格勒系統爲編排依據。科屬內的中草藥則按植物(動物)的拉丁學名的字母順序依次排列。

4. 書前的目錄備列中草藥所屬的植物(動物)的科及科內各中草藥。書後則分別附有中草藥及所屬植物(動物)的中名索引及拉丁學名索引。

5. 正名一般祗採用中草藥的常用名稱。若一種中草藥爲多來源或來自同屬多種植物(或動物),如黃連、貝母、天南星、前胡等,正名參照基源動植物名取名爲三角葉黃連(黃連)、白花前胡(前胡)等,括號內附常用的中草藥名稱。如此藥爲民間藥,則應採用民間藥名稱。若無中草藥名稱,可採用此藥的植物名或動物名。

6. 本書文字描述包括:**來源、形態、分佈、採製、成分、性能、應用、文獻**及**附註**等項目。

7. **來源**是記載中草藥所屬的植物(動物)科的中名,植物(動物)名稱及其拉丁學名,藥用部分。礦物藥則記述其礦物來源的名稱或學名。

8. **形態**一項是概述中草藥的原植物(或原動物)的全貌的形態特徵(尤詳於藥用部分)。若爲礦物藥,則祗描述藥材性狀。

9. **分佈**是描述該植物(動物)在野生狀態下的生態環境或栽培狀況,或其棲息環境及習性等。分佈是指野生植物(動物)在中國境內的自然分佈。由於篇幅限制,若分佈的省區太多,可採用大區描述,如東北、華北、華東、中南、西北、西南等,也可寫長江以南等。

10. **採製**是描述該中草藥的採集季節,加工方法(如曬乾、陰乾、鮮用、切片、切段等),或特殊的炮製加工等方法。

11. **成分**祗記載該中草藥所含的主要成分或有活性成分,對一般次要的化學成分,可不予全部記載,而且也以該中草藥的藥用部位爲主,非藥用部位的成分則或略而不述。

12. **性能**是先描述該中草藥的性味(先寫味,後寫性),再述其功能。功能祗描述該中草藥的主要作用。對有些有毒的中草藥,按毒性的大小,寫明小毒、有毒、大毒等,以便引起注意。

13. **應用**祗描述該中草藥沿用以治療的主要病症,也可能是與其他藥物配伍的效用。用法一般指內服或外用或其他用法。文中描述"用於"云云即指內服。用量是指成人每日的常用量。

14. **文 獻**一項是供進一步查閱該中草藥的詳細資料而編注的;如別名、成分、藥理等內容,可在文獻中查閱。爲節省篇幅,常用文獻多採用簡稱。如《大辭典》上,865,即《中藥大辭典》上冊第865條。各卷所引用的文獻的書目資料,可於每卷後面所附的"參考書目"中找到。

目　錄

藻類植物

翅藻科
    4001.　裙帶菜

菌類植物

麥角科
    4002.　蟬蛹草
盤菌科
    4003.　林地碗
馬鞍菌科
    4004.　羊肚菜
    4005.　馬鞍菌
地舌科
    4006.　褐地舌
銀耳科
    4007.　虎掌菌
花耳科
    4008.　膠腦菌
珊瑚菌科
    4009.　皺珊瑚菌
    4010.　杵棒菌
多孔菌科
    4011.　蹄玫菌
    4012.　寬鱗大孔菌
    4013.　粗毛栓菌
    4014.　硬皮樹舌
    4015.　黃貝芝
牛肝菌科
    4016.　空柄假牛肝菌
    4017.　美味牛肝菌
    4018.　橙黃疣柄牛肝
    4019.　黃粉牛肝
蠟傘科
    4020.　美麗蠟傘
傘菌科
    4021.　潔麗香菇
    4022.　口蘑
紅菇科
    4023.　稀褶乳菇
    4024.　松乳菇
    4025.　潮濕乳菇
    4026.　大紅菇
    4027.　紫紅菇
側耳科

    4028.　毒側耳
白蘑科
    4029.　琥珀皮傘
    4030.　松蕈
    4031.　杯菌
    4032.　紅蠟盤
    4033.　雷蘑
    4034.　白蘑
    4035.　紫皮蘑
    4036.　紫晶蘑
鏽傘科
    4037.　翹鱗環鏽傘
黑傘科
    4038.　毒靭黑傘
鬼筆科
    4039.　蛇頭菌
灰包菇科
    4040.　灰包菇
馬勃科
    4041.　栓皮馬勃
柄灰包科
    4042.　歧裂馬勃
硬皮地星科
    4043.　硬皮地星

地衣類植物

石蕊科
    4044.　太白花

蕨類植物門

木賊科
    4045.　問荊
    4046.　藺問荊
鐵角蕨科
    4047.　長葉鐵角蕨
烏毛蕨科
    4048.　烏毛蕨
水龍骨科
    4049.　網眼瓦韋
    4050.　一皮草
    4051.　骨牌蕨
    4052.　石韋

裸子植物門

松科
    4053.　杉松
    4054.　落葉松

    4055.　四川紅杉
    4056.　紅皮雲杉
杉科
    4057.　水松
南洋杉科
    4058.　南洋杉
柏科
    4059.　興安圓柏
羅漢松科
    4060.　百日青
麻黃科
    4061.　中麻黃

被子植物門
雙子葉植物綱
甲、離瓣花亞綱

胡椒科
    4062.　石蟬草
    4063.　大葉蒟
金粟蘭科
    4064.　海南草珊瑚
楊柳科
    4065.　楊樹花
    4066.　小葉楊
    4067.　楊枸花
    4068.　旱柳葉
胡桃科
    4069.　黃杞
樺木科
    4070.　東北樫木
殼斗科
    4071.　柞樹皮
桑科
    4072.　見血封喉
    4073.　白桂木
    4074.　號角樹
    4075.　黃毛榕
    4076.　黃葛榕
蕁麻科
    4077.　狹葉樓梯草
    4078.　小花牆草
    4079.　大黏藥
    4080.　八角麻
檀香科
    4081.　九仙草
桑寄生科
    4082.　廣桑寄生

4083. 槲寄生

蓼科
4084. 苦蕎麥
4085. 本氏蓼
4086. 稀花蓼
4087. 大馬蓼
4088. 耳葉蓼
4089. 西伯利亞蓼
4090. 小酸模

藜科
4091. 刺藜

莧科
4092. 紅草

石竹科
4093. 毛梗蚤綴
4094. 蒙古石竹
4095. 簇莖石竹
4096. 狹葉剪秋蘿
4097. 狗筋麥瓶草
4098. 叉歧繁縷

毛莨科
4099. 多裂烏頭
4100. 牛扁
4101. 匍枝烏頭
4102. 草地烏頭
4103. 北側金盞花
4104. 土黃芩
4105. 大花銀蓮花
4106. 阿穆爾樓斗菜
4107. 小花樓斗菜
4108. 樓斗菜
4109. 馬蹄葉
4110. 白花驢蹄草
4111. 單穗升麻
4112. 甘木通
4113. 紫萼鐵線蓮
4114. 大瓣鐵線蓮
4115. 甘青鐵線蓮
4116. 黃毛翠雀花
4117. 基葉翠雀花
4118. 驚風藥
4119. 蒙古白頭翁
4120. 掌葉白頭翁
4121. 細葉白頭翁
4122. 匍枝毛莨
4123. 爪哇唐松草
4124. 網脈唐松草

4125. 毛莨狀金蓮花

小檗科
4126. 西伯利亞小檗
4127. 華西小檗

防己科
4128. 一文錢
4129. 糞箕篤

木蘭科
4130. 凹樸皮
4131. 長葉玉蘭
4132. 圓葉木蘭

番荔枝科
4133. 多花瓜馥木
4134. 陵水暗羅

樟科
4135. 圓葉豹皮樟
4136. 油梨
4137. 半楓樟

罌粟科
4138. 禿瘡花
4139. 多刺綠絨蒿
4140. 長葉綠絨蒿
4141. 紅花綠絨蒿

白花菜科
4142. 老鼠瓜

十字花科
4143. 小花糖芥
4144. 風花菜

景天科
4145. 匙葉伽藍菜
4146. 流蘇瓦松
4147. 黃花瓦松
4148. 寬葉費菜

虎耳草科
4149. 粉團花
4150. 楔葉茶藨
4151. 香茶藨子
4152. 英吉里茶藨
4153. 興安茶藨
4154. 小葉茶藨

薔薇科
4155. 沼委陵菜
4156. 全緣栒子
4157. 寶興栒子
4158. 水栒子
4159. 光葉遼寧山楂
4160. 皺果蛇莓

4161. 台灣枇杷
4162. 翻白蚊子草
4163. 星毛委陵菜
4164. 楔葉委陵菜
4165. 三出葉委陵菜
4166. 白花委陵菜
4167. 多裂委陵菜
4168. 大委陵菜
4169. 菊葉委陵菜
4170. 窄葉火棘
4171. 刺薔薇
4172. 落萼薔薇
4173. 扁刺薔薇
4174. 粗葉懸鉤子
4175. 蛇泡筋
4176. 小懸鉤子
4177. 紅腺懸鉤子
4178. 星毛珍珠梅

豆科
4179. 毛相思子
4180. 藤金合歡
4181. 緬茄
4182. 刺田菁
4183. 夏黃芪
4184. 蔓草蟲豆
4185. 首冠藤
4186. 刺果蘇木
4187. 蒙古錦雞兒
4188. 狼麻
4189. 北京錦雞兒
4190. 臘腸樹
4191. 毛排錢樹
4192. 糙毛假地豆
4193. 顯脈山綠豆
4194. 紅山螞蟥
4195. 小果皂莢
4196. 山巖黃芪
4197. 山黧豆
4198. 多花胡枝子
4199. 苦檀子
4200. 褐毛黎豆
4201. 沙棘豆
4202. 水黃皮
4203. 貝加爾野豌豆
4204. 北野豌豆
4205. 飯豆

牻牛兒苗科

4206. 牻牛兒苗（老鸛草）
4207. 粗根老鸛草
4208. 大花老鸛草
4209. 香葉天竺葵

亞麻科
4210. 貝加爾亞麻
4211. 野亞麻

芸香科
4212. 棟葉吳茱萸
4213. 山橘
4214. 四季橘
4215. 北芸香
4216. 大管
4217. 茵芋

遠志科
4218. 細金牛草

大戟科
4219. 方葉五月茶

巖高蘭科
4220. 巖高蘭

漆樹科
4221. 野漆樹

衞矛科
4222. 火把花

茶茱萸科
4223. 小果微花藤

槭樹科
4224. 青榨槭

無患子科
4225. 桂圓
4226. 荔枝
4227. 海南韶子

鼠李科
4228. 柳葉鼠李

葡萄科
4229. 小接骨丹
4230. 異葉爬山虎

杜英科
4231. 山杜英

椴樹科
4232. 假黃麻
4233. 黃花地桃花

錦葵科
4234. 吊燈花
4235. 大花葵
4236. 白背黃花稔

梧桐科
4237. 馬鬆子
4238. 蘋婆

金蓮木科
4239. 金蓮木

山茶科
4240. 毛木樹
4241. 石筆木

藤黃科
4242. 大對經草

檉柳科
4243. 水柏枝
4244. 具苞河柏
4245. 枇杷柴

堇菜科
4246. 興安堇菜
4247. 消毒藥
4248. 雲南堇菜

大風子科
4249. 紅花天料木

秋海棠科
4250. 裂葉秋海棠
4251. 竹節秋海棠
4252. 掌裂葉秋海棠

千屈菜科
4253. 大花紫薇

紅樹科
4254. 木欖

野牡丹科
4255. 細葉野牡丹

柳葉菜科
4256. 毛草龍

鎖陽科
4257. 鎖陽

五加科
4258. 糙葉五加
4259. 假通草
4260. 上樹蜈蚣

傘形科
4261. 金黃柴胡
4262. 狹葉毒芹
4263. 新疆藁本
4264. 法羅海
4265. 羽苞藁本
4266. 川羌活（羌活）
4267. 羊洪膻

乙、合瓣花亞綱
鹿蹄草科
4268. 綠花鹿蹄草

杜鵑花科
4269. 凝毛杜鵑
4270. 毛肋杜鵑
4271. 美容杜鵑
4272. 頭花杜鵑
4273. 毛喉杜鵑
4274. 秀雅杜鵑
4275. 樹生杜鵑
4276. 隱蕊杜鵑
4277. 酒瓶花
4278. 光背杜鵑
4279. 腋花杜鵑
4280. 紅棕杜鵑
4281. 黃毛杜鵑
4282. 水仙杜鵑
4283. 綠點杜鵑
4284. 大杜鵑
4285. 四川杜鵑
4286. 百里香葉杜鵑

紫金牛科
4287. 心葉紫金牛
4288. 酸藤子

報春花科
4289. 箭報春
4290. 段報春
4291. 天山報春

木樨科
4292. 白花茶
4293. 遼東水蠟樹

龍膽科
4294. 羅星草
4295. 尖葉假龍膽
4296. 黃花藥藥
4297. 瘤毛獐牙菜

夾竹桃科
4298. 藥用狗牙花
4299. 藍樹
4300. 倒吊筆

蘿藦科
4301. 三脈球蘭
4302. 藍葉藤
4303. 通脈丹

旋花科
4304. 腎葉打碗花

4305. 鈴當子
4306. 葵葉蔦蘿
花葱科
4307. 花葱
紫草科
4308. 琉璃草
4309. 大崗茶
馬鞭草科
4310. 白骨壤
4311. 裸花紫珠
4312. 狹葉紅紫珠
4313. 蒙古蕕
4314. 路邊青
4315. 苦燈籠
4316. 四稜筋骨草
4317. 山牡荊
唇形科
4318. 異葉青藍
4319. 雞骨柴
4320. 木香薷
4321. 皺面草
4322. 興安薄荷
4323. 膿瘡草
4324. 蛇尾草
4325. 盔狀黃芩
4326. 唇香草
茄科
4327. 鴛鴦茉莉
玄參科
4328. 蒙古蕊巴
4329. 五角芩
4330. 毛返顧馬先蒿
4331. 穗花馬先蒿
4332. 野甘草
4333. 白婆婆納
紫葳科
4334. 滇川角蒿
列當科
4335. 肉蓯蓉
苦苣苔科
4336. 山白菜
爵床科
4337. 水蓑衣
車前科
4338. 鹽生車前
茜草科
4339. 咖啡

4340. 中果咖啡(咖啡)
4341. 黃花龍船花
4342. 天星木
4343. 大葉鈎藤(鈎藤)
忍冬科
4344. 柳葉忍冬
4345. 土銀花
4346. 波葉忍冬
4347. 寬葉接骨木
4348. 木繡球莖
敗醬科
4349. 巖敗醬
川續斷科
4350. 白花刺參
葫蘆科
4351. 叉指葉栝蔞
桔梗科
4352. 柳葉沙參
4353. 紫沙參
菊科
4354. 葉下花
4355. 灰蓮蒿
4356. 柳蒿
4357. 白山蒿
4358. 高山紫菀
4359. 圓苞紫菀
4360. 金盞銀盤
4361. 大風艾
4362. 蓮座薊
4363. 葵花大薊
4364. 大刺兒菜
4365. 香絲草
4366. 秋英
4367. 紫花野菊
4368. 山野菊
4369. 菜木香
4370. 多鬚公
4371. 貝加爾鼠麴草
4372. 田基黃
4373. 線葉旋覆花
4374. 狹葉山苦菜
4375. 剪花火絨草
4376. 西伯利亞橐吾
4377. 闊苞菊
4378. 白毛雪兔子

4379. 鳥蘇里風毛菊
4380. 鴉葱
4381. 狹葉鴉葱
4382. 桃葉鴉葱
4383. 毛果一枝黃花
4384. 東方婆羅門參
4385. 狗仔花
4386. 滷地菊
4387. 蒙古蒼耳
4388. 鹼黃鵪

單子葉植物綱
香蒲科
4389. 蒙古香蒲
露兜樹科
4390. 小露兜
眼子菜科
4391. 酸水草
禾本科
4392. 蓋草
4393. 燕麥
4394. 竹節草
4395. 鋪地黍
4396. 王米鬚
莎草科
4397. 十字苔草
4398. 單穗水蜈蚣
4399. 刺子莞
4400. 扁稈薦草
棕櫚科
4401. 魚尾葵
天南星科
4402. 尖尾芋
4403. 白苞花燭
4404. 麒麟尾
4405. 水浮蓮
4406. 匙鞘萬年青
穀精草科
4407. 華南穀精草
鴨跖草科
4408. 四孔草
4409. 水竹葉
田葱科
4410. 田葱
燈心草科
4411. 細燈心草
百合科

4412. 興安天門冬	4450. 西南手參	鴨科
4413. 獨尾草	4451. 蛇尾草	4479. 雁肉
4414. 額敏貝母	4452. 角盤蘭	雉科
4415. 華西貝母	4453. 百步還陽丹	4480. 白腹錦雞
4416. 托里黃花貝母	4454. 鶴頂蘭	4481. 鷺雉
4417. 輪葉貝母(貝 母)	4455. 半春蓮	4482. 黑鷳
4418. 黃花菜		4483. 綠孔雀
4419. 滇百合	**動物類**	4484. 鸐雉
4420. 川百合	寶貝科	鶴科
4421. 寶興百合	4456. 擬棗貝(白貝 齒)	4485. 黑頭鶴骨
4422. 金線重樓(重 樓)	蛾螺科	鷸科
4423. 菝葜	4457. 香螺	4486. 大杓鷸
4424. 無刺菝葜	螳螂科	鷗科
4425. 翅柄菝葜	4458. 巨斧螳螂(桑 螵蛸)	4487. 紅嘴鷗
4426. 紅果菝葜	4459. 小螳螂(桑螵 蛸)	鴟鴞科
4427. 算盤七	蟋蟀科	4488. 鵰鴞
4428. 紅酸七	4460. 棺頭蟋蟀	啄木鳥科
4429. 橙花開口箭	鳳蝶科	4489. 大斑啄木鳥
4430. 藜蘆	4461. 茴香蟲	椋鳥科
石蒜科	鯉科	4490. 鴝鵒
4431. 晚香玉	4462. 金魚	鴉科
鳶尾科	4463. 鯇魚	4491. 紅嘴山鴉
4432. 老君扇	4464. 鰱魚	犬科
4433. 細葉鳶尾	鯔科	4492. 狼肉
4434. 粗根鳶尾	4465. 梭鯔	4493. 豺
4435. 北陵鳶尾	4466. 黃鯔	貓科
芭蕉科	鯖科	4494. 華南虎(虎骨)
4436. 紅花蕉	4467. 鮐魚	犀科
4437. 大蕉	鱉科	4495. 印度犀(犀角)
薑科	4468. 鱉甲	豬科
4438. 密苞山薑	4469. 黿	4496. 野豬膽
4439. 多花山薑	游蛇科	鹿科
4440. 花葉山薑	4470. 王錦蛇	4497. 駝鹿角
4441. 象牙參	4471. 黑眉錦蛇(蛇 蛻)	4498. 鹿茸
美人蕉科	4472. 虎斑游蛇	4499. 林麝(麝香)
4442. 黃花美人蕉	4473. 黃梢蛇	牛科
蘭科	4474. 黃閏蛇	4500. 山驢骨
4443. 多花脆蘭	4475. 烏梢蛇	
4444. 三褶蝦脊蘭	眼鏡蛇科	參考書目
4445. 龍舌箭	4476. 扁頸蛇	拉丁學名索引
4446. 鐵皮石斛(石 斛)	蝰科	中文名稱索引
4447. 流蘇石斛	4477. 白唇竹葉青	
4448. 雞背石斛	4478. 烙鐵頭	
4449. 短距手參		

4001 裙帶菜

來源 翅藻科植物裙帶菜 Undaria pinnatifida (Harv.) Sur. 的全藻。

形態 藻體褐色，整體輪廓呈披針形，高 1～2m，寬 0.5～1m，很明顯的分爲葉片、柄部和固着器三部分。葉片上散佈着許多小斑點，葉頂端常爲波浪推折而破碎。

分佈 生於風浪不大，水質較肥的海灣內大乾潮線下 1～5m 的巖礁上，分佈於渤海、黃海和東海。

採製 夏、秋季採收，洗淨曬乾。

成分 含巖藻固醇 (fucosterol)、無羈萜 (friedelin，$C_{30}H_{50}O$)、葉綠醇 (phytol)、沙靈哥甾醇 (saringusterol) 和地吉普羅內酯 (digiprolactone)。

性能 鹹，寒。軟堅散結，消腫利水。

應用 用於甲狀腺腫，頸淋巴結腫，肝脾腫大和水腫等。用量 15～30g。

文獻 《中國藥用海洋生物》，16。

4002 蟬蛹草

來源 麥角科真菌蟬蛹草 Cordyceps sobolifera (Hill.) Benk. et Br. 的子實體。

形態 子座單個或 2～3 個成束地從寄主屍體前端生出，中空，其柄部呈肉桂色，乾燥後呈深肉桂色，有時具不孕的小分枝，頭部呈棒狀，肉桂色至茶褐色，乾燥後呈淺朽葉色。顯微鏡下觀察，子囊殼埋生在子座內，僅孔口稍突出，呈長卵形，約 600×200μm；子囊長圓柱形，200～380×6～7μm；子囊孢子線形，具有多數橫分隔，後斷裂成 8～16×1～1.5μm 大的單細胞節段。

分佈 生長在蟬蛹或山蟬 (Cicada flamata Dist.) 的幼蟲體上。分佈於內蒙古、江蘇、浙江、福建、四川。

採製 6～8 月，自土中挖出，去掉泥土，曬乾。

性能 甘，寒。解痙，散風熱，退翳障，透疹。

應用 用於小兒驚風夜啼，咬牙，咳嗽，咽喉壅腫，痘疹遍身作癢，麻疹未透；翳膜遮睛，赤腫疼痛，視物不明，隱澀難開。用量 0.3～6g。

文獻 《中國藥用真菌》27；《滙編》下，712。

4003 林地碗

來源 盤菌科真菌林地碗 Peziza sylvestris (Boud.) Sacc. et Trott 子實體。

形態 子囊盤散生至羣生，無柄，形似碗狀，寬 3～9cm，高 2～5cm，外側白色至淡褐色。子實層淡褐色至淺煙黑色，邊緣微波狀。子囊圓柱狀，內含 8 個子囊孢子，單列式，孢子光滑，無色，橢圓形。

分佈 生於林地、腐木上。分佈於內蒙古東部、黑龍江、吉林。

採製 夏、秋季採取，曬乾或鮮用。

性能 健脾消食，化積。

應用 用於脾虛胃弱，食積不化。用量 3～6g。

文獻 《中國的真菌》，292。

附註 內蒙古邊區獵民用藥。

4004　羊肚菜

來源　馬鞍菌科植物羊肚菌 Morchella esculenta (L.) Pers. 的子實體。

形態　菌蓋橢圓形至卵圓形，頂端鈍，長 4～8cm，徑 3～6cm，表面有許多小凹坑，外觀似羊肚，小凹坑不規則形至近圓形，蛋殼色，內表面佈以由子囊及側絲組成的子實層。顯微鏡下觀察，子囊呈長圓柱狀，透明無色，內含 8 個單行排列的子囊孢子，子囊孢子膨大；菌柄近白色，長 5.5～8cm，徑 2～4cm，表面平滑，中空，基部膨大且有時具不規則的溝槽。

分佈　生於闊葉林中，林緣空曠處。分佈於河北、山西、甘肅、青海、新疆、四川、雲南。

採製　春夏之交採摘，洗淨，曬乾。

成分　菌絲含脂肪油 2.04%。

性能　甘，平。益腸胃，化痰理氣。

應用　用於消化不良，痰多氣短，用量 60g。

文獻　《中國藥用真菌》，39。

4005　馬鞍菌

來源　馬鞍菌科真菌馬鞍菌 Helvella elastica Bull. ex Fr. 的子實體。

形態　子實體單生或散生。菌蓋呈不規則的馬鞍形，高 2～5cm，寬 2～4cm；子實體呈淡褐色、褐色至黑褐色。菌柄圓柱形，細長，有彈性。子實層生於菌蓋裂片的表面，子囊圓柱形，孢子橢圓形，內含一個大油滴。

分佈　生於林地。分佈於內蒙古、黑龍江、吉林。

採製　夏、秋季採集，去泥土，曬乾。

性能　補氣，祛痰，止咳。

應用　用於體虛氣短，咳嗽。用量 9～15g。

文獻　《中國的真菌》，298。

附註　內蒙古邊區獵民養鹿場用藥。

4006 褐地舌

來源 地舌科真菌褐地舌 Geoglossum paludosum (Pers.) Durand. 的子實體。

形態 子囊果單生至散生，高 1.5～3cm，舌形。淡黃色、褐色至煙色。有短柄，被小鱗片。有子實層部分佔全高度的一半左右；子囊棒形至圓柱形。孢子圓柱形。初期無橫隔，成熟時有 7～12 個橫隔，初期無色，最後變褐色。側絲無色，比子囊長，先端鈍圓。

分佈 生於林下腐葉草叢中。分佈於內蒙古東部、吉林、黑龍江。

採製 夏季採集，去除泥土，曬乾。

性能 生肌，止痛。

應用 治水火燙傷。乾品粉塗之。外用適量。

文獻 《中國的真菌》，245。

附註 邊區獵民用藥。

4007 虎掌菌

來源 銀耳科真菌虎掌菌 Tremellodon gelatinosum (Scop. ex Fr.) Pers. 的子實體。

形態 擔子果膠質，半透明，扇形、匙形、掌形至半圓形，有粗壯的柄或無柄，側生，常為覆瓦狀疊生，寬 2～6cm。蓋面近白色、乳白色、淡褐色至肉桂色，有微毛，後期光滑；下面密生錐形小肉刺，刺長 0.2～0.7cm。孢子近球形，無色。

分佈 生於針葉樹枯立木樁上。分佈於內蒙古大興安嶺、黑龍江、吉林等地。

採製 夏、秋季採集，曬乾或鮮用。

性能 補虛添精。

應用 用於年老體虛，筋骨無力。用量 10～20g。

文獻 《中國的真菌》，370。

附註 內蒙古邊區獵民用藥。

4008 膠腦菌

來源 花耳科真菌膠腦菌 Dacryomyces aurantius (Schw.) Farl. 的子實體。

形態 擔子果膠質，柔軟多汁，似皮腺，團塊狀、盤狀或墊狀，表面有不規則的回紋和皺褶，外觀頗似動物的大腦，透明或半透明，鮮黃色至橙黃色，乾後褪成淡黃色，直徑 1～5cm。子實層生於表面。孢子黃色。

分佈 生於陰濕地的倒木、針葉樹木上。分佈於內蒙古大興安嶺、黑龍江、吉林；蘇聯西伯利亞地區。

採製 夏、秋季採集，曬乾。

性能 活血祛瘀，消腫止痛。

應用 跌打紅腫，泡酒塗擦，外用適量。

附註 大興安嶺林區地方用藥。

4009 皺珊瑚菌

來源 珊瑚菌科植物密枝木瑚 Ramaria stricta (Pers. et Fr.) Quel. 的子實體。

形態 羣生，多枝，淺肉色或蛋殼色，乾後淺褐色，高 4～8cm。基部有白色菌絲團，並有根狀菌絲索；柄短，不規則地雙叉分枝數次，形成直立、細而密的枝，最終尖端有 2～3 個小齒；菌肉白色，內實；孢子成熟時有色，在顯微鏡下近無色，微粗糙，或近光滑，橢圓形，7～9×3.5～5μm。可食用。

分佈 生於海拔 2500m 左右的闊葉樹的腐木和地上。分佈於吉林、山西、安徽、雲南、四川、海南、黑龍江。

採製 夏、秋季採集，曬乾。

性能 淡，溫。能益胃，祛風，破血，緩中。

應用 用於風濕痛，健脾。用量 9～15g。

文獻 《藥用真菌》一，12；《中國的真菌》，412。

4010 杵棒菌

來源 珊瑚菌科真菌杵棒菌 Clavaria pistillaris L. ex Fr. 的子實體。

形態 擔子果不分枝，單生或散生、羣生，初期圓柱形，頂端鈍尖，後變成上粗下細的杵棒狀，頂端圓至平坦，高 10～20cm，上部粗 1～3cm，有縱皺紋，淡黃色至淡褐色，受傷處帶紅褐色；菌肉白色，棉絮狀，味苦。孢子無色或帶褐色，橢圓形。

分佈 生於針葉林、闊葉林下。分佈於內蒙古大興安嶺、黑龍江、吉林東部。

採製 夏季或夏秋之季採集，去除泥土，曬乾。

性能 燥濕，解毒。

應用 治瘡瘍。用量 5～15g。

文獻 《中國的真菌》，417。

附註 內蒙古大興安嶺林區地方用藥。

4011 蹄玫菌

來源 多孔菌科真菌蹄玫菌 Fomes roseus Cooke 的子實體。

形態 擔子果木質，多年生，側生或半平伏，馬蹄形，徑 2～6cm，表面褐色至黑褐色，帶桃紅色，有同心環稜，邊緣鈍，與菌蓋同色或污栗褐色。菌肉淡玫瑰色。菌管多層，管口圓形至多角形。孢子平滑，圓筒形。

分佈 生於針葉樹枯木、倒木、伐椿上。分佈於內蒙古大興安嶺、吉林長白山等地。

採製 四季可採取，除去腐木雜質。

性能 辛、甘，溫。祛風除濕，活血。

應用 治風濕痹痛。用量 2～5g。

文獻 《中國的真菌》。

附註 內蒙古邊區獵民用藥。

4012 寬鱗大孔菌

來源 多孔菌科寬鱗大孔菌 Favolus squamosus (Huds. ex Fr.) Ames 的子實體。

形態 擔子果一年生，單生、叢生或覆瓦狀疊生，肉質，含水多，乾後呈海綿質。菌蓋徑 10～40cm，傘形，中部凹陷，蓋面平坦，淡黃色，有大形暗褐色鱗片，排列成不連續的同心環；蓋緣薄，內卷。菌管菱形，排列網狀。孢子紡錘形。

分佈 生於闊葉樹倒木和伐椿上，也生於活立木基部。分佈於內蒙古、黑龍江、吉林、江蘇、陝西、青海、四川。

採製 夏秋季採取，切片曬乾。

性能 補腎，祛風。

應用 治傷力，腰痠，風濕症。用量 9～15g。

附註 內蒙古邊區獵民用藥。

4013 粗毛栓菌

來源 多孔菌科真菌粗毛栓菌 Trametes gallica Fr. 的子實體。

形態 擔子果木栓質，無柄，側生，常呈複瓦狀疊生，平伏或反捲，或基部下延。菌蓋半圓形，寬 5～12cm，蓋面有黃褐色或褐色直立或斜生的粗毛，毛直不彎曲，無環帶。菌肉白色或淡黃色。孢子無色，長方形。

分佈 生於楊、柞、柳、榆立木、枯椿上。分佈於內蒙古、黑龍江、吉林。

採製 四季均可採取、去雜質，曬乾。

性能 生肌，止血。

應用 治外傷，瘡瘍。焙後塗撒患處。外用適量。

文獻 調查資料。

附註 內蒙古邊區獵民用藥。

4014 硬皮樹舌

來源 多孔菌科真菌硬皮樹舌 Ganoderma tornatum Bres. 的子實體。

形態 擔子果多年生，無柄，側生，木質帶木栓質，呈半圓形、低馬蹄形，徑 5～50cm，厚 2～10cm，有同心環狀稜紋，皮殼光滑、堅硬，硬革質厚約 0.3cm。菌肉淺栗色或淺黃色；菌管多層，受傷處迅速變爲暗褐色。孢子卵形，褐色。

分佈 生於闊葉樹和針闊混交林中樹幹上。分佈於內蒙古大興安嶺北部，黑龍江北部。

採製 夏、秋採收，去雜質，曬乾。

性能 微苦，平。抗癌。

應用 治食道癌，瘰癧。用量 30g。

文獻 《中國藥用孢子植物》，214、377。

4015 黃貝芝

來源 多孔菌科真菌黃貝芝 Polystictus membranaceus (Sw. ex Fr.) CKe. 的子實體。

形態 擔子果薄，革質，無柄，側生，覆瓦狀叠生，呈貝形或扇形，寬 3～11cm。蓋面材白色至蛋殼色，有絨毛和環帶，呈放射狀條紋，蓋緣薄而銳。有裂瓣，下側無子實層。菌管與肉同色。

分佈 生於稠李和山赤楊衰弱木桿上。分佈於內蒙古大興安嶺、黑龍江、吉林長白山。

採製 秋季採取，曬乾。

性能 清熱化痰。

應用 用於咳嗽氣喘，痰多。用量 5～12g。

附註 大興安嶺林區地方用藥。

4016 空柄假牛肝菌

來源 牛肝菌科真菌空柄假牛肝菌 Boletinus cavipes (Opat.) Kalchbr. 的子實體。

形態 子實體羣生；菌蓋直徑 3～10cm，早期呈扁半球形，後平展，通常稍有一中丘，乾燥，朽葉色、褐色以至肉桂色，也常呈金黃色至橙黃色，略有棉絮狀小碎鱗片，邊緣銳而內彎，早期掛有內菌幕殘片；菌肉柔靭，黃色；菌管層呈硫黃色，稍帶綠色以至污橄欖色，與菌柄呈延生狀，管口大，複式，多角形，呈輻射狀排列。孢子成熟時黃色；囊狀體透明無色至淡黃色，圓柱狀至棒狀。菌柄近圓柱狀，基部稍膨大，中空，色與菌蓋相同，頂部有網紋；菌環上位，易於消失，通常僅留下一個環痕。

分佈 夏、秋的雨後，生長在林內地上。分佈於吉林、內蒙古、山西。

採製 夏、秋採收後，切掉菌柄基部，曬乾。

性能 微鹹，溫。追風，散寒，舒筋，活絡。

應用 製成“舒筋散”，用於腰腿疼痛，手足麻木，筋絡不舒。用量 9g。

文獻 《滙編》下，715；《中國藥用真菌》，135。

4017　美味牛肝菌

來源　牛肝菌科真菌美味牛肝菌 Boletus edulis Bull. ex Fr. 的子實體。

形態　子實體單生或羣生；菌蓋直徑 7～15cm，扁半球形，邊緣鈍，潮濕時稍帶黏性，平滑，褐色、紅褐色、黃褐色、土黃色以至暗褐色；菌肉厚，白色，受傷處不變色，乾燥後呈淡黃色；菌管黃色，在菌柄四周凹陷較深；管口小，每 mm 內有 2～3 個；孢子印呈暗橄欖褐色。菌柄長 7～12cm，直徑 1.5～3.5cm，基部膨大或近圓柱狀，中實，黃色，上半部有微細的網紋。

分佈　多於 8～9 月間生於混交林內地上，常與櫟樹或某些針葉樹種有菌根關係。分佈於內蒙古、陝西、湖南、四川、雲南、貴州。

採製　8～9 月採摘後，洗去泥沙，曬乾。

性能　淡，溫。追風，散寒，舒筋，活絡。

應用　製成"舒筋散"，用於腰腿疼痛，手足麻木，筋絡不舒。用量 9～18g(1～2 丸)。

文獻　《滙編》下，716；《中國藥用真菌》，137。

4018　橙黃疣柄牛肝

來源　牛肝菌科真菌橙黃疣柄牛肝 Leccinum aurantiacum (Bull.) Gray 的子實體。

形態　菌蓋寬 3～21cm，半球形，被纖毛，橙黃色至紫紅色；菌肉厚，受傷不變色；菌管直生，在菌柄周圍凹陷。菌柄上下略等粗，污白色、淡褐色，表面粗糙，有纖維狀鱗片及網紋。孢子印淡黃褐色，孢子近紡錘形。

分佈　生於混交林地。分佈於黑龍江、內蒙古、安徽、浙江、雲南等地。

採製　夏、秋季採集，去除泥土，曬乾。

性能　補氣健脾，祛痰止咳。

應用　用於傷風咳嗽，脾虛少食。用量 9～15g。

附註　大興安嶺林區地方用藥。

4019　黃粉牛肝

來源　牛肝菌科真菌黃粉牛肝 Pulvero-boletus ravenelii (Berk. et Curt.) Murr. 的子實體。

形態　單生。菌蓋扁半球形，漸平展，寬 4～6.5cm，濕潤時稍黏，覆有檸檬黃色粉末；菌肉白色，受傷時變爲淺藍色。柄近柱形，內實，內部黃色，受傷時不變色，覆有黃色粉末，長 6～7cm，粗1～1.5cm，近頂部有珠網狀菌環；菌管層在柄周圍凹陷，淺黃色，受傷時呈暗綠色；管口多角形。孢子成堆時淡黃褐色；在顯微鏡下觀察爲淡黃色，表面平滑，橢圓形至卵圓形，8～9×5～6μm。

分佈　夏、秋雨後生在林內地上。分佈於內蒙古、陝西及南方多個省分。

採製　夏、秋採收，洗淨，曬乾。

性能　微鹹，溫。消炎止血，驅風除濕，舒筋活絡。

應用　用於風濕性關節炎，外傷出血，腰腿疼痛，手足麻木，筋骨不舒，四肢抽搐。用量 10～15g。

文獻　《滙編》下，716。

附註　此菌子實體表面上的黃色粉末可用以止外傷出血。

4020　美麗蠟傘

來源　蠟傘科真菌美麗蠟傘 Hygropho-rus speciosus PK 的子實體。

形態　菌蓋寬 2～5cm，扁半球形至近平展，有時中部突起，橘黃色、橘紅色至金黃色，邊緣內捲；菌肉白色；菌褶白色或淡黃色，較稀，直生或延生，不等長。菌柄長達 10cm，圓柱形，內實，具小纖毛。孢子印白色，孢子橢圓形，光滑。

分佈　生於林地。分佈於內蒙古東部、吉林、黑龍江、四川等地。

採製　夏、秋季採集，去泥土，曬乾。

性能　補虛養血，增氣力。

應用　用於病久虛傷，氣血不足。用量 9～15g。

附註　邊區獵民養鹿場用藥。

4021　潔麗香菇

來源　傘菌科真菌潔麗香菇 Lentinus le-pideus Fr. 的子實體。

形態　子實體單生至叢生。菌蓋直徑5～15cm，早期扁半球形，後漸平展至下凹，早期白色，後變成淡黃色，乾燥，表面破裂成同心排列的、深褐色平伏鱗片；菌肉白色，厚，致密；柄短，偏生，內實，有鱗片，長3～10cm，直徑 8～30mm；菌褶白色，與菌柄呈延生，寬，稍稀疏，不等長，褶緣呈鋸齒狀開裂。孢子印白色，顯微鏡下觀察，孢子近圓柱狀，透明，無色，壁表光滑，8～13×3.5×5μm。

分佈　多生於松(Pinus spp.)樹幹上及木材上，稀生於其他針葉樹上。分佈於吉林、內蒙古、河北、山西、陝西、湖南、安徽、福建、雲南。

採製　夏、秋採集、曬乾。

成分　含齒孔酸（eburicoic acid），可用於合成甾體藥物。

性能　甘，平。能調節機體功能，增進健康，抵抗疾病。

應用　經常食用，對人體調節機能起着重要的作用。

文獻　《中國藥用真菌》，203～204；《中國藥用孢子植物》，238。

4022　口蘑

來源　傘菌科真菌黃皮口蘑 Tricholoma gambosum (Fr.) Gill. 的子實體。

形態　菌蓋半球形至平展型，直徑 6～11cm，表面平滑，深蛋殼色至淡柿黃色；菌肉白色，厚而致密；菌褶稠密，狹窄，與菌柄呈彎生。孢子印白色，顯微鏡下觀察，孢子呈長橢圓形，壁表平滑，透明無色，5～6×2.5×3μm。菌柄向下漸狹細，中部膨大，白色，中實，長 3.5～5.5cm，直徑 1.5～3.5cm。

分佈　生於草原上，形成"蘑菇圈"，在地下形成不規則形狀的黃褐色菌核。分佈於內蒙古、河北。

採製　在子實體幼小時期（蘑菇釘）採收，曬乾。

性能　甘，平。宣腸益氣，散血熱，解表。

應用　用於小兒麻疹欲出不出，煩躁不安。用量9g。

文獻　《中國藥用真菌》，211。

4023 稀褶乳菇

來源 紅菇科真菌稀褶乳菇 Lactarius hygrophoroides Berk. & Curt. 的子實體。

形態 散生至羣生；菌蓋寬 2.5～9cm，扁半球形，後平展，中央下凹至近漏斗形，光滑或稍有細絨毛，有時中部有皺紋，邊緣初內捲，後伸展，無環帶，蝦仁色，蛋殼色至橙紅色；菌肉白色，味道柔和，無特殊氣味；菌褶直生至稍下延，初白色，後乳黃至淡黃色，稀疏，不等長，褶間有橫脈。菌柄長 2～5cm，粗 0.7～1.5cm，中實或鬆軟，圓柱形或向下漸細，蛋殼色或淺枯黃色或略淺於菌蓋。孢子無色，近球形或廣橢圓形，有微細小刺和稜紋。無囊狀體。乳汁白，不變色。

分佈 夏秋季雜木林中地上單生或羣生。分佈於內蒙古、江蘇、貴州、雲南。

採製 夏、秋採收，除去雜質，曬乾。

應用 據報道有抗癌作用，對小白鼠肉瘤180的抑制率達 70%，對艾氏癌的抑制率達 70%。

文獻 《中國藥用真菌圖鑒》，407。

4024 松乳菇

來源 紅菇科真菌松乳菇 Lactarius deliciosus (L.ex Fr.) Gray 的子實體。

形態 擔子果散生至羣生。蓋寬 4～9cm，中央臍狀，濕潤，蝦仁色，有鮮艷的環紋；菌肉幼時白色至淡橙色，成熟時橘黃色。菌柄短粗，內鬆軟。菌褶直生，下延。傷後變成綠色，乳汁橘紅色。孢子印淡黃色。

分佈 生於針葉林地。分佈於內蒙古、吉林、黑龍江等地。

採製 夏、秋季採集，去泥土，曬乾。

性能 追風，活絡，止痛。

應用 用於風濕症，跌打損傷。用量 9～15g。

文獻 《中國的真菌》，560。

附註 大興安嶺林區地方用藥。

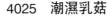

4025 潮濕乳菇

來源 紅菇科植物潮濕乳菇 Lactarius uvidus (Fr.) Fr.的子實體。

形態 菌蓋肉質，寬 3～10cm，扁平至下凹，紅棕色，表面光滑，潮濕時黏，邊緣內彎；菌肉初期乳白色，後變藍紫色；菌褶狹窄，排列緊密，延下。柄淡黃色，內部稍空，圓筒狀，長 25～60mm，粗 6～25mm。孢子淡白色，有疣，聯合成雞冠狀，9～10.5×7.5～8.5μm；味苦。

分佈 生於海拔 2500m 左右的帶酸性的潮濕地上。分佈於四川。

採製 夏、秋季採集，曬乾。

性能 苦，溫。能追風除濕。

應用 治腰腿疼痛，手腳麻木等。用量 9～15g。

文獻 《中國藥用真菌》，175；《Mushrooms and other fungi of Great Britain and Europe》，85。

4026　大紅菇

來源　紅菇科植物大紅菇 Russula alutacea (Pers.) Fr. 的子實體。

形態　菌蓋寬 6～16cm，扁半球形，後變平展而下凹，紅色，無毛，在濕氣下頗黏，邊緣平滑，或帶有不明顯短條紋；菌肉白色。柄近圓柱形，長 4～13cm，直徑 1.5～3.5cm，白色，部分肉色，內部鬆軟。菌褶黃色，稍稀，少數在基部分叉，褶間有橫脈，褶前部邊緣紅色。孢子堆黃色，壁表有小刺，近球形，8～10×7～9μm；囊狀體無色，披針形，越出子實層。

分佈　生於混交林及闊葉林地上。分佈於內蒙古、河北、甘肅、陝西、安徽、福建、湖南、雲南。

採製　夏、秋採收，洗淨，曬乾。

性能　甘，平。追風散寒，舒筋活絡。

應用　用於腰腿疼痛，手足麻木，筋絡不舒，四肢抽搐。用量 9～15g。

文獻　《中國藥用孢子植物》，13。

4027　紫紅菇

來源　紅菇科真菌紫紅菇 Russula depallens (Pers.) Fr. 的子實體。

形態　菌蓋寬 6～9cm，淺莧菜紅色，中央棗紅色，乾時變更暗或變青黃色，平展至下凹，黏，邊緣平或有短條紋；菌肉白色，薄，味不顯著。柄白色變灰色，近圓柱形，內部鬆軟。菌褶長短一致，稍密，白色，變灰色，凹生，褶間有橫脈。孢子無色，成堆時白色，有小刺，近球形，8～9×7～8μm；囊狀體稜形，55～68×8～15μm。

分佈　生於針葉林中的地上。可食。分佈於吉林、內蒙古、江蘇、雲南。

採製　夏、秋採收，洗淨泥土，曬乾。

性能　甘，平。追風散寒，舒筋活絡。

應用　用於腰腿疼痛，手足麻木，筋絡不舒，四肢抽搐。用量 9～15g。

文獻　《中國的真菌》，569。

4028　毒側耳

來源　側耳科真菌毒側耳 Pleurotus japanicus Kawam. 的子實體。

形態　擔子果肉質，羣生至叠生於倒木上。菌蓋半圓形至腎形，擴展成扁平扇形，長成後邊緣內捲或向上反捲；蓋面顏色多變，長成多呈暗紫色至紫褐色，有油脂狀光澤，基部有紫色絮狀鱗片，有臭氣。菌柄側生，菌環殘跡形成輪狀突稜。

分佈　生於槭、柞等倒木、樁上，分佈於內蒙古東部、黑龍江、吉林。

採製　夏、秋季採集，曬乾。

性能　有劇毒。

應用　有抗癌效能。

文獻　《吉林省有用和有害真菌》，389。

4029　琥珀皮傘

來源　白蘑科真菌琥珀皮傘 Marasmius siccus (Schw.) Fr. 的子實體。

形態　擔子果單生至羣生，菌蓋膜質，乾而靭，扁半球形或鐘形，寬0.5～2cm，光滑，深肉桂色至琥珀色，有稀疏的輻射狀條紋。菌柄細，角質，中空，强靭，有光澤。菌肉薄，膜質。菌褶稀疏，離生，兩端狹細，孢子印白色。

分佈　生於林地落葉層上或腐木上。分佈於內蒙古、黑龍江、吉林。

採製　夏、秋季採，曬乾。

性能　活血化瘀，續筋接骨。

應用　用於跌打損傷，骨折，創傷。用量 9～15g。

文獻　《中國藥用孢子植物》，147。

4030　松蕈

來源　白蘑科真菌松蕈 Armillaria matsutake Ito et Imai 的子實體。

形態　菌蓋開始呈半球狀，以後展開成傘狀，灰褐色或淡黑褐色，直徑可達 12～15cm；菌褶白色，與柄相連；菌蓋未展開時，被有蓋膜，開展後蓋膜殘留在柄上，成爲不明顯的菌環。菌柄着生於菌蓋的中央，直立，稍彎曲，長 9～18cm。

分佈　夏、秋季生於松林地上。分佈於東北、華北。

採製　夏、秋季採收，曬乾或烘乾。

成分　含松蕈醇（matsutakeol）、異松蕈醇（isomatsutakeol）、麥角甾醇、維生素 B_2、C、D_2 等，又含水分 89.9%、蛋白質 2.0%。

性能　甘，平。益腸胃，理氣止痛，化痰。

應用　用於溲濁不禁，腰腿酸痛，手足麻木。用量 9～15g。

文獻　《中國藥用孢子植物》，172；《大辭典》，上 2558。

4031　杯菌

來源　白蘑科真菌杯菌 Clitocybe infundibuliformis (Schaeff. ex Fr.) Quel. 的子實體。

形態　擔子果單生或羣生。菌蓋幼時扁球形，展開後中央下凹成漏斗狀杯形，寬 5～10cm；蓋面淡肉色，後變紅褐色至灰黃色。菌肉白色，中部厚。菌柄圓柱形，內部鬆軟。菌褶白色，稍密，兩端尖，延生。孢子印無色，孢子無色，光滑，卵形，內含 1 個油滴。

分佈　生於林地或林緣。分佈於黑龍江、吉林、內蒙古東部。

採製　秋季採集，去泥土，曬乾。

性能　追風散寒，舒筋活絡。無毒。

應用　用於腰酸腿痛，風濕症。用量 9～15g。

文獻　《中國藥用真菌圖鑒》，243。

附註　大興安嶺林區地方用藥。

4032 紅蠟盤

來源　白蘑科真菌紅蠟盤 Clitocybe lac-cata (Scop. ex Fr.) Quel. 的子實體。

形態　擔子果散生或羣生。菌蓋中央凹陷呈臍狀，蓋緣波狀，寬 2～5cm；蓋面淡肉紅色，乾時呈蛋殼色，菌肉薄。菌柄圓柱形，纖維質，內部鬆軟，色與菌蓋相似。菌褶寬，稀疏，直生或延生。孢子印白色；孢子球形，有小刺。

分佈　生於林地。分佈於內蒙古大興安嶺、黑龍江、吉林長白山、河北、雲南等。

採製　秋季採摘後去除泥土，曬乾。

性能　甘，平。宣腸益氣。

應用　用於脾虛胃弱。用量 15～30g。

文獻　《中國的真菌》，590。

附註　大興安嶺林區地方用藥。

4033 雷蘑

來源　白蘑科真菌雷蘑 Leucopaxillus giganteus (Sow. ex Fr.) Sing. 的子實體。

形態　子實體大型。菌蓋寬 7～27cm，扁半球形，後半展，最後下凹至廣漏斗形，光滑，青白色或稍帶灰黃色，邊緣最初顯著內捲，後漸伸展；菌肉白色，厚，邊緣較薄；柄青白色，內實，光滑，基部膨大，往上漸細；菌褶近延生，稠密，窄，乾後變黯污。孢子無色，光滑，橢圓形。

分佈　夏秋季在草原上單生或羣生，有時生於林中草地上，常形成蘑菇圈。分佈於東北、內蒙古、河北、青海、新疆。

採製　夏、秋採收，除去雜質，曬乾。

應用　用於小兒麻疹欲出不出，煩躁不安。用量 9～15g。

文獻　《中國藥用真菌圖鑒》，259。

附註　本菌可產生蕈素(clitocybin)，有抗肺結核的作用。鮮薑、雷蘑各切片，水煎服，可治傷風感冒。

4034 白蘑

來源 白蘑科真菌白蘑 Tricholoma mongolicum Imai 的子實體。

形態 菌蓋 5～12cm，白色，半球形，成熟時平展，光滑，邊緣初期內捲；菌肉白色，厚。柄粗壯，長 3.5～6cm，直徑 1.5～3.5cm，白色，中實，基部稍膨大。菌褶白色，稠密，中部寬。凹生。孢子無色，平滑，橢圓形，6～8×3～4μm。

分佈 生於草原，在立秋前後能形成"蘑菇圈"。分佈於河北、內蒙古。

採製 夏、秋時當子實體幼小時採摘，曬乾。

性能 甘，平。宣腸益氣，散血熱，透發麻疹。

應用 用於小兒麻疹欲出不出，煩躁不安。用量 9 g。

文獻 《滙編》下，719；《中國藥用孢子植物》，97。

4035 紫皮蘑

來源 白蘑科真菌紫皮蘑 Tricholoma personatum Quel. 的子實體。

形態 擔子果羣生，常形成蘑菇圈，菌蓋初期半球形，漸平展，寬 6～10cm，蓋緣內捲；蓋面紫色，濕潤時半透明，成熟後成淡紫色或淡紫褐色；菌肉厚，淡灰紫色，後期海綿狀。菌柄圓柱形，內實。菌褶紫色，稠密。孢子印淡肉色。

分佈 生於混交林地。分佈於內蒙古東部、黑龍江北部、吉林東部。

採製 秋季採集。去泥土和雜質，曬乾。

性能 甘，平。補肝養血，益氣力。

應用 用於體虛貧血，筋肉無力。用量 20～30g。

文獻 《中國藥用孢子植物》。

4036　紫晶蘑

來源　白蘑科真菌紫晶蘑 Tricholoma sordidum (Fr.) Quél. 的子實體。

形態　羣生至近叢生；菌蓋寬 2.5～6.5cm，扁半球形，漸平展至下凹，水浸後半透明，淺丁香藍、淺菱色至藕粉色，光滑，不黏，邊緣平滑，或成熟時稍有條紋；菌肉薄，與蓋同色，可口。柄圓柱形，內實，纖維質，韌，與菌蓋同色，長 2～4.5cm，粗 4～10mm。菌褶稍密，長短不一，薄，凹生，堇紫色至淡紫色。孢子橢圓形至長方形，無色，光滑。

分佈　生於富有腐殖質的田野裏和草原上。分佈於內蒙古、甘肅、青海、江蘇。

採製　夏、秋採收，除去雜質，曬乾。

性能　甘，平。宣腸益氣，散血熱，透發麻疹。

應用　用於小兒麻疹欲出不出，煩躁不安。用量 9g。

文獻　《中國的真菌》，597。

4037　翹鱗環鏽傘

來源　鏽傘科真菌翹鱗環鏽傘 Pholiota squarrosa (Murr. ex Fr.) Quél. 的子實體。

形態　擔子果多叢生。菌蓋初期鐘形至球形，漸平展至半球形，寬 3～10cm；蓋面乾燥，土黃色至鏽黃色，覆有紅褐色反捲的毛狀鱗片，邊緣有殘存的菌幕；菌肉淡黃色。菌柄圓柱形，菌環以下鏽黃色，有褐鏽色鱗片。孢子印鏽褐色。

分佈　生於闊葉樹和針葉樹基部、原木、倒木、樁基部。分佈於內蒙古東部、黑龍江、吉林長白山。

採製　春、夏季採取子實體，曬乾。

性能　祛濕退黃，明目。

應用　治療肝膽濕熱，黃疸病。用量 15g。

文獻　《中國的真菌》，625。

附註　邊區獵民用藥。

4038　毒靭黑傘

來源　黑傘科真菌毒靭黑傘 Nematoloma fasciculare (Huds. ex Fr.) Karst. 的子實體。

形態　叢生，菌蓋寬 2～5.5cm，不黏，光滑，扁半球形至平展，檸檬色至硫黃色，中央帶紅色；菌肉黃色，味苦。柄細，彎曲，中空，黃色，長 3～10cm，粗 2～7mm。菌褶直生，稠密，青黃色，後暗青褐色。孢子褐色，光滑，橢圓形至卵形，囊狀體棒形，棒頂有細尖。

分佈　生於腐木上。分佈於內蒙古、河北、陝西、甘肅、青海、安徽、江蘇、湖南、廣西、雲南、四川。

採製　夏秋採收，除去雜質，曬乾。

應用　有毒。子實體表面的黏質經鹽水、溫水、鹼溶液或有機溶劑提取可得多糖體，此多糖體對小白鼠肉瘤$_{180}$和艾氏腹水瘤抑制率達 80% 和 90%。

文獻　《中國的真菌》，645；《中國藥用真菌圖鑒》，325。

4039 蛇頭菌

來源 鬼筆科真菌蛇頭菌 Mustinus caninus (Huds. ex Pers.) Fr. 的子實體。

形態 菌蕾卵形或長卵形，平滑，白色，基部有白色根狀菌索，孢托伸出後上部裂開，形成菌托。孢托圓柱形，中空，海綿狀，高 7～12cm，上下幾乎同粗，徑約1cm，粉紅色，頭部由厚壁小細胞構成，近圓錐形，鮮紅色，成熟時變暗綠色。有惡臭味，黏稠狀孢體。

分佈 生於落葉林下、灌木林中或林旁園地。分佈於東北、內蒙古、新疆。

採製 夏、秋季採集子實體，鮮用或曬乾。

性能 消腫解毒。有小毒。

應用 外用治療蟲蛇咬傷，紅腫。外用適量。

附註 蒙藥。邊區獵民用藥。

4040 灰包菇

來源 灰包菇科真菌灰包菇 Secotium agaricoides (Czern.) Hollos 的子實體。

形態 子實體近廣卵形至扁球形，直徑 3～4cm。柄短而明顯，倒圓錐形，粗 1～1.5cm，向上延長至包被頂端形成中軸。包被污白色至乳白色，單層，厚 1～2mm，初期光滑後往往有鱗片，沿基部與柄連接處開裂，內部淺綠黃色，腔呈迷路狀，寬達 1mm，隔片頗似傘菌的菌褶。孢子球形或近球形，光滑，壁較厚，淺黃色，含 1 油珠，常具短而透明的小柄。

分佈 夏、秋季在草原、山坡草地或砂地上單生或散生。分佈於內蒙古、河北、新疆。

採製 夏、秋採收，去除雜質，曬乾。

性能 消腫，止血，解毒。

應用 咽喉炎，扁桃體炎；外用治外傷出血，痔瘡出血，凍瘡。用量 5～10 g；外用適量。

文獻 《中國藥用真菌圖鑒》，485。

4041 栓皮馬勃

來源 馬勃科真菌栓皮馬勃 Mycenastrum corium (Guers.) Desv. 的子實體。

形態 子實體近球形，直徑 5～15cm，基部狹窄，有皺褶；外包被軟，白色，漸脫落，部分殘留有如鱗片；內包被栓質，約 2mm 厚，上部不規則開裂，常呈星狀。孢體初期青黃色，後變為淺煙色；孢子黃褐色，球形，有網紋，直徑 5.5～11.5μm；孢絲短，分枝，淡黃色，直徑與孢子相近，上有粗壯的刺。

分佈 生於草地、草原。分佈於內蒙古、河北、青海、寧夏、新疆。

採製 夏季剛成熟時採下，曬乾。

性能 辛，平。止血，清肺，利喉，解毒，清熱，消腫。

應用 用於外傷出血，吐血，咯血，扁桃體炎，喉炎，胃和十二指腸潰瘍出血。用量 3～6g，外用適量。

文獻 《中國藥用孢子植物》，247；《內蒙古中草藥》，112；《中國藥用真菌》，248。

4042 歧裂馬勃

來源 柄灰包科真菌歧裂馬勃 Phellorinia inquinans Berk. 的孢體。

形態 子實體單生至小羣生，很少兩個從一總基部生出，高 5～9cm；包被二層，近球形至梨形，外包被厚，與菌柄的外皮相連，老熟後龜裂成鱗片；內包被膜質，鱗片大而厚，角錐形，頂部直徑 5～12mm，向下部的逐漸變小；外包被破裂時形成一不定型、不規則的頂端孔口。菌柄堅硬，具球形基部，中實，有二層皮，外層具有扁平、覆瓦狀的鱗片不久脫落；內層無鱗片，通常色較外層深，栗褐色，易於脫落；無菌托。孢體粉末狀，早期青黃色，老熟後呈鏽褐色；孢絲稀少，扁平，不分枝；孢子球形，淡黃色，壁表有小疣。

分佈 秋季生於空曠草原、砂土或黏土地上。分佈於內蒙古、青海、新疆。

性能 辛，平。消腫，止血。

應用 用於外傷出血，凍瘡流水。外用適量。

文獻 《中國藥用真菌》，281。

4043 硬皮地星

來源 硬皮地星科真菌硬皮地星 Astraeus hygrometricus (Pers.) Morg. 的孢體。

形態 子實體未開裂時呈球形，開裂後露出地面；外包被厚，三層，外層薄而鬆軟；中層纖維質；內層軟骨質，成熟時開裂成 6～18 瓣，潮濕時外翻，乾燥時強烈內捲，外表面灰色至灰褐色，內側褐色且常具許多深裂痕；內包被薄膜質，扁球形，灰色至褐色，裏面無中軸，頂部開裂成一孔口。孢體早期被纖弱的隔片分隔成小腔，腔室內部規則地分佈着擔子，擔子頂生 4～8 個孢子，成熟時變為一團深褐色粉末。孢子球形，褐色，壁表有小疣；孢絲近透明無色，壁厚，無隔，表面附着有粒狀物。

分佈 生於在夏秋林內砂土地上，外包被能吸水。分佈於東北、華北、華東、華中、西南。

性能 辛，平。止血。

應用 用於外傷出血，凍瘡流水。外用適量。

文獻 《中國藥用真菌》，274。

4044　太白花

來源　石蕊科植物高山石蕊 Cladonia alpestris (L.) Rabht. 的枝狀體。

形態　木狀地衣。全株淡黃綠色，高10cm。子器柄中空，稍硬而脆，上部密生樹枝狀分枝，潮濕時膨脹呈海綿狀；下部與泥沙相連處漸次腐朽。粉子器塊狀，赤色，生於分枝頂端。

分佈　生於高山陰坡草叢中。分佈於黑龍江、吉林、遼寧、內蒙古、新疆、陝西、四川、雲南。

採製　全年可採，曬乾。

成分　含無羈萜（friedelin）、珠光酸（perlatolic acid）、巖衣酸（psoromic acid）、松蘿酸（usnic acid）。

性能　淡，平。平肝，健胃，調經，止血。

應用　用於高血壓，頭暈目眩，偏頭痛，目疾，虛勞，鼻衄，白帶，月經不調。用量 9～15g。

文獻　《大辭典》，0752；《滙編》下，110。

4045　問荊

來源　木賊科植物問荊 Equisetum arvense L. 的地上部分。

形態　多年生草本，高 8～25cm。根狀莖匍匐，具球莖，深埋地下。莖二型，生殖莖早春生出，淡黃褐色，無葉綠素，不分枝；葉鞘筒漏斗形，具 3～5齒，棕褐色；孢子葉球有柄，長橢圓形；孢子葉六角盾形，下生 6～8 個孢子囊，孢子成熟後，生殖莖漸枯萎，營養莖由同一根莖生出，綠色，具肋稜6～12，沿稜具小瘤狀突起，槽內氣孔 2縱列，每列具 2 行氣孔；葉鞘齒條狀披針形，黑褐色，具膜質白邊。

分佈　生於草地、河邊、沙地。分佈於東北、華北、西北、華中、西南。

採製　夏、秋採割，曬乾。

成分　含問荊皂甙及胡蘿蔔素等。

性能　苦，平。止血，利尿。

應用　用於鼻衄，月經過多，腸出血，咯血，痔瘡出血，小便不利。用量 6～9g。

文獻　《內蒙古中草藥》，336。

附註　本植物全草為蒙醫用藥，能利尿，止血，化痞；用於尿閉，石淋，尿道刺痛，淋症，水腫，創傷出血。

4046　藺問荊

來源　木賊科植物藺問荊 Equise-tum scirpoides Michx. 的地上部分。

形態　多年生草本，高 6～12cm。根狀莖細弱，棕褐色。莖細，質硬，常彎曲，無中央腔，具槽溝 3 或 4，具 6～8 條肋稜，稜上有小疣狀突起 1 列，槽內氣孔 2 列；葉鞘筒長 1.5～2mm，基部黑褐色，鞘齒 3 枚，三角狀披針形，邊緣具寬的膜質白邊，中央黑褐色，先端漸尖，孢子葉球小形，近於無柄，大半包被於頂端葉鞘筒中，先端有小突尖。

分佈　生於苔蘚針葉林下。分佈於東北、內蒙古。

採製　夏、秋採割，曬乾。

性能　止血。

應用　治吐血，衄血，便血等。用量 3～9g。

文獻　《內蒙古藥材資源普查選編》一，105，《內蒙古植物誌》一，67。

4047　長葉鐵角蕨

來源　鐵角蕨科植物長葉鐵角蕨 Asplenium prolongatum Hook. 的全草。

形態　草本，高 15～40cm。根狀莖短，頂端有披針形鱗片。葉簇生；幼時疏生纖維狀小鱗片，二回深羽裂，每羽片有小脈 1 條，頂端有水囊。孢子囊羣生小脈中部；囊羣蓋條形，膜質，全緣，開向葉緣。

分佈　附生於林中的石上或樹幹上。分佈於長江以南。

採製　春季至秋季採，曬乾。

性能　辛、甘、平。清熱除濕，活血化瘀，止咳化痰，利尿通乳。

應用　用於風濕疼痛，腸炎，痢疾，尿路感染，咳嗽痰多，跌打損傷，吐血，崩漏，乳汁不通；外用治骨折，外傷出血。用量 9～30g；外用適量。

文獻　《滙編》下，340。

4048　烏毛蕨

來源　烏毛蕨科植物烏毛蕨 Blech-num orientale Linn. 的根狀莖。

形態　草本，高可達 2m。根狀莖粗短，直立，連同葉柄基部密生鑽狀披針形鱗片。葉簇生；葉片闊披針形，革質，長 50～120cm，寬 25～40cm，基部略變狹，一回羽狀，最下的突然縮小成耳片。孢子囊羣條形，沿主脈兩側着生，囊羣蓋同形，開向主脈。

分佈　生於灌叢中或溪邊，分佈於福建、台灣、廣東、廣西、貴州、雲南、四川和江西。

採製　春秋季採挖，削去鬚根及葉柄，曬乾。

成分　含綠原酸。

性能　微苦，涼。清熱解毒，抗菌殺蟲，止血。

應用　用於流感，流腦，傷寒，斑疹，麻疹，腸道寄生蟲，吐血，衄血，婦女血崩。用量 6～15g。孕婦慎用。

文獻　《滙編》上，536。

4049 網眼瓦韋

來源 蕨類水龍骨科植物網眼瓦韋 Lepisorus clathratus (C.B. Clarke). Ching 的全草。

形態 草本，高 10～20cm。根狀莖橫走，密生鱗片，鱗片卵狀披針形，漸尖頭，灰褐色，有明亮粗篩孔，邊緣具長齒，葉披針形至條狀披針形，長 10～26cm，寬 8～15mm，先端鈍或銳尖，少有漸尖，基部變狹，全緣，脈網狀，下面幼時被鱗片；葉柄長 1～4cm，禾稈色。孢子囊羣大圓形，黃色或黃褐色，着生於主脈和葉緣之間，幼時有盾狀隔絲覆蓋。

分佈 附生於石上或樹幹上。分佈於河北、內蒙古、河南、山西、陝西、甘肅、青海、新疆、四川、雲南、西藏。

採製 6～7 月採，曬乾。

性能 苦，微寒。利水通淋，止血，解毒消腫。

應用 用於淋病，水腫，癰腫，瘰癧，咳嗽，吐血，赤白痢疾，外傷出血，用量 3～9g。

文獻 《滙編》下，727。

4050 一皮草

來源 蕨類水龍骨科植物扭瓦韋 Lepisorus contortus (Christ) Ching 的全草。

形態 草本，高 10～30cm。根狀莖粗而橫走，密生鱗片，鱗片卵狀披針形，褐棕色，有齒。葉革質，條狀披針形，向兩端漸尖，寬 5～10mm，乾後向下反捲，沿主脈偶有一、二鱗片，柄短或幾無，以關節著生，孢子囊羣大，矩圓形，生於主脈和葉邊之間，成熟時密接或多少滙合。幼時有盾狀隔絲覆蓋。

分佈 生於石上或樹幹上，分佈於雲南、廣西、四川、陝西、湖北、西藏等省區。

採製 5～8 月連根拔起，洗淨曬乾。

性能 微苦、平，微寒。清熱解毒，生肌，利尿通淋。

應用 用於腎炎水腫，泌尿系感染，尿路結石，肺熱咳嗽，支氣管哮喘，咽、喉炎症，內外傷化膿，燙火傷。用量 9～15g。

文獻 《大辭典》上，0005；《萬縣中草藥》，627。

4051 骨牌蕨

來源 水龍骨科植物骨牌蕨 Lepidogrammitis rostrata (Bedd.) Ching 的全草。

形態 附生植物，高 4～10cm。根狀莖細長如鐵絲，橫走，疏生鱗片；鱗片薄，粗篩孔狀，基圓形，上部披針狀鑽形，有粗齒。葉一型，有極短柄或無柄；葉片卵狀披針形，長 4～10cm，中部寬 1.5～2.5cm，頂部銳尖，基部短楔形；葉脈網狀，內藏小脈單一，少有分叉。孢子囊羣生於葉片中部以上，近主脈；幼時有盾狀隔絲覆蓋。

分佈 附生於樹上或石上。分佈於台灣、海南、廣東、廣西、貴州和雲南。

採製 全年可採，曬乾。

性能 微苦、甘，平。清熱利水，除煩，清肺氣。

應用 用於淋瀝癃閉，熱咳，心煩。用量 15～25g。寒症忌用。

文獻 《滙編》下，727。

4052 石韋

來源 水龍骨科植物石韋 Pyrrosia lingua (Thunb.) Farw. 的葉。

形態 附生植物。根狀莖長而橫走,密被披針形鱗片,有睫毛。葉疏生,相距 1～3cm,革質,披針形或長圓狀披針形,邊緣全緣而略反捲,約與葉柄等長,上面偶有星狀毛並有小凹點,下面密被灰棕色星狀毛,葉柄長 2～10cm,基部有關節並被鱗片。孢子囊羣在葉背的側脈間緊密而整齊地排列,初爲星狀毛包被,成熟時露出。

分佈 附生於巖石上或樹幹上。分佈於長江以南及台灣。

採製 全年可採,除去根狀莖及鬚根,曬乾或陰乾。

成分 含杧果甙(mangiferin)、延胡索酸(fumaric acid)等。

性能 苦、甘,微寒。利尿通淋,清熱,止血。

應用 用於熱淋,血淋,石淋,小便不通,淋瀝澀痛,吐血,衄血,尿血,崩漏,肺熱喘咳。用量 6～12g。

文獻 《藥典》(1985 年版)68;《中藥誌》四,214。

4053 杉松

來源 松科植物杉松 Abies holophylla Maxim. 的葉、枝。

形態 常綠喬木,高 25～30m,胸徑約 50cm。樹冠傘形或倒卵形;大枝平展或稍斜上;樹皮幼時灰褐色或白褐色,不剝裂,老時暗褐色,淺線裂,枝灰褐色,無毛或僅凹槽內有疏生毛。葉線形,先端突尖或漸尖,堅硬,葉內樹脂管中生。雌雄同株,均着生於二年生枝上;雄球花圓圓筒形,着生葉腋,下垂;雌球花長圓筒狀,直立,着生於枝頂部。球果綠褐色,圓柱形,果鱗腎狀扇形,苞鱗不露出,種子歪三角狀,種鱗扇狀橫橢圓形。

分佈 喜生於較肥沃濕潤土壤中。分佈於東北。

採製 春、夏、秋均可採收,多鮮用或曬乾。

成分 葉和樹枝有鞣質、黃酮和揮發油反應。葉含揮發油 0.8%,樹枝 0.43%,枝梢 0.71%。

應用 東北長白山區民間用葉枝適量,浸於 60°C 左右水中,薰洗,用治風濕症。

文獻 《長白山植物藥誌》,169。

4054 落葉松

來源 松科植物落葉松 Larix gmelini (Rupr.) Rupr. 的樹脂、靱皮。

形態 喬木，高達 35m，胸徑 60～90cm。幼樹皮深褐色，裂成鱗片狀塊片，老樹皮灰色、暗灰色，縱裂成鱗片狀剝離，剝落後內皮呈紫紅色；枝斜展或近平展，樹冠卵狀圓錐形；一年生長枝較細。花單性，雌雄同株；雄球花具多數雄蕊，雌球花直立，珠鱗形小，球果成熟時上端的種鱗張開，中部的種鱗五角狀卵形，先端截形或微凹，背面無毛，有光澤。種子上部有膜質長翅。

分佈 生於土層深厚、肥潤、排水良好及丘陵地帶，多爲森林栽培樹種。分佈於東北及內蒙古、大小興安嶺。

採製 樹脂：採伐時將樹皮割掉，樹脂流出後刮取。靱皮：將樹皮剝下，刮去外皮曬乾即得。

應用 樹脂作皮膚發赤劑，靱皮外用治燒燙傷。外用適量。

文獻 《內蒙古藥材資源普查選編》一，2。

4055 四川紅杉

來源 松科植物四川紅杉 Larix mastersiana Rehd. et Wils. 的莖皮。

形態 落葉喬木，高達 25m。樹皮不規則薄片開裂，灰褐色；當年生枝淡褐色下垂，葉在長枝上螺旋狀散生，脫落後留下明顯葉枕，在短枝上簇生，披針狀窄條形，柔軟，長 0.9～3.5cm，基部漸窄，微彎成短柄，表皮有乳頭狀突起，稀具氣孔線，背面中肋兩側各有 3～5 條氣孔線。球果卵狀或橢圓狀圓柱形，淡褐色，長 2.5～4.5cm；種鱗倒三角狀圓形或近方形，先端中央常微凹，基部的背面常有黃褐色毛；苞鱗紫色，較長，外露，中上部反折；種子灰白色，三角狀，具翅。

分佈 生於海拔 2300～3200m 山地。分佈於四川。

採製 秋季剝皮，曬乾。

性能 微辛，溫。收斂，殺蟲。

應用 用於痢疾，脫肛。用量 9～15g。

文獻 《臥龍植被及資源植物》，209。

4056 紅皮雲杉

來源 松科植物紅皮雲杉 Picea koraiensis Nakai 的葉、枝、皮。

形態 常綠喬木，高 25～30m，胸徑 50～80cm。樹冠尖塔形，樹皮幼時灰色，粗糙，老時灰紅褐色，塊狀剝裂；冬芽圓錐形，紅褐色，上部芽鱗於小枝基部宿存並常反曲。葉四稜形，先端急尖，橫切面菱形，四面有氣孔線。雌雄同株；雄球花單生葉腋，下垂；雌球花單生枝頂。球果卵狀橢圓形或柱狀長圓形，在枝上斜下生，幼時綠色，熟時淡褐至褐色；果鱗革質，較厚，宿存，苞鱗小，不外露。種子歪倒卵形，黑褐色，具膜質翅。

分佈 喜生於水分充足、排水良好向陽處，分佈於東北、內蒙古。

採製 全年均可採葉陰乾；春季剪樹枝；春、秋剝取砍伐後的樹幹皮，晾乾。

應用 東北長白山區民間用葉、枝和樹皮浸泡熱水中，沖洗，可治療風濕症。外用適量。

文獻 《長白山植物藥誌》175；《內蒙古植物誌》一，130。

4057　水松

來源　杉科植物水松 Glyptostro-bus pensilis (Staunt.) K. Koch 的枝、葉及果實。

形態　落葉喬木；樹冠尖塔形。葉二型：有冬芽的枝具鱗形葉，基部下延，冬季宿存；側生小枝具條狀鑽形葉，兩側扁，常排列成羽狀，冬季脫落。球花雌雄同株，生於有鱗形葉的小枝頂。球果倒卵圓形，直徑約 1.3～1.5cm；種鱗木質，倒卵形，上部邊緣有 6～10 個三角狀尖齒。

分佈　生於河岸和低窪濕地。分佈於廣東；現中國南部各省區有栽培。

採製　果，夏秋季採；枝、葉，全年可採，鮮用或曬乾用。

性能　苦，平。清熱解毒，通絡止痛。

應用　用於麻疹，腰痛，頭痛，心胃氣痛，高血壓。用量：枝、葉 9～50g；果實 15～50g。

文獻　《湖南藥物誌》二，148。

4058　南洋杉

來源　南洋杉科植物南洋杉 Arau-caria cunninghamia Sw. 提取的南洋杉酊。

形態　喬木，高達 30m 或更高。樹皮粗糙，橫裂。葉螺旋狀排列，二型；幼樹的葉排列疏鬆，老樹和花果枝上的葉排列緊密，卵形或三角狀卵形，上面扁，背面微凸。球果卵圓形或橢圓形，長 6～10cm，苞鱗上部寬厚並向上彎曲，先端有反曲的尾狀長尖；種子兩側有膜質翅，種翅較苞鱗寬，種子下部及種翅與苞鱗結合而生。

分佈　長江流域以南各大城市的庭園有栽培。

採製　全年可採，曬乾。

應用　用於皮膚過敏。外用適量。

文獻　《廣東藥用植物手冊》，49。

4059 興安圓柏

來源 柏科植物興安圓柏 Sabina davurica (Pall.) Ant. 的果實。

形態 匍匐灌木。分枝多，皮紫褐色，裂成薄片剝落。葉二型：一為刺葉，排列疏鬆，近基部有腺體；一為鱗葉，排列緊密，葉背中部有腺體。球果常呈不規則球形，熟時暗褐色至藍紫色，被白粉，有1～4粒種子。

分佈 生於多石山地或山峯巖縫中，或生於砂丘。分佈於東北及內蒙古的大興安嶺和長白山。

採製 秋季採果實，陰乾。

成分 果實、嫩枝和針葉含揮發油。

性能 止咳平喘，利尿，止痛。

應用 用於咳嗽，哮喘；腎及膀胱病所致排尿困難；風濕病、痛風。用量9～15g。

文獻 《長白山植物藥誌》，186；《黑龍江主要野生藥用植物鑒別及中草藥製劑》一，33、222。

4060 百日青

來源 羅漢松科植物百日青 Podocarpus neriifolius D. Don 的枝及葉。

形態 喬木。葉螺旋狀着生，厚革質，條狀披針形，常微彎，長7～15cm，上部漸窄，先端有長尖頭（萌生枝上的葉較寬，先端常有短尖頭），基部漸窄成短柄，上面中脈明顯隆起。雄球花穗狀，單生或2～3簇生葉腋；雌球花單生葉腋。種子卵球形，長8～16mm，成熟時肉質假種皮紫紅色，着生於肉質種托上，種托橙紅色，梗長9～22mm。

分佈 生於常綠闊葉林中。分佈於廣西、廣東、海南、福建、湖南、江蘇、浙江、貴州、雲南及四川。

採製 全年可採，曬乾。

性能 祛風，接骨。

應用 用於風濕，骨折，斑疹。用量9～15g。

文獻 《廣東藥用植物手冊》，49。

4061 中麻黃

來源 麻黃科植物中麻黃 Ephedra intermedia Schrenk ex Mey 的綠色莖枝。

形態 小灌木，呈草本狀，高1m以上。莖直立，粗壯，小枝對生或3枝輪生，有節。葉退化成膜質鞘狀，葉鞘上部約⅓分裂，裂片3或2，鈍三角形或三角形。球花各部多為3數或2數，雌花珠被管長而旋曲。種子3或2粒。

分佈 生於多沙地帶。分佈於吉林、遼寧、河北、山西、內蒙古、陝西、甘肅、青海、新疆和西藏南部。

成分 含麻黃鹼（l-ephedrine）、偽麻黃鹼（d-pseudoephedrine）等多種生物鹼。

性能 辛、微苦，溫。發汗，平喘，利尿。

應用 用於風寒感冒，發熱無汗，咳喘，水腫。用量1.5～6g。

文獻 《滙編》上，721。

4062 石蟬草

來源 胡椒科植物石蟬草. Peperomia dindygulensis Miq. 的全株。

形態 肉質草本。莖被短柔毛。單葉對生或 3～4 片輪生，鮮時肉質，乾後膜質，橢圓形或倒卵形，有腺點。兩面被短柔毛，基出脈 5 條。穗狀花序腋生和頂生，單生或 2～3 條叢生，長 5～8cm，直徑 1.3～2mm，花疏離，苞片盾狀，無花被，雄蕊 2，子房頂端鈍，柱頭被短柔毛。漿果球形，直徑 0.5～0.7mm。

分佈 生於山谷林下、溪邊或石縫內。分佈於華南、西南及福建、台灣。

採製 夏秋季採，鮮用。

性能 辛，涼。祛瘀散結，抗癌。

應用 用於胃癌、食道癌、肝癌、乳腺癌、肺癌。外用於跌打腫痛，外傷出血，燒燙傷。用量 30～60g，外用適量。

文獻 《大辭典》上，1268。

4063 大葉蒟

來源 胡椒科植物大葉蒟 Piper laetispicum C. DC. 的全株。

形態 藤本。葉有透明腺點，長圓形或卵狀長圓形，稀橢圓形，長 12～17 cm，頂端短漸尖，基部兩側不等，呈兩耳狀而常重疊，背面疏被長柔毛；葉脈近羽狀，但基部常有 5 條比較明顯的掌狀脈。花單性，雌雄異株；雄花序長約 10cm；苞片闊倒卵形，無柄，盾狀，有緣毛；雄蕊 2 枚，花藥 2 室，花絲肥厚；雌花序與雄花序近等長，於果期延長並增粗；苞片倒卵狀長圓形，腹面貼生花序軸上，僅邊緣分離，盾狀，有緣毛；柱頭 4 枚。漿果近球形。

分佈 生於密林中，攀援於樹上或石上。分佈於廣東和海南。

採製 8～10 月採，曬乾。

性能 辛，溫。祛風消腫，通經活血，溫中散寒。

應用 用於跌打損傷，腹痛。用量 3～9g。

文獻 《廣西藥用植物名錄》，91。

4064　海南草珊瑚

來源　金粟蘭科植物海南草珊瑚 Sar-
candra hainanensis (Péi) Swamy et
Bailey 的全株。

形態　灌木。葉對生，兩面稍光澤，邊
緣有鈍鋸齒，齒端有腺體狀硬尖；葉柄
基部合生成鞘狀，托葉小，鑽狀。穗狀
花序頂生，分枝少；雄蕊無花絲，藥隔
頂端微凹，具 2 個(稀 3 個)藥室。果卵
形，無柄。

分佈　生於低海拔的山谷林下。分佈於
海南、廣西及雲南。

採製　全年可採，曬乾或鮮用。

性能　辛、苦，溫。消腫止痛。

應用　用於風濕跌打，接骨。外用適
量。

文獻　《廣西藥用植物名錄》，94。

4065　楊樹花

來源　楊柳科植物加拿大楊 Populus
canadensis Moench 的花。

形態　喬木。樹皮灰綠色，老時縱裂，
小枝近圓柱形或微有稜，黃棕色，無
毛，冬芽大，圓錐形，有黏性，先端尖
且反曲。葉三角狀卵形，長寬 6～
20cm，先端漸尖，基部截形，邊緣有圓
鈍鋸齒，無毛；葉柄扁，紫紅色，稀有
1 或 2 腺體。雄花序長約 7cm，無毛，
雄蕊 15 至 25。

分佈　路旁、平原或坡地，常栽作行道
樹。分佈於東北、華北和甘肅、福建、
貴州、廣西。

性能　苦，寒。化濕止痢。

應用　用於赤白痢疾。用量 9～15g。

文獻　《原色中國本草圖鑒》三，200。

4066 小葉楊

來源 楊柳科植物小葉楊 Populus simonii Carr. 的樹皮。

形態 喬木，高 15～22m。樹皮灰綠色，老時暗灰黑色；小枝和萌發枝有稜角，紅褐色，後變黃褐色。冬芽細長，稍有膠質，棕褐色，光滑無毛。單葉，互生；葉片菱狀卵形或菱狀橢圓形，先端漸尖或突尖，基部楔形或狹楔形，長枝葉中部以上最寬，邊緣有細鋸齒，上面通常無毛，下面淡綠白色；葉柄上面帶紅色。葇荑花序下垂，花先葉開放，雌雄異株，具杯狀花盤；雄蕊 8～9，花藥暗紅色；雌蕊由 2 心皮合生，花柱短。蒴果 2～3 瓣裂。

分佈 東北、華北、西北、四川均有栽培。

採製 春、夏、秋均可剝取樹皮，曬乾。

性能 苦，寒。清熱解毒，行瘀，利水，消痰。

應用 用於感冒發熱，風濕熱，瘧疾，結核發燒，消化不良，腹瀉，咳嗽，蛔蟲症，高血壓，小便淋瀝，妊娠下痢，牙疼，口瘡，痔出血，撲損瘀血。用量 5～15g。外治禿瘡，疥癬。外用適量。

文獻 《長白山植物藥誌》198；《內蒙古植物誌》一，174。

4067 楊枸花

來源 楊柳科植物毛白楊 Populus tomentosa Carr. 的花。

形態 喬木，樹皮灰白色，老時深灰色，縱裂，小枝初有灰毛，老枝紅棕色或灰棕色，無毛。冬芽卵形，微有氈毛。葉革質，三角卵形，先端漸尖，基部心形或截形，邊緣有波狀齒，下面密生灰氈毛。葉柄有毛。雄花序長 10cm，雄蕊 8，雌花序長 4～7cm。蒴果長卵形，2 裂。

分佈 生於平原和低海拔丘陵，多爲防護林、庭園和行道樹。分佈於遼寧、華北、西北、華東。

性能 苦、甘，寒。清熱利濕。

應用 主治赤白痢疾，日久不止，淋濁白帶，急性肝炎，支氣管炎，肺炎。用量 9～15g。

文獻 《滙編》下，776。

附註 根皮可用於驅蛔蟲，30～60 克，鮮用搗爛敷臍部。樹皮祛痰。

4068 旱柳葉

來源 楊柳科植物旱柳 Salix matsudana Koidz. 的嫩葉或枝葉。

形態 喬木，高 10 m 餘。樹皮深灰色，不規則淺縱裂，枝細長，綠色或帶紫紅色。葉披針形，先端長漸尖，基部圓形或楔形，邊緣具細鋸齒，上面深綠，下面蒼白或帶白色。花單性，雌雄異株，葇荑花序，與葉同時開放，每花具一苞片，全緣，常宿存，有 1 背腺及 1 腹腺，雄花序短圓柱形，雄蕊 2，花絲基部有毛；雌花序矩圓形；子房無柄。花柱極短。蒴果 2 瓣開裂。種子極小，具白色絲狀長毛。

分佈 生於河岸、山谷、溝邊。分佈於東北、華北、華中、西北、山東、安徽、四川。

採製 嫩葉(柳芽)春季採；枝葉春、夏、秋均可採，鮮用或曬乾。

成分 樹皮含鞣質 3.06～7.49%。

性能 微苦，寒。散風，祛濕，清濕熱。

應用 用於黃疸型肝炎，風濕性關節炎，濕疹。用量 9～15g。外用適量。

文獻 《大辭典》上，2287；《內蒙古植物誌》一，189。

4069　黃杞

來源　胡桃科植物黃杞 Engelhardtia chrysolepis Hance 的樹皮及葉。

形態　喬木，嫩枝有橙黃色盾狀腺體。偶數羽狀複葉，小葉常 4～5 對，小葉片略呈鐮狀彎曲。雌雄同株少有異株；雌花序 1 條及雄花序數條，長而下垂；雌花及雄花的苞片均 3 裂，花被片 4。果序長達 20～25cm，果實堅果狀，球形，密生腺體，有三裂葉狀膜質果翅。

分佈　常生於丘陵或山坡的次生林中。分佈於中國南部和西南部。

採製　夏季採取，曬乾。

性能　樹皮：苦、辛，平。行氣化濕，導滯。葉：微苦，涼。清熱止痛。

應用　脾胃濕滯，胸腹脹悶，濕熱滯瀉；用量：樹皮 6～9g。疝氣腹痛，感冒發熱；用量：葉 12～15g。

文獻　《廣西本草選編》上，754。

4070　東北榿木

來源　樺木科植物東北赤楊 Alnus mandshurica (Callier) H. -M. 的果實、樹皮。

形態　落葉小喬木，高 3～8m。樹皮暗灰色，光滑。小枝紫褐色，無毛，有條稜和皮孔。單葉，互生，葉片寬卵形或橢圓形，邊緣具不規則的密細的尖鋸齒。葇荑花序頂生，雌雄同株，雄花序下垂，與葉同時開放；雌花序 3～5 簇生於短枝頂端。果序 3～5 枚呈總狀排列，闊卵圓形或近球形，果苞木質，頂部具 5 枚淺裂片；小堅果，扁平，膜質翅與果近等寬。

分佈　喜生於濕潤涼爽的河岸、山坡、山頂。分佈於東北、內蒙古。

採製　春、夏、秋均可剝取樹皮，曬乾；秋後採果曬乾。

成分　含廿七烷(heptacosane)、脂肪醇類、羽扇豆烯酮(lupenone)、黏霉烯醇(glutin-5-en-3β-ol)、2，β-香樹脂醇混合物、β-穀甾醇、1，7二苯基-3，5-庚二醇(1，7-diphenylheptan-3，5 diol)。

性能　苦、澀，涼。清熱解毒，收斂。

應用　用於腹瀉，外傷出血。用量 15～30g。

文獻　《長白山植物藥誌》，205。

41

4071 柞樹皮

來源 殼斗科植物蒙古櫟 Quercus mongolica Fisch. 的樹皮。

形態 落葉喬木，高 20～30m。樹皮暗灰色，縱深裂；幼枝平滑具稜，紫褐色。單葉互生，多集生於小枝頂端；葉片倒卵形至長橢圓狀倒卵形，先端鈍或急尖，基部耳形，邊緣具波狀鈍牙齒；葉柄短而有褐色絨毛疏生。花單性，雌雄同株；雄花序穗狀，下垂，生於新枝葉腋，雄花被 6～7 裂，雄蕊通常 8；雌花序短而出自枝梢；雌花被 6 淺裂，裂片半圓形。殼斗淺碗狀，包圍堅果 $\frac{1}{3}$～$\frac{1}{2}$，壁厚，外面有覆瓦狀細鱗。堅果卵形至長卵形。

分佈 生於山坡向陽乾燥處的疏林中。分佈於東北、內蒙古、河北、山西、山東。

採製 春、秋採收，刮去外層粗皮，曬乾或煅炭。

性能 利濕，清熱，解毒。

應用 用於腸炎腹瀉，痢疾，黃疸，痔瘡。用量 6～9g。外用適量。

文獻 《大辭典》下，3152；《中國高等植物圖鑒》一，462。

附註 本植物的葉(柞樹葉)可用於細菌性痢疾，小兒消化不良，癰腫，痔瘡。用量 3～9g。外用適量。

4072 見血封喉

來源 桑科植物見血封喉 Antiaris toxicaria (Pers.) Lesch. 的樹液。

形態 喬木，有乳汁。葉矩圓形或橢圓狀矩圓形，長 5～7cm，頂端漸尖，基部圓形或心形，不對稱，全緣或有粗鋸齒，兩面粗糙。花單性，雌雄同株；雄花密集於葉腋，生於一肉質、盤狀的花托上；花序托為覆瓦狀的苞片所圍繞；花被片和雄蕊各 4；雌花單生於一帶鱗片的梨形花序托內，無花被，子房與花序托合生，花柱 2 裂。果(花序托)肉質，卵形，紅色，長約 1.8cm。

分佈 生於中海拔以下的山地或村旁。分佈於雲南、廣西、廣東及海南。

採製 全年可採。

性能 有劇毒。

應用 用於淋巴結結核。外用適量。

文獻 《廣西藥用植物名錄》，263。

4073 白桂木

來源 桑科植物白桂木 Artocarpus hypargyreus Hance 的根。

形態 喬木，有乳汁。根皮黃色，表皮薄片狀；小枝多少有毛。葉橢圓形至長圓狀橢圓形，有時倒卵形，長 7～15cm，全緣，幼樹的葉有時羽狀淺裂，背面灰綠色，多少被毛。花序單生於葉腋，總花梗 10～30mm，雌雄花生於不同的花序上；雄花序呈倒卵狀或棒狀，長 1.2～1.6cm；花被片 2～3，雄蕊 1；雌花序較小，花被管狀發育成球狀聚合果，成熟時直徑約 3～4cm，橙黃色，被毛。

分佈 生於山地林中。分佈於中國南部。

採製 全年可採，切片曬乾。

性能 甘、淡，溫。祛風利濕，止痛。

應用 用於風濕關節痛，腰膝酸軟，胃痛，黃疸。用量 15～60g。

文獻 《滙編》下，414。

4074 號角樹

來源 桑科植物號角樹 Cecropia peltata Linn. 的嫩葉及樹液。

形態 喬木；分枝常被短硬毛。葉大型，近圓狀，寬 30～45cm，深裂達葉長度的⅔，裂片通常 9～11，上面稍粗糙，無毛，下面密被白色短絨毛，頂端鈍或圓形，基部有時收縮；葉柄長 13～29cm，有白色蛛絲狀毛或毛脫落；托葉長 6～9cm，有微硬毛。雄花序 12～13 個成一束；佛焰苞密被白色短絨毛；雌花序 4～6 個成一束；佛焰苞同雄花序。

分佈 海南、廣東、廣西及雲南有栽培。

採製 春季採收嫩葉，曬乾。樹液隨時可取。

應用 嫩葉用於肝病，浮腫；樹液用於赤痢。用量 9～15g；外用適量。

文獻 《廣東植物誌》一，170。

4075 黃毛榕

來源 桑科植物黃毛榕 Ficus fulva Reinw. 的根皮。

形態 小喬木或灌木，高 3～10m。小枝密生鏽色長硬毛。葉卵形或寬卵形，先端驟尖，3～5 淺裂或深裂，基部心形，邊緣有鋸齒，基出脈 5～7，上面無毛，下面密生褐色或黃褐色長硬毛。花序托成對腋生，無梗，球形，直徑 1.5cm，密生鏽色或褐色粗毛。

分佈 生於溪邊、山谷林中。分佈於福建、廣東、廣西、雲南。

採製 全年可採，曬乾。

性能 甘，平。健脾益氣，活血祛風。

應用 用於氣血虛弱，子宮下垂，脫肛，水腫，風濕痹痛。用量 30～60g。

文獻 《滙編》下，780；《中國高等植物圖鑒》一，489。

4076 黃葛榕

來源 桑科植物黃葛樹 Ficus virens Ait. var. sublanceolata (Miq.) Corner 的根及葉。

形態 喬木。葉橢圓狀矩圓形或卵狀矩圓形，長 8～16cm，頂端短漸尖，基部鈍或圓形，全緣。花序托單個或成對生於葉腋，或 3～4 個生於老枝上，近球形，無梗，直徑約 5～8mm，成熟時黃色或紅色；基部有苞片 3；雄花、癭花和雌花生於同一花序托中；雄花花被片 3，雄蕊 1；癭花及雌花花被片 4。瘦果微有皺紋。

分佈 生於曠野或山谷林中；常有栽培。分佈於中國東南部至西南部。

採製 夏季採，曬乾。

性能 根：微辛，涼。祛風除濕，清熱解毒。葉：澀，平。消腫止痛。

應用 根用於風濕骨痛，感冒，扁桃體炎，眼結膜炎；葉用於跌打腫痛。用量 15～25g。外用適量。

文獻 《滙編》下，550。

4077 狹葉樓梯草

來源 蕁麻科植物狹葉樓梯草 Elatostema lineolatum Wight var. majus Thw. 的全草。

形態 草本，高達 40cm。莖上部生短伏毛。葉斜倒卵形或狹橢圓形，長 5～11cm，寬 1.5～3.5cm，先端長漸尖，邊緣在中部以上疏生牙齒，上面疏生短柔毛或無毛，鐘乳體條形，下面沿脈有緊貼柔毛；托葉鑽形。雌雄同株或異株；雄花序托圓形，邊緣波狀，徑約 5mm；苞片多數，匙形，長約 1.2mm；雄花具長柄，雄蕊 4；雌花序較小，近球形。瘦果，卵形。

分佈 生於山谷溝邊或林邊陰濕處。分佈於湖北、四川、雲南、廣西、廣東、福建、台灣。

採製 夏秋採集，曬乾。

性能 微苦，平。清熱利濕，活血消腫。

應用 用於菌痢，風濕關節痛，骨折，癰癤腫痛。用量 9～15g。外用適量。

文獻 《滙編》上，404。

4078　小花牆草

來源　蕁麻科植物小花牆草 Parietaria micrantha Ledeb. 的根。

形態　一年生或多年生草本，高 10～50cm。根圓錐形，具多數鬚根。莖肉質，多分枝，直立或平臥，具微柔毛。葉互生，卵形或狹卵形，先端微尖，基部寬楔形或圓形，全緣，兩面疏生短毛，柄細。托葉缺。花雜性，生葉腋，為 3～5 花而無柄的聚傘花序，兩性花生於花序下部，其餘為雌花；苞片狹披針形；兩性花被 4 深裂，狹橢圓形；雄蕊 4，與花被片對生；雌花花被筒狀鐘形，先端 4 淺裂，花後成膜質宿存；子房橢圓形，柱頭短線形或長線形。瘦果卵形，扁，光滑，黑褐色。種子橢圓形。

分佈　生於陰濕的多石處、田壟濕地或草地。分佈於東北、華北、西北、福建、台灣、西南。

採製　全年均可採挖，多為鮮用。

性能　苦、酸，平。拔膿消腫。

應用　用於腳底深部膿腫，癰疽，疔瘡，多發性膿腫。用量 15～30g。外用適量。

文獻　《大辭典》下，5268，《滙編》下，782。

4079　大黏藥

來源　蕁麻科植物紅霧水葛 Pouzolzia sanguinea (Bl.) Merr. 的根、葉。

形態　小灌木，多分枝，密被短粗毛。葉互生，葉片卵形或狹卵形，先端漸尖，基部圓形或寬楔形，邊緣具鋸齒；托葉小，花單性，黃綠色，簇生於葉腋。瘦果卵形。種子平滑有光澤。

分佈　生於山坡草地、灌叢中。分佈廣東、廣西、雲南、四川、貴州。

採製　秋冬採挖、洗淨曬乾。

性能　辛、澀，熱。袪風濕，舒筋絡。

應用　用於膝眼風，骨折。用量 9～15g。

文獻　《大辭典》上，0226。

4080　八角麻

來源　蕁麻科植物懸鈴木葉苧麻 Boehmeria Platanifolia Franch. 的根、葉。

形態　草本，高 1～1.5m。莖密生短糙毛。葉對生，輪廓近圓形，長 6～14cm，寬 5～17 cm，先端 3 驟尖或 3 淺裂，基部寬楔形或平截，邊緣生粗牙齒，上面粗糙，兩面有毛。花單性，雌雄同株；雄和雌的團傘花序均排列成圓錐花序或雌的排列成不分枝的穗狀花序，長達 15cm，花簇直徑約 2.5mm。瘦果狹倒卵形或狹橢圓形，長約 1mm，有短硬毛，宿存花柱絲形。

分佈　生於山溝邊或林緣。分佈於甘肅、陝西、河南、山東、江蘇、浙江、安徽、湖北、湖南、四川、貴州、江西、福建、廣東。

採製　秋冬季挖根，夏季採葉，曬乾。

性能　淡，溫。解表，生肌。

應用　用於頭風痛，發燒，跌打損傷，痔瘡。用量 9～15g。外用適量煎水熏洗或鮮品搗爛敷患處。

文獻　《滙編》下，781。

4081　九仙草

來源　檀香科植物長葉百蕊草 Thesium longifolium Turcz. 的帶根全草。

形態　多年生草本，高 15～50 cm，全株淺黃色。根圓錐形，稍肥厚，多分枝，頂端多頭。莖直立，纖細叢生。單葉互生，條形或條狀披針形，稍肉質，花小，兩性，單生葉腋，枝頂集生成總狀花序或圓錐花序；花梗具細縱稜；苞片 1，葉狀；花被白色或綠白色，基部筒狀，具明顯縱脈稜；上部 5 深裂，裂片條形或披針形；雄蕊 5。堅果近球形、卵形或橢圓狀球形，黃綠色，頂端具宿存花被及花柱。果實表面具明顯脈稜。種子 1，球形，淺黃色。

分佈　生於荒坡、草叢、疏林下。分佈於東北、華北、華中、西南。

採製　夏、秋採收，曬乾。

性能　辛、苦，涼。祛風清熱，解痙。

應用　用於感冒，中暑，小兒肺炎，咳嗽，驚風。用量 6～9g。

文獻　《大辭典》上，0076。

4082　廣桑寄生

來源　桑寄生科植物廣寄生 Taxillus chinensis (DC.) Danser 的莖及葉。

形態　寄生灌木。嫩枝、葉密被鏽色星狀絨毛，小枝具皮孔。葉對生，近圓形至橢圓形，兩面無毛。花深紅色，成對生於總花梗上，花、花柄和花梗均被褐紅色星狀短柔毛；花冠狹管狀，直或稍彎，有 4 裂片，雄蕊 4。果橢圓形，有小瘤體。

分佈　生於平原和低丘陵地區疏林中，寄生於樹上。分佈於華南。

採製　夏、秋季採，曬乾。

成分　枝、葉含廣寄生甙、槲皮素。

性能　苦，平。補肝腎，祛風濕，降血壓，養血安胎。

應用　用於腰膝酸痛，風濕關節炎，坐骨神經痛，高血壓病，四肢麻木，胎動不安，先兆流產。用量 9～15g。

文獻　《滙編》上，679；《大辭典》上，2669。

4083　槲寄生

來源　桑寄生科植物槲寄生 Viscum coloratum (Kom.) Nakai. 的帶葉莖枝。

形態　半寄生常綠小灌木，高 30～90cm。莖枝圓柱形，常 2～3 叉狀分枝，叢生；表面綠色或黃綠色至金黃色，有縱皺紋，節處膨大，節上有分枝或枝痕。單葉對生於頂，倒披針形或矩圓狀披針形，稍肉質。花單性，雌雄異株，單或簇生於枝端或分叉處，黃綠色或淡黃色；雄花 3～5 朵，花被肥厚，杯狀，頂端 4 裂；雄蕊着生於花被裂片上，無花絲；雌花 1～3 朵，花被鐘狀，下部與子房合生；無花柱，柱頭頭狀。漿果球形，成熟後淡黃色或橙紅色，半透明，果皮內黏液質豐富。種子 1 粒。

分佈　常寄生於楊樹、柳樹、榆樹、櫟樹、梨樹，樺木及桑樹上。分佈於東北、華北、陝西、甘肅、江蘇、浙江、安徽、山東、湖北、湖南、河南、四川、雲南。

採製　冬季至翌春採割，除去粗莖，切段，乾燥或蒸後乾燥。

成分　含齊墩果酸 (oleanonic acid)、β-香樹精 (β-amyrin)。

性能　苦，平。祛風濕，補肝腎，強筋骨，安胎。

應用　用於風濕痹痛，腰膝酸軟，胎動不安。用量 9～15g。

文獻　《中國藥典》一，328。

4084 苦蕎麥

來源 蓼科植物苦蕎麥 Fagopy-rum tataricum (L.) Gaertn. 的塊根。

形態 一年生草本,高 50～90cm。塊根圓形或不規則塊狀。莖直立,分枝,綠色或稍帶紫色,有細條紋。單葉互生,心狀三角形或心狀卵形;柄長。基部擴大抱莖;托葉鞘膜質,黃褐色。花序總狀,花梗細長,花排列稀疏;花被白色或淡紅色,5 深裂,裂片橢圓形,長約 2mm;雄蕊 8,短於花被;花柱 3,較短,柱頭頭狀。小堅果,圓錐狀卵形,有 3 稜,稜上部銳利,下部圓鈍成波狀,黑褐色,有 3 條深溝。

分佈 生於林邊或山坡草叢。分佈於東北、西北、西南。

採製 秋季採挖,洗淨,曬乾。

性能 苦,平。理氣止痛,健脾利濕。

應用 用於胃痛,消化不良,腰腿痛疼,跌打損傷。用量 9～15g。

文獻 《滙編》下,359;《內蒙古植物誌》二,60。

4085 本氏蓼

來源 蓼科植物本氏蓼 Polygo-num bungeanum Turcz. 的根。

形態 一年生草本,高 30～80cm。莖直立,具倒生鈎刺。托葉鞘圓筒狀,膜質,邊緣具長緣毛;葉披針形或長圓狀披針形,長 3～13cm,寬 1～2.5cm,基部楔形,先端漸尖,全緣,具緣毛。花序由數個花穗組成,花穗細長,圓柱狀,長達 10cm,下垂,花軸密被腺毛;花小形,白色或粉紅色。小堅果圓扁豆形,黑色。花期 7～8 月。

分佈 生於砂質地、路旁濕地。分佈於東北、華北。

採製 春、秋季挖取根部,洗淨,曬乾。

性能 澀,涼。澀腸,止痢。

應用 用於腸炎腹瀉,痢疾。用量 9～15g。

附註 調查資料。

4086 稀花蓼

來源 蓼科植物稀花蓼 Polygo-num dissitiflorum Hemsl. 的全草。

形態 一年生草本。莖直立,高達 1m。托葉鞘膜質,褐色,先端具緣毛;葉卵狀橢圓形或戟形,長 5～14cm,寬 3～8cm,基部心形,先端長漸尖,兩面具稀疏的星狀毛。圓錐花序,頂生或腋生,疏散分枝,着生少數花,每個花梗通常 1～3 花,花被 5 裂,紅色。小堅果球形,栗色。花期 7～9 月。

分佈 生於河邊林下陰濕地方。分佈於東北、華北。

採製 夏、秋割取全草,曬乾。

性能 微苦,涼。清熱解毒。利尿。

應用 用於濕熱下注,小便短赤,水濕停滯等。用量 15～30g。

文獻 《吉林省藥用植物名錄》,11。

4087 大馬蓼

來源 蓼科植物酸模葉蓼 Polygonum lapathifolium L. 的全草。

形態 一年生草本，高 2 m。莖有分枝，帶紅色，節膨大，常生不定根。葉互生；葉柄基部擴大，被短刺毛；葉片披針形，先端長漸尖或急尖，基部楔形，上面綠色，常帶褐色新月形斑點，下面有腺點，沿主脈有貼生的粗硬毛，全緣，邊沿生粗硬毛；托葉鞘筒狀，膜質，淡褐色，先端平截。花淡紅色，穗狀花序組成圓錐狀花序，苞片膜質，被疏短睫毛；花被 4 深裂，裂片橢圓形；雄蕊 6；花柱 2，向外彎曲。瘦果卵形，扁平，黑褐色，光亮，包於宿存花被內。

分佈 生於路旁、濕地、溝渠水邊。分佈於全國各地。

採製 秋季採收，曬乾或鮮用。

性能 辛、苦，涼。清熱解毒，利濕止癢。

應用 用於腸炎，痢疾，頸淋巴結核。用量 15～30g。

文獻 《滙編》下 30。

4088 耳葉蓼

來源 蓼科植物耳葉蓼 Polygonum manshuriense V. Petr. ex. kom. 的根狀莖。

形態 多年生草本，高 50～90cm。根狀莖肥大，彎曲，外皮紫棕色。莖直立，單一，無毛，具有 8～9 節。基生葉有長柄，葉片薄草質，矩圓形、披針形或窄卵形；莖中部以上的葉抱莖，有明顯的葉耳；上部葉一般不呈絲狀或刺毛狀。花淡紅色或白色，穗狀花序頂生，小花密集，花梗纖細，苞片顯著；花被 5 深裂，裂片橢圓形；雄蕊 3，與花被近等長；花柱 3。瘦果三稜狀橢圓形，紅棕色，光亮，包於宿存萼內。

分佈 生於山坡或濕草地。分佈於東北。

採製 春、秋挖取根狀莖，去地上部和鬚根，曬乾。

成分 根狀莖含鞣質、樹脂、糖類。

性能 苦，微寒。清熱解毒，涼血止血。

應用 用於肝炎，細菌性痢疾，腸炎，慢性氣管炎，痔瘡出血，子宮出血；外用口腔炎，牙齦炎，癰癤腫毒。用量 5～9g。外用適量。

文獻 《滙編》上，654；《大辭典》，4022。

4089 西伯利亞蓼

來源 蓼科植物西伯利亞蓼 Polygonum sibiricum Laxm. 的帶根全草。

形態 多年生草本，高 5～30cm。具細長的根狀莖，莖斜生或近直立，通常自基部分枝，節間短。單葉互生，托葉鞘斜形；葉片近肉質，基部略呈戟形，向下漸狹成葉柄，兩側小裂片鈍或稍尖，全緣，具腺點。頂生圓錐花序，由數個花穗相集而成；花被 5 深裂，黃綠色，裂片近矩圓形，宿存；雄蕊 7～8，與花被近等長；花柱 3，甚短，柱頭頭狀。小堅果卵形，具 3 稜，稜鈍，黑色，有光澤，於宿存花被內。

分佈 生於鹽化草甸、鹽濕地、田邊、路旁。分佈於北方及西南。

採製 夏、秋採挖，曬乾。

性能 祛風濕，利水。

應用 用於風濕痹痛，水腫腹脹。用量 9g。

文獻 《內蒙古藥材資源普查選編》一，30；《內蒙古植物誌》二，46。

4090 小酸模

來源 蓼科植物小酸模 Rumex acetosel-la L. 的根、全草。

形態 多年生草本，高 15～50cm。根狀莖橫走。莖單一或多數，直立，細弱，常呈之字形曲折，具縱條紋，無毛，一般在花序處分枝。單葉互生，莖下部葉具柄，葉片披針形或條狀披針形，先端漸尖，基部戟形，兩側耳狀，裂片短而狹，外展或上彎，全緣，無毛，莖上部葉無柄或近無柄；托葉鞘白色，撕裂。花序總狀，呈疏鬆的圓錐花序；花單性，雌雄異株，2～7 簇生在一起，花梗長 2～2.5mm，無關節；花被片 6，2 輪；雄蕊 6，花絲極短，花藥較大；子房三稜形，柱頭畫筆狀。小堅果橢圓形，有三稜，淡褐色，有光澤。

分佈 生於草甸草原、典型草原地帶的砂地、丘陵坡地、礫石地和路旁。分佈於東北、內蒙古。

採製 夏季採收，曬乾。

性能 清熱涼血。

應用 用於抗癌症，肺結核咯血。用量 9～15g。外用適量治癰瘡癤腫。

文獻 《內蒙古藥材資源普查選編》一31，107，《內蒙古植物誌》二，10。

4091 刺藜

來源 藜科植物刺藜 Teloxys aristata Moq. 的帶根全草。

形態 一年生草本，高 10～40cm。根圓錐形，分佈有多數鬚根及側根。莖直立，分枝多，稍有稜角。葉互生，近無柄，葉片線形或線狀披針形，先端急尖或圓鈍，基部漸狹，全緣，秋季變紅。花序生枝端或葉腋，爲複二歧聚傘花序，最末端的分枝針刺狀；花單生刺狀枝腋內；花被片 5，狹長圓形，稍有隆脊，具白色邊緣，或帶紅色邊緣，內曲；雄蕊 5，不外露。胞果上下壓扁，不全包於花被內。種子橫生，扁圓形，邊緣有稜，黑褐色，具光澤。

分佈 生於沙質地、田邊、路旁、荒地雜草中。分佈於東北、華北、西北。

採製 夏、秋採收，洗淨，曬乾。

性能 淡，平。祛風止癢。

應用 外用治風瘡疙瘩，過敏性皮炎，蕁麻疹。約 60g 煎水洗患處。

文獻 《長白山植物藥誌》，309；《內蒙古中草藥》，748。

4092 紅草

來源 莧科植物紅草 Alternanthera versicolor Regel. 的全草。

形態 草本。莖帶紅色，嫩枝被白色柔毛。葉常呈紫紅色，卵圓形至匙形，長1～5cm，頂端急尖或鈍，基部漸狹，嫩葉兩面被疏毛。花密集成短的穗狀花序，單個或數個簇生於葉腋，幾無總花梗，苞片和小苞片長 1.5mm；萼片不等長，外側 3 片被柔毛，內側 2 片無毛；雄蕊通常 4，不育雄蕊長方形，頂端撕裂狀。

採製 夏、秋季採，曬乾或鮮用。

性能 清肝明目，涼血止血。

應用 用於結膜炎，便血，痢疾。用量10～25g。

文獻 《滙編》下，746。

4093 毛梗蚤綴

來源 石竹科植物毛梗蚤綴 Arenaria capillaris Poir. 的根。

形態 多年生密叢生草本，高 8～15cm。主根圓柱狀，黑褐色，頂部多頭，下部偶有分枝。基部具多數木質化分枝老莖，由此叢生多數直立莖和葉簇。莖基部包被枯黃色的老葉殘餘。基生葉簇生，絲狀鑽形，邊緣軟骨質，基部膨大或鞘狀；莖生葉 2～4 對，與基生葉同形或較短，基部合生而抱莖。二歧聚傘花序頂生；苞片披針形至卵形；萼片 5，近無毛；花瓣 5，白色，倒卵形；雄蕊 2 輪，每輪 5，外輪基部增寬具腺體；子房近球形，花柱 3。蒴果 6齒裂。種子黑褐色，被小瘤狀突起。

分佈 生於多石質乾山坡、山頂石縫間。分佈於東北、內蒙古。

採製 秋季採挖，曬乾。

性能 甘、微苦，涼。清熱涼血。

應用 用於肺結核咯血。用量 9～15g。

文獻 《內蒙古藥材資源普查選編》一，33；《內蒙古植物誌》二，161。

4094 蒙古石竹

來源 石竹科植物蒙古石竹 Dianthus chinensis L. var. subulifolius (Kitag.) Y. C. Ma 的全草和根。

形態 多年生草本，高 20～40 cm，全株帶粉綠色。莖常自基部簇生，斜向上，稍粗糙，上部分枝。單葉，對生；葉片條狀錐形，先端漸尖，基部漸狹合生抱莖，全緣。花頂生，單一或 2～3 朵成聚傘花序；花下有苞片 2～3 對；花萼圓筒形，5 萼齒，披針形；花瓣 5，紅紫色、粉紅色或白色，卵狀三角形，邊緣有不整齊齒裂，具長爪，瓣片與爪間有斑紋與鬚毛；雄蕊 10；花柱 2。蒴果矩圓狀圓筒形。種子寬卵形。

分佈 生於山地草原、典型草原。分佈於東北、內蒙古。

採製 7～9 月割全草，曬乾；春、秋挖根，洗淨，曬乾。

性能 苦，寒。清熱利尿，破血通經。

應用 用於急性泌尿系感染，血尿熱痛，尿路結石，婦女經閉，濕疹。根治腫瘤。用量全草 5～15g。根 25～30g。

文獻 《長白山植物藥誌》，334；《內蒙古植物誌》二，191。

4095 簇莖石竹

來源 石竹科植物簇莖石竹 Dianthus repens Willd. 的全草。

形態 多年生草本，高 15～30cm。莖無毛，細而質脆，灰綠色，自基部簇生密叢狀。葉披針狀條形或線形，基部漸狹合生抱莖，全緣。萼片下有苞片 1～2 對；萼片長 1.2～1.4cm；花瓣紅紫色，瓣片上緣具不規則的牙齒。

分佈 生於山坡、河岸、濕地灌叢地，分佈於內蒙古大興安嶺北部、黑龍江北部。

採製 夏秋季採集。去除殘莖，曬乾。

性能 清濕熱，利小便，活血通經。

應用 治濕熱淋痛，尿路結石，濕疹，用量 9～15g。

文獻 《內蒙古中蒙藥誌》。

附註 蒙藥名"高要－巴希卡"。

4096　狹葉剪秋蘿

來源　石竹科植物狹葉剪秋蘿 Lychnis sibirica L. 的根及全草。

形態　多年生草本，高 15～50cm。根單一，圓錐狀，稍肥厚。莖直立，多爲叢生，微被短柔毛。葉對生，線形或線狀披針形。花較小，徑約 0.8～1cm，白色，或微帶粉紅色，花萼被有短腺毛，花瓣片先端微缺或淺裂，花柱 5，心皮與萼裂片對生。蒴果 5 齒裂。

分佈　生於樟子松林下、草原沙質地、林緣山坡。分佈於內蒙古大興安嶺北部、呼倫貝爾草原。

採製　夏季採集，曬乾。

性能　活血化瘀，鎮痙止痛。

應用　用於跌打損傷，抽搐。用量 8～15g。

文獻　《內蒙古藥材資源普查選編》一。

4097　狗筋麥瓶草

來源　石竹科植物狗筋麥瓶草 Silene vanosa (Gilib.) Aschers. 的全草。

形態　一年或二年生草本，高 30～70cm。直根，白色或褐色。莖幾個叢生，直立或斜生，有分枝，被稀疏柔毛。葉對生，葉片披針形至卵狀披針形，基部漸狹，全緣。花萼合生，具 5 齒，萼筒囊泡狀膨大，具 20 條脈，無毛；花瓣白色，無鱗片狀附屬物。

分佈　生於草甸、山谷灌叢、荒地及農田。分佈於東北、內蒙古。

採製　秋季採取地上全草，曬乾。

性能　清熱涼血，通經活絡。

應用　用於熱痢，狂躁，肝熱驚癇，手足麻木等症。用量 8～15g。

附註　蒙藥名"蘇古恩乃－其黑"。

4098 叉歧繁縷

來源 石竹科植物叉歧繁縷 Stellaria dichotoma L. 的帶根全草。

形態 多年生草本。全株呈扁球形，高 15～30cm。主根粗壯，圓柱形，灰黃褐色，具多分枝細根。莖簇生，多次二歧式分枝，有腺毛，節部膨大。單葉對生，無柄，卵形或卵狀披針形。二歧聚傘花序頂生，花多數；萼片 5，矩圓狀披針形；花瓣 5，白色，近橢圓形，2 叉狀分裂至中部，具爪；雄蕊 5 長 5 短，基部稍合生，長雄蕊基部增粗，具黃色密腺；子房 1 室，花柱 3。蒴果寬橢圓形，全部包於宿存花萼內，含種子 1～3。種子寬卵形，褐黑色，表面有小瘤狀突起。

分佈 生於向陽石質山坡、山頂石縫間、固定沙丘。分佈於東北、華北、西北。

採製 秋季採收，曬乾。

性能 甘，微寒。清熱涼血。

應用 用於結核發熱，久瘧發熱，陰虛內熱，盜汗骨蒸，心煩口渴。用量 6～12g。

文獻 《大辭典》上，0575；《內蒙古植物誌》二，169。

4099 多裂烏頭

來源 毛茛科植物多裂烏頭 Aconitum ambiguum Reichb. 的塊根及葉。

形態 多年生草本，高 60～120 cm。塊根倒圓錐形或紡錘狀圓錐形，皮棕褐色。莖直立，光滑，無毛。葉互生。輪廓五角形，葉裂片為羽狀分裂。小裂片 2～3 裂。總狀花序，無毛，盔瓣半圓形。心皮 3～4 枚，花藍紫色。

分佈 生於河岸、山腳溝邊、林下。分佈於內蒙古大興安嶺北部、黑龍江北部。

採製 夏、秋季挖根，去鬚根及泥土；葉夏季採摘，曬乾。

性能 辛，熱；有大毒。祛風散寒，除濕止痛。

應用 根用於風濕症，手足拘攣。葉治腸炎，牙痛，白喉。用量 0.2～0.6g。

文獻 《東北藥用植物誌》

附註 蒙藥名"奔瓦音－拿布其"。

4100 牛扁

來源 毛茛科植物細葉黃花烏頭 Aconitum barbatum Pers. 的根。

形態 多年生草本，高 50～90cm，全株被短柔毛。根近直立，圓柱形，長達 15cm，粗約 0.8cm。基生葉與莖生葉各 2～4 片，腎形或圓腎形，掌狀全裂。全裂片近細裂，末回裂片線形。頂生總狀花序，長 13～20cm，具密集的花；萼片黃色，上萼片圓筒形；花瓣無毛，距比唇稍短，直或稍向後彎曲；雄蕊多數，花絲全緣；心皮 3。蓇葖果，長約 1cm，種子倒卵球形，褐色，密生橫狹翅。

分佈 生於山地草坡或多石處、林卜、林緣草地。分佈於黑龍江及內蒙古。

採製 春、秋採挖，曬乾。

性能 苦，溫。有毒。祛風濕，鎮痛，攻毒，殺蟲。

應用 用於腰腿痛，關節腫痛，瘰癧，疥癬。用量 3～6g。外用適量。

文獻 《內蒙古中草藥》，476；《中國植物誌》(27)，176。

4101 匍枝烏頭

來源 毛茛科植物匍枝烏頭 Aconitum macrorhynchum Turcz. f. tenuissimum S.H. Li et Y.H. Huang 的塊根及葉。

形態 多年生草本,高 30～90cm。塊根圓錐形或尖紡錘形,皮淡褐色。莖直立,葉腋長出鞭狀匍枝,被短捲毛。匍枝上的葉比莖上的葉顯著小,葉片 3～5 深裂,裂片全緣或 2～3 裂,披針形或線狀披針形。花序被毛,盔瓣具長嘴,花藍紫色。

分佈 生於林邊草地、草地低濕地。分佈於內蒙古大興安嶺、呼倫貝爾盟。

採製 秋季採挖,去泥土,曬乾。

性能 辛、苦,溫;有毒。祛風散寒。

應用 治療風濕症,筋骨痛。用量 0.2～0.6g。

文獻 《東北藥用植物誌》。

4102 草地烏頭

來源 毛茛科植物草地烏頭 Aconitum umbrosum (Korsh.) Kom. 的根。

形態 多年生草本,高 1m 餘。根直立,圓柱形,長 10～13cm,粗約 1cm。莖直立,有光澤,下部有反曲的毛。基生葉有長柄,圓狀腎形,掌狀 5 深裂,上面有毛;莖生葉與基生葉相似,葉柄向上漸短,葉形小。頂生總狀花序,苞片葉狀;萼片黃色或淡黃色,上萼片近圓筒形;花瓣無毛,距呈螺旋狀彎曲,唇直而短於距;雄蕊多數;心皮 3。蓇葖果 3 枚。種子橢圓形,黑色,被膜質鱗片。

分佈 生於林緣或林間草甸、潮濕地。分佈於東北、華北。

採製 春、秋採挖、曬乾。

成分 根含牛扁鹼(lycaconitine)、氨茴酸牛扁次鹼(anthranoyl lycoctonine)、阿加辛(ajacine)及草地烏頭鹼(umbrosine)。

性能 辛,熱;有大毒。祛風散寒,除濕止痛,麻醉,殺蟲。

應用 用於風濕性關節炎,類風濕性關節炎,神經痛,大骨節病,手足拘攣,跌打腫痛,心腹冷痛。外敷治癩疝疔瘡。用量 2.5～7.5g。(製草烏)。

文獻 《長白山植物藥誌》,361,356;《中國植物誌》(27)137。

4103 北側金盞花

來源 毛茛科植物北側金盞花 Adonis sibirica Patr. ex Ldb. 的帶根全草。

形態 多年生草本,高 25～45cm。根狀莖短而細。莖光滑,枝條開展。葉互生,二回或三回羽狀分裂,最後裂片為線狀披針形。花單生枝頂,萼片卵圓形,淡黃綠色;花瓣橢圓形,鮮黃色,無密腺;雄蕊多數;心皮多數,分離。瘦果有稠密短柔毛,果喙短,向下彎曲,數個聚合成一近球形的頭狀體,直徑 1.5～2cm。

分佈 生於山地陰坡、林緣地帶。分佈於東北、內蒙古、甘肅、青海、新疆。

成分 含福壽草甙(adonin)。

採製 夏、秋採挖,曬乾。

性能 強心,鎮靜,利尿。

應用 用於充血性心力衰竭,心臟性水腫,心房纖維性顫動。用量 0.5～1g。

文獻 《新疆藥用植物誌》一,50,48;《新疆中藥資源名錄》,34。

4104 土黃芩

來源 毛茛科植物二歧銀蓮花 Anemone dichotoma L. 的根狀莖。

形態 多年生草本,高 40～70cm,全株有白色細毛。根莖橫走,細長,暗褐色。莖細直立,中上部二歧分枝。基生葉一片,早枯。莖生葉位於上部分枝處,對生,無柄,2 葉基部合生抱莖,葉片 3 深裂,裂片近等長,窄楔形或橢圓披針形,上部不明顯 3 淺裂或不分裂;近全緣或具少數銳齒。花白色帶粉紅色,單生;花被 5,倒卵形或橢圓形;雄蕊多數,心皮約 30,分離,無毛。聚合果近球形;瘦果扁,寬橢圓形。

分佈 生於丘陵、山坡濕草地。分佈於黑龍江、吉林、內蒙古。

採製 秋季採挖,洗淨,曬乾。

性能 苦,涼。解毒止痢,舒筋活血。

應用 用於痢疾,瘡癤癰毒,跌打損傷。用量 3～9g。外用適量。

文獻 《滙編》下,440;《內蒙古植物誌》二,228。

4105 大花銀蓮花

來源 毛茛科植物大花銀蓮花 Anemone silvestris L. 的帶根全草。

形態 多年生草本,高 20～60cm。根莖橫走或垂直生長,長達 3cm,暗褐色。基生葉 2～5,有長柄;葉片心狀五角形,掌狀全裂,中央裂片菱形或倒卵狀菱形,3 裂,側裂片歪倒卵形,不等 2 深裂。總苞片 3,具柄,被柔毛,與葉同形;花單一,大型,徑 3.5～5cm,頂生;萼片 5,橢圓形或倒卵形,內面白色,無毛,外面白微帶紫色,被毛;無花瓣;雄蕊多數,聚合果,密集呈棉團狀;瘦果,有短柄,密被白色長棉毛。

分佈 生於山地林下、林緣、灌叢、河谷、草甸。分佈於東北、華北、西北。

採製 夏、秋採挖,曬乾。

性能 消積,祛濕,癒創,排膿。

應用 用於消化不良,黃水瘡,關節炎。用量 9～15 克。

文獻 《內蒙古藥材資源普查選編》一,6;《內蒙古植物誌》二,228。

附註 全草作蒙藥用。蒙藥名《孟根花－其其格》。

4106 阿穆爾耬斗菜

來源 毛茛科植物阿穆爾耬斗菜 Aquilegia amurensis Kom. 的全草。

形態 多年生草本,高 35～125 cm。根粗壯而大,長達 30cm 以上,圓柱形,暗褐色。莖直立,自基部分枝,多數,被有短柔毛。莖生葉不存在或極為退化,基生葉二回三出複葉,小葉具柄,三淺裂。萼片卵形,先端鈍尖,藍紫色,瓣片上部黃白色,下部及距均為藍紫色。心皮被柔毛。

分佈 生於山地針葉林下、林緣。分佈於內蒙古大興安嶺北部。

採製 夏秋季割取全草,去除根泥及雜質,曬乾。

性能 清熱解毒,止血調經。

應用 用於痢疾,腹瀉,月經不調,功能性子宮出血。用量 5～15g。

附註 蒙藥名"沙刨由昌得金"。

4107　小花耬斗菜

來源　毛茛科植物小花耬斗菜 Aquilegia parviflora Ledeb. 的帶根全草。

形態　多年生草本，高 15～45cm。根圓柱形，灰褐色。莖上部有少分枝。通常無莖生葉。基生葉爲二回三出複葉；近革質，小葉片倒卵狀楔形或線狀披針形，先端 2～3淺裂或半裂，基部楔形，邊緣稍外捲。花瓣 5，藍色，側生，3～6 朵，向外彎，花梗長約 4cm；萼片 5，藍紫色，罕爲白色。雄蕊多數；花柱細而微彎。蓇葖果常 5 個聚生，被長柔毛，頂端有細長的喙。種子黑色。

分佈　生於林緣、開闊的坡地或林下。分佈於黑龍江、內蒙古。

採製　夏、秋採收，曬乾。

性能　通經活血。

應用　用於月經不調，婦女血病。用量 9～15g。

文獻　《大辭典》下，5398。

4108　耬斗菜

來源　毛茛科植物耬斗菜 Aquilegia viridiflora Pall. 的帶根全草。

形態　多年生草本，高 15～50cm。根肥大，圓柱形，粗達 1.5cm，少有分枝，外皮黑褐色。莖通常上部分枝，被毛。基生葉少數，二回三出複葉，葉柄長達 18cm，基部有鞘；莖生葉數枚，爲一至二回三出複葉，向上漸變小。花 3～7 朵，傾斜或微下垂；苞片 3 全裂；萼片 5，花瓣 5，黃綠色，雄蕊長達 2cm，伸出花外；心皮密被毛。蓇葖果長 1.5cm。種子黑色，狹倒卵形，具微凸起的縱稜。

分佈　生於山地路旁、河邊和潮濕草地。分佈於東北、華北、西北及山東。

採製　夏、秋採挖，曬乾。

性能　微苦、辛，涼。調經止血，清熱解毒。

應用　用於月經不調，功能性子宮出血，痢疾，腹痛。用量 3～6g，或鮮用 15g。

文獻　《滙編》下，333。

4109 馬蹄葉

來源 毛茛科植物空莖驢蹄草 Caltha fistulosa Schipcz. 的全草。

形態 草本，高 20～50cm。莖中空。基生葉 3～7，圓形，圓腎形或心形，長 2.5～5cm，邊緣密生小牙齒；柄長 6～25cm；莖生葉約等大，近無柄。單歧聚傘花序生於莖或分枝頂端；花梗長 2～10cm；花黃色；萼片 5，倒卵形或狹倒卵形，長 1～2.5cm；無花瓣，雄蕊多數；心皮 7～12，無柄。蓇葖果。

分佈 生於山谷、溪邊、草甸或林下。分佈於四川、雲南、西藏、甘肅。

採製 夏季採挖，曬乾。

性能 辛，微溫。有小毒。祛風散寒。

應用 用於頭昏目眩，週身疼痛。用量 12～18g。

文獻 《高原中草藥治療手冊》，49。

4110 白花驢蹄草

來源 毛茛科植物白花驢蹄草 Caltha natans Pall. 的帶根全草。

形態 多年生草本，全株無毛。根鬚狀，淡褐色至褐色。莖匍匐，長 20～50cm，有分枝，節部生根。單葉互生，常浮於水面，柄長達 10cm，基部具膜質鞘，葉片腎形、腎狀圓形或心形，單歧聚傘花序生於頂端；花小，兩性，約 6mm，單被，輻射對稱；萼片 5，花瓣狀，白色，倒卵形；雄蕊多數；心皮 5～12。蓇葖果 20～30，聚成球狀。種子小，多數近卵形，黑褐色，兩端尖。

分佈 生於沼澤草甸及沼澤中，為濕生植物。分佈於東北、內蒙古。

採製 夏、秋採收，曬乾。

性能 祛風散寒，止痛，清熱燥濕。

應用 用於燒傷，化膿性創傷，皮膚病。外用適量。

文獻 《內蒙古藥材資源普查選編》一，6，110；《內蒙古植物誌》二，200。

4111 單穗升麻

來源 毛茛科植物單穗升麻 Cimicifuga simplex Wormsk. ex DC. 的根莖。

形態 草本，高 1～1.5m。莖單一。葉互生，下部的葉具長柄，爲二至三回三出近羽狀複葉；小葉狹卵形或菱形，長 4.5～8.5cm，分裂或不裂，邊緣有不規則鋸齒，下面沿脈有疏毛。花序細長，總狀，長達 35cm，無分枝或下部生少數短分枝，密生腺毛和短柔毛；萼片 5，白色，寬橢圓形；退化雄蕊橢圓形，頂端膜質，二淺裂；雄蕊多數；心皮 2～7，被毛。

分佈 生於山坡草地或灌叢中。分佈於四川、甘肅、陝西、河北、內蒙古和東北。

採製 9～10 月採挖，除去鬚根，曬乾。

成分 含升麻甙、甲基升麻甙等。

性能 甘辛，微苦寒。散風，解毒，升陽，透疹。

應用 用於時氣疫癘，陽明頭痛，喉痛，斑疹，風熱瘡瘍，久瀉脫肛，婦女崩帶，麻疹。用量 2～6g。

文獻 《大辭典》下，4367。

4112 甘木通

來源 毛茛科植物甘木通 Clematis filamentosa Dunn 的葉。

形態 攀援藤本，莖有縱條紋。葉對生；幼苗時全爲單葉，卵形，上面常有淺白色斑紋；老時爲三出複葉；葉片紙質，卵形，長 6～10cm，頂端漸尖，基部圓或淺心形，基出脈 5～7 條；葉柄基部寬扁與對生葉柄連接。聚傘花序式的圓錐花序，頂生或腋生，有花 6～7 朵，有香味，密生黃色茸毛；萼片 4～6，淡黃色，長 1.3～2cm，背面有黃色茸毛；無花瓣；雄蕊多數；心皮多數。瘦果扁平，卵形，被疏長毛，宿存花柱羽狀，長達 4cm。

分佈 生於山坡溝谷邊，常攀援於其它樹上。分佈於廣東和廣西。

採製 全年可採，曬乾或晾乾。

性能 甘，微涼。鎮靜，鎮痛，涼血，活血，擴張血管和降血壓。

應用 用於高血壓及高血壓引起的症狀，如半身不遂，紅眼病，頭痛，頭昏，腦脹，四肢麻木，失眠。用量 15～30g。

文獻 《滙編》下，734。

4113　紫萼鐵線蓮

來源　毛茛科植物紫萼鐵線蓮 Clematis intricata Bunge var. purpurea Y.Z. Zhao 的地上全草。

形態　多年生藤本植物，莖攀援，多分枝，具細條稜，幼枝被柔毛，棕褐色。葉對生，具細長柄。三出羽狀複葉，小葉寬達 1.5cm，中央小葉披針或橢圓狀披針形，先端漸尖，側生小葉橢圓形，先端圓鈍，具小尖頭，花較大，萼片紫色，長約 2.5cm。

分佈　生於山間草地，樺木樹、雜木林草地。分佈於內蒙古、黑龍江北部。

採製　夏、秋季採集，切段曬乾。

性能　袪風除濕。

應用　用於慢性風濕症，外敷治瘡、癬。外用適量。

文獻　《內蒙古藥材資源普查選編》，一。

附註　本植物為蒙醫用藥。蒙藥名"希勒牙芒"。

4114　大瓣鐵線蓮

來源　毛茛科植物大瓣鐵線蓮 Clematis macropetala Ledeb. 的帶根全草。

形態　攀繞藤本，枝具 6 條細稜，幼枝被毛，或近無毛，老枝無毛。葉對生，二回三出複葉，具柄；小葉片 3 裂或不裂。花單一，頂生，具長梗，頂端下彎，花大；花萼鐘形，藍色或藍紫色，萼片 4，狹卵形；無花瓣；退化雄蕊多數，花瓣狀，披針形，外輪與萼片同色，近等長，有時先端殘留有發育不完全的花藥，內輪漸短；心皮多數。瘦果卵形，歪斜，稍扁。花柱羽毛狀。

分佈　生於山地林下、林緣草甸。分佈於東北、華北、西北。

採製　夏、秋採收，曬乾。

性能　消食，健胃，散結。

應用　用於消化不良，腸痛。外用除瘡排膿。用量 9～15g。外用適量。

文獻　《內蒙古藥材資源普查選編》一，34，110；《內蒙古植物誌》二，240。

附註　本品為蒙藥。

4115　甘青鐵線蓮

來源　毛茛科植物甘青鐵線蓮 Clematis tangutica (Maxim.) Korsh. 的全草。

形態　藤本，一回羽狀複葉，輪廓狹卵形，長 3～8cm，小葉 5～7，下部常 2～3 淺裂，側裂片小，中央裂片寬橢圓形或長橢圓形，長 2～4cm，寬 1.3～2cm，邊緣具淺齒；葉柄長約 5cm。花單生或 2～5 朵簇生，花梗長 5～10cm；萼片 4～5，黃色，橢圓形或披針形，長 1.8～2.5cm。雄蕊多數。花絲下面扁平，有柔毛；心皮多數。瘦果倒卵形，長約 3mm，宿存花柱，有柔毛。

分佈　生於高原草地或灌叢中。分佈於甘肅、青海、西藏、四川、雲南。

採製　夏季採收，曬乾。

性能　淡，溫。袪風濕，止癢，排膿。

應用　用於慢性風濕性關節炎，關節疼痛，瘡癤等。用量 9～15g。

文獻　《中國植物誌》28 卷，144；《新疆藥用植物誌》二，34。

4116 黃毛翠雀花

來源 毛茛科植物黃毛翠雀花 Delphinium chrysotrichum Finet et Gagnep. 的全草。

形態 草本,高5~20cm。莖疏被開展短柔毛。葉腎形或圓腎形,長1.2~3.2cm;三深裂至距基部3~4mm處,裂片相互覆壓或鄰接,有小裂片或鈍齒,兩面有疏毛;葉柄長6~11cm。傘房花序生莖或分枝端,有2~4花;苞片3裂;花梗至少上部密被開展柔毛及黃腺毛;小苞片生花梗中、上部;萼片宿存,紫色,外面密被淡黃色長柔毛,上萼片船狀卵圓形,距比萼片短或近等長;花瓣先端2淺裂;退化雄蕊二裂,腹面有黃毛,具爪;子房被毛。蓇葖果;種子四面體形,具翅。

分佈 生於多石礫山坡。分佈於四川、西藏。

採製 夏季採收,曬乾。

性能 清熱。

應用 用於腸熱腹瀉,膽、肝病。用量1~3g。

文獻 《甘孜州中草藥名錄》一,105。

4117 基葉翠雀花

來源 毛茛科植物基葉翠雀花 Delphinium crassifolium Schrad. ex Spreng. 的全草。

形態 多年生草本,高20~55cm。直根,暗褐色。莖直立,多單一或分枝,全株被反曲的短柔毛。葉幾乎全部為基生葉,葉掌狀3~5深裂,裂片較寬。總狀花序具花3~10朵,苞片線形,萼片5,藍紫色,橢圓形,上萼片向後伸長成中空的距,末端稍彎曲。

分佈 生於林緣、森林草甸及灌叢中。分佈於內蒙古大興安嶺北部。

採製 夏季割取地上全草,曬乾。

性能 瀉火止痛,殺蟲。有毒。

應用 外用治牙痛,關節痛,瘡癰潰瘍。

文獻 《內蒙古中蒙藥誌》。

附註 蒙藥名"扎杠"。

4118 驚風藥

來源 毛茛科植物康定翠雀花 Delphinium tatsienense Franch. 的根。

形態 草本,高30~80cm。莖被反曲微柔毛。基生葉及莖下部葉具長柄;葉片五角形或近圓形,長3.2~6.2cm,3全裂,裂片二至四回細裂,小裂片披針形或條形,寬1.5~4mm。傘房狀花序有花3~12朵;花梗密集,長2~7.5cm,有毛;小苞片生花梗中部,鑽形;萼片5,藍紫色,狹倒卵形或寬橢圓形,長1~1.2cm,距鑽形,長2~2.5cm;退化雄蕊2,藍色,寬倒卵形,微凹,有黃色髯毛;雄蕊多數,心皮3。蓇葖果。

分佈 生於海拔2300~3200m山坡草地。分佈於雲南、四川、西藏。

採製 秋季採挖,曬乾。

性能 辛、微苦,大熱。有毒。溫中止痛。

應用 用於小兒肚寒疼痛,勞傷疼痛。用量0.3~0.6g。

文獻 《大辭典》上,2758。

4119 蒙古白頭翁

來源 毛茛科植物蒙古白頭翁 Pulsatilla ambigua Turcz. et Pritz. 的根。

形態 多年生草本，高 16～22cm，植株基部密包被纖維狀的枯葉柄殘餘。根粗壯直深土中，暗褐色。基生葉少數，通常與花同時長出，葉柄密被開展的白色長柔毛，葉片輪廓寬卵形，二至三回羽狀分裂，第一回羽片近無柄，小裂片條狀披針形。總苞葉掌狀深裂，裂片又 2～3 深裂或羽狀分裂，小裂片條形，基部聯合呈管狀。花莖單一；花鐘形，萼片 6，花瓣狀，藍紫色，狹卵形至長橢圓形；雄蕊及心皮均多數。瘦果狹卵形，宿存花柱長約 3cm，密被白色羽毛。

分佈 生於草甸草原、山地灌叢及沙地上。分佈於東北、內蒙古、西北。

採製 春、夏採挖，去淨泥土，曬乾。

性能 苦，寒。清熱解毒，涼血止痢，消炎退腫。

應用 用於細菌性痢疾，阿米巴痢疾，鼻衄，痔瘡出血，淋巴結核，瘡瘍。用量 9～15g。

文獻 《內蒙古中草藥》，236；《新疆中藥資源名錄》，37。

附註 本植物全草用治風濕性關節炎。

4120 腎葉白頭翁

來源 毛茛科植物腎葉白頭翁 Pulsatilla patens (L.) Mill.的根。

形態 多年生草本，高 30～40cm。根狀莖圓柱形，頂端常分枝。基生葉 5，有長柄；葉片腎狀五角形或近腎形，基部寬心形，三全裂，中全裂片有短柄，深裂片一至二回分裂，末回裂片三角形、狹三角形或三角狀披針形，側全裂片與中央全裂片近等大，不等二深裂。花葶直立；總苞鐘形，裂片狹線形；花單生花葶頂端，兩性；萼片 5，花瓣狀，藍紫色，長圓狀卵形；雄蕊多數。聚合果近圓形；瘦果近紡錘形。

分佈 生於山地草原。分佈於內蒙古、新疆。

採製 開花前採挖，保持頭部白色茸毛，去淨泥土，曬乾。

性能 苦，寒。清熱解毒，涼血，止痢。

應用 用於細菌性痢疾，阿米巴痢疾，濕熱帶下。用量 9～15g。

文獻 《滙編》上，284；《新疆中藥資源名錄》，37。

4121　細葉白頭翁

來源　毛茛科植物細葉白頭翁 Pulsatilla turczaninovii Kryl. et Serg. 的根。

形態　多年生草本，高 10～40cm，植株基部密包被纖維狀的枯葉殘餘。根粗大，垂直，暗褐色。葉基生多數，通常與花同時長出，被白色柔毛；葉片輪廓卵形，二至三回羽狀分裂。花莖直立，單一，先端着生單花；萼片 6，花瓣狀，藍紫色或藍紫紅色，長橢圓形或橢圓狀披針形，外面密被伏毛；雄蕊多數；心皮多數，密集成頭狀。瘦果狹卵形，宿存花柱彎曲。

分佈　生於草原及山地灌叢中。分佈於東北、內蒙古。

採製　春、秋採挖，洗淨，曬乾。

性能　苦，寒。清熱解毒，涼血。

應用　用於細菌性痢疾，阿米巴痢疾，溫瘧寒熱，鼻衄，血痔。用量 9～15g。

文獻　《滙編》上，283；《大辭典》，上，1411。

附註　虛寒瀉痢忌服。

4122　匍枝毛茛

來源　毛茛科植物匍枝毛茛 Ranunculus repens L. 的帶根全草。

形態　多年生草本，高 10～60cm。鬚根發達，較粗壯。莖具縱槽，有匍匐枝，節上生根長葉，上部有分枝。基生葉具柄，三出複葉，葉片 3 全裂或 3 深裂，裂片菱形或楔形；莖生葉與基生葉略同，葉柄短。聚傘花序，花着生於分枝頂端；萼片 5，卵形，有脈紋，邊緣膜質；花瓣 5，鮮黃色，有光澤，倒卵形；花托圓錐形。聚合果球形；瘦果倒卵形，具邊稜，兩面扁，果嘴稍長，先端微彎。

分佈　生於濕地、水邊及濕草甸子。分佈於東北、內蒙古、西北。

採製　可採新鮮全草即用，或秋季採收陰乾。

成分　含毛茛甙（ranunculin）等；此外還含牡荆素（vitexin）等。

性能　辛、微苦，溫。有毒。利濕，消腫，止痛，退翳，截瘧，殺蟲。

應用　用於瘧疾，黃疸，偏頭痛，胃痛，風濕關節痛，鶴膝風，癰腫，惡瘡，疥癬，牙痛，淋巴結結核，翼狀胬肉，角膜雲翳。滅蛆，殺孑子。一般不作內服，外用適量。

文獻　《長白山植物藥誌》，407；《內蒙古植物誌》二，251。

4123　爪哇唐松草

來源　毛茛科植物爪哇唐松草 Thalictrum javanicum Bl. 的根或全草。

形態　草本，高 20～100cm。莖生葉 4～6，三至四回三出複葉；小葉倒卵形或倒卵狀菱形，有時近圓形，長 0.6～2.5cm，3 淺裂，並具少數圓齒，下面脈隆起，網狀。花序近二歧狀多回分枝，傘房狀或圓錐狀；萼片 4，白色，狹卵形，長約 2.5mm，早落；無花瓣；雄蕊多數，花絲上部倒披針形，下部絲形；心皮 8～15。瘦果狹卵形，長 2～3mm，縱肋明顯，宿存花柱長 0.6～1mm，拳捲。

分佈　生於山地林下或溝邊陰濕處。分佈於甘肅、四川、雲南、貴州、西藏、湖北、江西、浙江、廣東、台灣。

採製　夏秋採挖，曬乾。

成分　含生物碱。

性能　苦，寒。清熱解毒，祛風利濕，止痢。

應用　用於細菌性痢疾，牙痛，跌打損傷，關節炎。用量 3～9g。

文獻　《新華本草綱要》一，136。

4124 網脈唐松草

來源 毛茛科植物網脈唐松草 Thalictrum reticulatum Fr. 的根。

形態 草本，高 20～40cm。葉為三回三出複葉；小葉寬卵形，長 0.5～1.8cm，寬 0.5～2cm，先端圓，3 淺裂，基部心形，裂片邊緣具圓齒或無，網脈明顯。複單歧聚傘花序傘房狀，生於分枝頂端，長達 10cm；萼片 4，白色，寬倒卵形，長 0.3cm，早落；無花瓣；雄蕊多數，花絲倒披針形，常比花藥寬；心皮 4～6，無柄。瘦果狹橢圓形，長 2～2.7cm，具縱肋，花柱宿存。

分佈 生於山坡草地或林下。分佈於四川、雲南。

採製 秋季採挖，曬乾。

成分 含生物鹼。

性能 苦，寒。清熱解毒，鎮咳。

應用 用於感冒，咳嗽。用量 1～3g。

文獻 《新華本草綱要》一，138。

4125 毛茛狀金蓮花

來源 毛茛科植物毛茛狀金蓮花 Trollius ranunculoides Hemsl. 的全草。

形態 草本，高 6～20(～35)cm。莖 1～3，少分枝。基生葉 3～10，長 3.5～20cm，莖生葉 1～3，通常生於莖下部，均具長柄；葉片圓五角形或五角形，長 1～2.7cm，3 全裂，裂片近隣接，具密而狹的小裂片。花單生莖端或枝端；萼片 5～8，黃色，乾時變綠色，倒卵形或扇狀倒卵形，長 1～1.8cm，脫落；花瓣比雄蕊稍短，匙狀條形；雄蕊多數；心皮 7～9。蓇葖果長約 1cm。

分佈 生於山坡草地，水邊草地或林中。分佈於青海、甘肅、四川、雲南、西藏。

採製 夏季採收，曬乾。

性能 甘、辛，溫。祛風除濕，消炎。

應用 用於風濕麻木，淋巴結結核，用量 9～12g。

文獻 《中國植物誌》(27)81。

附註 花治化膿創傷。

4126 西伯利亞小檗

來源 小檗科植物西伯利亞小檗 Berberis sibirica Pall. 的根皮。

形態 落葉灌木，高 50～80cm。根粗狀，稍彎曲，有少數分枝，質堅硬，鮮黃色。老枝暗灰色，表面具縱條裂，幼枝紅色或紅褐色，具條稜。葉刺 3～7 分叉。單葉簇生於刺腋短枝上，葉片近革質，倒卵形、倒披針形或倒卵狀矩圓形。花單生，罕 2 朵；花萼 2 輪，花瓣狀，外輪矩圓狀卵形，內輪倒卵形，基部常有兩腺體；花瓣 6，淡黃色，倒卵形；雄蕊 6。漿果倒卵形，鮮紅色，種子多數。

分佈 生於山地、丘陵的礫石質坡地，多混生於中生灌叢中。分佈於東北、內蒙古、新疆。

採製 春、秋採挖，切片，曬乾。

成分 根含小檗鹼 (berberine)、巴馬亭 (palmatine)、藥根鹼 (jatrorrhizine)。

性能 苦，寒。清熱燥濕，瀉火解毒。

應用 用於痢疾，腸炎，咽痛，上呼吸道感染。用量 9～15g。

文獻 《新疆中藥資源名錄》39。《內蒙古藥材資源普查選編》，110，215。

4127 華西小檗

來源 小檗科植物華西小檗 Berberis silva-taroucana Schneid. 的根。

形態 灌木，高 2～3m。小枝有稜，紫褐色，老枝變灰黃，有疣狀凸起，刺三叉，小枝上的刺常不分叉。葉長橢圓形、倒卵形或披針形，長 1.5～5.5cm，全緣或具疏的針芒狀細鋸齒，下面蒼白色，有白粉。總狀花序疏鬆或近傘形，長 3～7cm，有花 8～12 朵；無總梗或很短；花黃色；小苞片 2，卵形；萼片 6，花瓣狀，2 輪；花瓣 6，倒卵形，較萼片短；雄蕊 6。漿果卵形或球形，熟時深紅色。

分佈 生於林下或路邊。分佈於甘肅、四川、雲南、湖北。

採製 四季可挖，曬乾。

成分 含小檗鹼 (berberine)、小檗胺、掌葉防己鹼等。

性能 苦，寒。清熱燥濕，止痢止瀉。

應用 用於濕熱痢疾，目赤，癰瘡。用量 5～8g。

文獻 《新華本草綱要》一，151。

4128 一文錢

來源 防己科植物一文錢 Stephania delavayi Diels 的根。

形態 藤本。莖具縱溝紋。葉卵狀三角形或卵圓形，長 2～6cm，先端鈍圓或短尖，全緣，基部平截，圓形或微心形，脈掌狀；柄盾狀著生於距葉片基部約 0.3～1.5cm 處，長 2～9cm。複傘形聚傘花序腋生，總梗纖細，被毛，假傘梗 3～8；小聚傘花序疏鬆，有梗，雄花萼片 6，2 輪；花瓣 3～4，長約 0.5mm，聚藥雄蕊；雌花萼片，花瓣均 3，心皮 1。核果扁圓形，紅色；內果皮骨質，背部具 2 行小橫肋，胎座跡不穿孔。

分佈 生於路邊或林下石縫中。分佈於四川、雲南、貴州。

採製 夏秋挖採，曬乾。

成分 含生物鹼。

性能 苦，寒。有小毒。祛風去濕，理氣止痛，清熱解毒。

應用 用於癰疽腫毒，喉閉，瘰疬，胃痛牙痛。用量 1～3g。

文獻 《大辭典》上，1620。

4129 糞箕篤

來源 防己科植物糞箕篤 Stephania longa Lour. 的全株。

形態 藤本。葉片盾狀着生，三角狀卵形，長 3～9cm，頂端鈍，有凸尖，基部截平或微凹。花腋生，傘狀分枝，雄花序的分枝 3～6，小聚傘花序近無柄，簇生於分枝的頂端，雄花：萼片 8～6；花瓣 4 或 3；雌花序的分枝 5～10，雌花：萼片和花瓣均 4。核果紅色，核倒卵形，內果皮背部有 2 列小瘤體，兩側各有一列小橫肋，每列約 9～10條，胎座跡穿孔。

分佈 生於村邊、曠野、山地等處的灌叢中。分佈於中國南部和東南部。

採製 全年可採，鮮用或曬乾。

成分 根含生物碱。

性能 微苦、澀，平。清熱解毒，利尿消腫。

應用 用於腎盂腎炎，膀胱炎，慢性腎炎，腸炎，痢疾，毒蛇咬傷；外用治癰癤瘡瘍，化膿性中耳炎。用量 15～30g；外用適量。孕婦忌服。

文獻 《滙編》上，811。

4130 凹樸皮

來源 木蘭科植物鵝掌楸 Liriodendron chinensis (Hemsl.) Sarg. 的樹皮。

形態 落葉喬木，高可達 35m。樹皮黑褐色，縱裂。葉互生，呈馬褂狀，長 4～18cm，寬 5～20cm；葉柄細，長 4～8cm。花單生於枝頂；萼片 3；花瓣 6，外面綠色，內面黃色，長 3～4cm；雄蕊多數，花絲長約 5mm；心皮多數，離生，覆瓦狀排列於紡錘形的花托上。聚合果黃褐色，卵狀長圓錐形，長 7～9cm。小堅果具翅，內含種子 1～2 粒。

分佈 生於山谷林內或陰坡水溝邊，或栽培於園林。分佈於長江以南地區。

採製 夏、秋採剝，曬乾。

性能 辛，溫。祛風除濕，止咳。

應用 用於風濕關節痛，風寒咳嗽。用量 15～30g。

文獻 《滙編》下，635；《大辭典》上，1356。

4131 長葉玉蘭

來源 木蘭科植物長葉木蘭 Magnolia paenetalauma Dandy 的樹皮及葉。

形態 灌木，有時爲小喬木。小枝或多或少被柔毛。葉片狹橢圓形、狹長倒卵形或倒卵狀披針形；托葉痕幾達葉柄頂端。花芽長橢圓形；苞片 2 至數枚，佛焰苞狀，外被短柔毛，花梗下彎，結果時近直立，密被短柔毛。花白色；花被片 9；雄蕊內彎，藥室內向開裂，藥隔伸出成短三角形附屬物；雌蕊羣無柄，心皮 12～15枚，被短柔毛，每心皮有胚珠 2 顆。聚合果長橢圓形，成熟心皮具短喙。

分佈 生於山坡、林間、溪邊、山谷中。分佈於廣東、廣西。

採製 樹皮、葉全年可採，曬乾或鮮用。

性能 微苦、辛，溫。樹皮：消積。

應用 樹皮用於胃脘脹痛；葉、果實用於風濕骨痛，咳嗽。用量 9～15g。

文獻 《廣西藥用植物名錄》，48。

4132　圓葉木蘭

來源　木蘭科植物圓葉木蘭 Mag-nolia sinensis (Rend. et Wils.) Stapf. 的樹皮、種子。

形態　喬木，高 3～5m。小枝被灰黃色毛。葉倒卵形或倒卵狀橢圓形，長 8～16cm，下面被淡黃色毛；葉柄長 6～7.5cm，被毛。花白色，芳香，杯狀，徑 8～12cm；花梗長 3～5cm；花被片 9，外輪 3 枚卵形或橢圓形，較短小，內面兩輪較大，倒卵形或寬卵形，長 6～7.5cm；雄蕊多數，紅色；雌蕊羣狹倒卵狀橢圓形。聚合果長圓狀圓柱形，長 3～6cm；蓇葖具外彎的喙。

分佈　生於海拔 2000 m以上的林內。分佈於四川。

採製　春、夏季採樹皮。9～10 月採種子，曬乾。

性能　苦、辛，溫。化濕導滯，行氣平喘，化食消痰，驅風鎮痛。種子能明目益氣。

應用　用於腹痛脹滿，氣逆喘咳，風濕麻木。用量 9～15g。

附註　調查資料。

4133　多花瓜馥木

來源　番荔枝科植物多花瓜馥木 Fissistigma polyanthum (Hook. f. et Thoms.) Merr. 的全株。

形態　木質藤本，葉長圓形，頂端急尖或圓形，稀微凹，背面被微柔毛。花小，3～7 朵集成密傘花序，腋生，或與葉對生或腋外生，被黃色柔毛；花梗長達 1.5cm，中部以下和基部有小苞片；萼片闊三角形，被柔毛；外輪花瓣卵狀長圓形，長 1.2cm，外面密被褐色短柔毛，內輪花瓣長圓形，長 9mm；雄蕊多數；心皮數枚，被長柔手；柱頭全緣。成熟心皮球形，被黃色短柔毛；果梗柔弱，長達 2.5cm。

分佈　常生於山谷或路旁的林下。分佈於廣東、海南、廣西和雲南。

採製　全年可採，鮮用或陰乾。

性能　辛、微澀，溫。祛風濕，強筋骨，活血，消腫，止痛。

應用　用於小兒麻痹後遺症，乙腦後遺症，風濕關節痛，面神經麻痹，神經痛，靜脈曲張。用量 30～120g。

文獻　《廣西本草選編》上，86。

4134　陵水暗羅

來源　番荔枝科植物陵水暗羅 Polyalthia nemoralis A. DC. 的根。

形態　灌木，小枝疏被短柔毛。葉長圓形或長圓狀披針形，長 9～18cm。花白色，單生，與葉對生；花梗短，長約 3mm；萼片三角形，急尖，被柔毛；花瓣長圓狀橢圓形，長 6～8mm，外面被緊貼的柔毛；雄蕊多數；每朵花有心皮約 7 枚，被毛，每心皮有胚珠 1 顆；柱頭倒卵狀，微二裂，被微柔毛。成熟心皮卵狀橢圓形；果柄短，疏被粗毛。

分佈　生於低海拔至中海拔林中。分佈於廣東南部及海南。

採製　全年可採，曬乾。

性能　甘，平。補脾健胃，補腎固精。

應用　用於慢性胃炎，食慾不振，四肢無力，遺精。用量 9～15g。

文獻　《滙編》下，731。

4135　圓葉豹皮樟

來源　樟科植物圓葉豹皮樟 Litsea rotundifolia Hemsl. 的根。

形態　常綠灌木或小喬木，枝條嫩時有毛。葉片革質，倒卵狀長圓形或近圓形，先端鈍，基部楔形，全緣，上面有光澤，下面粉綠色，網脈不明顯。黃色小花，單性異株，傘形花序腋生或側生。果球形，直徑 6mm，近無柄。

分佈　生於山坡灌木或疏林中。分佈於江西、福建、湖南、廣東、廣西、貴州等地。

採製　全年可採，曬乾。

性能　辛，溫。祛風除濕，行氣止痛，活血通經。

應用　用於風濕性關節炎，腰腿痛，跌打損傷，痛經，胃痛，腹瀉，水腫。用量 15～30g。

文獻　《滙編》下，522。

4136　油梨

來源　樟科植物鱷梨 Persea americana Mill. 的果實。

形態　喬木，葉片矩圓形、橢圓形至卵形或倒卵形，長 8～20cm，先端急尖，下面稍蒼白色。圓錐花序頂生；花小，密集，淡綠色；花被片 6，長 4～5mm，外輪 3 片略小，微被毛或近無毛；能育雄蕊 9，花藥 4 室，排成一排，第三輪雄花藥外向瓣裂並有 2 腺體；子房頂端漸狹，柱頭盤狀。果實大，肉質，通常梨形，長 8～18cm，黃綠色或紅棕色。

分佈　廣東、海南、福建、台灣有栽培。

採製　夏季採收，鮮用。

應用　用於糖尿病。用量 50g。

文獻　《廣西藥用植物名錄》，63。

4137　半楓樟

來源　樟科植物檫木 Sassafras tzumu (Hemsl.) Hemsl. 的根、樹皮。

形態　落葉喬木，嫩枝無毛，常帶紅色。單葉互生，卵形或倒卵形，邊緣全緣或 2～3 淺裂，兩面無毛或下面沿脈被疏毛，灰綠色。總狀花序頂生，先葉開放，花黃色，雌雄異株，雄花被裂片 6，能育雄蕊 9，花藥 4 室，退化雄蕊 3；雌花具退化雄蕊 12。核果近球形，着生於淺杯狀果托上。

分佈　生於山坡疏林或密林中。分佈於華東、華南、華中、西南。

採製　全年可採，曬乾或鮮用。

成分　根含黃樟醚(safrole)，樹皮含丁香油酚(eugenol)等。

性能　甘、淡，微溫。祛風去濕，活血散瘀。

應用　用於風濕關節痛，腰腿痛，半身不遂。外用於扭挫傷，腰肌勞傷。用量 15～30g，外用適量。

文獻　《大辭典》下，5644。

4138 禿瘡花

來源 罌粟科植物禿瘡花 Dicranostigma leptopodum (Maxim.) Fedde 的根及全草。

形態 草本，高達 25cm。全體含淡黃色汁液。莖 2～5 條，有疏毛，上部分枝。基生葉多數，葉片輪廓倒披針形，長達 12.5cm，羽狀全裂，裂片斜倒梯形，羽狀全裂或深裂，二回裂片疏生小牙齒，下面有白粉；莖生葉無柄，羽狀全裂。花 1～3 朵生莖或分枝上部，排成聚傘花序；萼片 2，早落；花瓣 4，黃色，倒卵形，長約 1.5cm；雄蕊多數。蒴果細圓筒形。

分佈 生於丘陵草坡、路邊或牆上。分佈於甘肅、陝西、河南、山西、四川。

採製 春、夏採製，陰乾或鮮用。

性能 苦、澀，涼。有毒。清熱解毒，消腫止痛，殺蟲。

應用 用於扁桃體炎，牙痛，淋巴結結核；外用治頭癬，體癬。用量 9～15g，外用適量。

文獻 《滙編》下，335；《大辭典》上，2308。

4139 多刺綠絨蒿

來源 罌粟科植物多刺綠絨蒿 Meconopsis horridula Hook. f. et Thoms. 的全草。

形態 草本，高 30～100cm。根圓柱形。莖有黃色液汁，生有伸展硬刺。基生葉及莖下部葉倒披針形或狹倒卵形，長 7～25cm，寬 1～4cm，兩面生有硬刺，先端微尖或鈍，基部漸狹成長柄，邊緣全緣。總狀花序，花多朵；花瓣 4～8，藍紫色，寬倒卵形；雄蕊多數；子房卵形，密生黃色刺。蒴果長橢圓形，密生刺。

分佈 生於高山峽谷或山坡草地。分佈於西藏、雲南、四川、青海和甘肅。

採製 8～9 月採挖全草，曬乾。

成分 含生物碱。

性能 苦，寒。活血化瘀，鎮痛。

應用 用於治跌打損傷。用量 1.5～3g。

文獻 《大辭典》上，1891。

4140 長葉綠絨蒿

來源 罌粟科植物長葉綠絨蒿 Meconopsis lancifolia (Franch.) Franch. 的全草。

形態 草本，高 8～25cm。主根蘿蔔狀。莖被黃褐色毛。葉基生或生於莖下部，狹倒披針形至倒卵形，長 1～15cm，寬 0.5～1.5cm，基部下延；葉柄長 2～7cm。花莖粗壯，疏被毛；花於花莖上排成聚傘總狀花序或單生；萼片被鏽色硬毛；花瓣 4～8，倒卵形或近圓形，先端圓或急尖，有時具鋸齒，紫色或藍色；雄蕊多數；子房長圓形，被黃褐色刺毛，柱頭 2～6裂。蒴果熟時褐色，果脊深紫色。

分佈 生於海拔 3300～4800m 高山草地或林下。分佈於甘肅、西藏、四川、雲南。

採製 夏秋採集，除去硬毛，曬乾。

性能 淡、澀，寒。鎮痛，消炎。

應用 用於肺熱，肝熱，跌打損傷，骨痛，胸背痛。用量 3～6g。

文獻 《甘孜州中草藥名錄》一，137。

4141 紅花綠絨蒿

來源 罌粟科植物紅花綠絨蒿 Meconopsis punicea Maxim. 的花和果。

形態 一年生草本，高約 1m，全株有黃色長糙毛。葉均基生，狹倒卵形或倒披針形，長 2.8～18cm，葉柄長 6～34cm。花單生花葶頂端，下垂；花葶 1～6 條，高 32～75cm；花瓣 4～6，深紅色，狹橢圓形，長達 9cm，寬至 4cm；雄蕊多數，長達 2.4cm，花絲條形，淡紅色；子房卵形，密被黃色糙毛，花柱幾不存在，柱頭短圓柱形，呈翼狀。蒴果有黃色刺毛。

分佈 生於林緣、溝邊、山坡草地。分佈於四川、青海、甘肅、陝西。

採製 夏、秋季採收，曬乾。

性能 苦、澀，微溫。清熱解毒，涼血，燥濕利咽，鎮痛，止咳，固澀，抗菌。

應用 治遺精，白帶，咽喉腫痛，濕熱黃疸，肝硬化。用量 1.5～3g。

文獻 《大辭典》上，2072。

4142　老鼠瓜

來源　白花菜科植物刺山柑 Capparis spinosa L. 的根皮。

形態　藤本狀半灌木，長 1～2m，枝條平臥，呈輻射狀，小枝淡綠色，幼時有柔毛，後變無毛。單葉互生，托葉成倒鈎刺狀；葉柄長 4～6mm，全緣。花白色，單生於葉腋，萼片卵形，雄蕊多數，較花被長。漿果橢圓形，光滑無毛，種子多數。

分佈　多生於乾旱而高溫的風蝕沙地，覆有礫石的乾固黏質土壤、戈壁及低山陽坡。分佈於甘肅、新疆的戈壁、沙漠地區。

成分　根皮含芸香酸。

性能　辛、苦，溫。有毒。祛風，散寒，除濕。

應用　根皮外用治急、慢性風濕性關節炎，布氏桿菌病。外用適量。

文獻　《滙編》下，230。

附註　本品果、葉均入藥，外敷治痛風。國外用花芽治壞血病。

4143　小花糖芥

來源　十字花科植物小花糖芥 Erysimum cheiranthoides L. 全草及種子。

形態　一年生草本，高 15～50cm，具伏生 2～4 叉狀毛。莖直立，不分枝或上部分枝。葉互生，披針形或條形，先端急尖，基部漸狹，全緣或深波狀。總狀花序，花梗短；花淡黃色，直徑約 5 mm；雄蕊 6，近等長。長角果側扁，圓柱形或四稜形，長 2～2.5cm，裂片具隆起中肋，有散生星狀毛。種子 1 行，微小，卵形。

分佈　生於路旁、野地。分佈除華南外，幾遍全國。

採製　夏季採，曬乾。

成分　全草含葡萄糖糖芥甙 (erysimoside)、木糖糖芥甙 (erychroside) 等強心甙，種子含有 10 多種強心甙。

性能　酸、苦，平。有小毒。強心利尿。

應用　用於心力衰竭。可作毒毛旋花子的代用品，毒性較其他強心甙低。用量 0.5～1g。

文獻　《新華本草綱要》一，255。

4144　風花菜

來源　十字花科植物風花菜 Rorippa islandica (Oeder.) Borbas 的全草。

形態　二年生或多年生草本，無毛。高 15～90cm。莖直立，上部多分枝，基部稍斜上，有時帶紫色。基生葉和莖下部葉具長柄，大頭羽狀深裂，頂生裂片較大，卵形，側裂片較小，3～6 對，邊緣有粗鈍齒；莖生葉向上漸小，羽狀深裂或具齒，有短柄，基部具耳狀裂片抱莖。總狀花序，頂生，花極小，花梗纖細；萼片 4，直立，矩圓形；花瓣 4，黃色；倒卵形，與萼片近等長；雄蕊 6，雌蕊 1。短角果稍彎曲，圓柱狀長橢圓形。種子近卵形，紅黃色。

分佈　生於山地草甸、溝谷。全國各地均有分佈。

採製　夏季採割，曬乾。

成分　全草含皂甙、維生素 C。

性能　苦、辛，涼。清熱解毒，利尿消腫。

應用　用於黃疸，水腫，淋病，咽痛，關節炎，瘡瘍腫毒。用量 6～15g。外用適量治燙燒傷。

文獻　《長白山植物藥誌》，485–86；《內蒙古植物誌》二，305。

4145　匙葉伽藍菜

來源　景天科植物匙葉伽藍菜 Kalan-
choe spathulata DC. 的全草。

形態　多年生肉質草本。莖直立粗壯。
單葉對生，葉片肥厚多汁，嫩脆易折，
匙狀矩圓形，長 5～7cm，全緣或有不
整齊的齒裂。四季開紅色或橙紅色花，
爲頂生聚傘花序，花直立，多數，花萼
四深裂，花冠高腳碟杯狀，裂片 4。蓇
葖果。

分佈　多爲栽培。分佈於雲南、廣東、
廣西、福建及台灣。

採製　全年可採，多鮮用。

性能　甘、微苦，寒。清熱解毒，散瘀
消腫。

應用　用於跌打損傷，瘡瘍膿腫，燙
傷，外傷出血。用量 15～30g。外用鮮
品，搗爛敷患處。

文獻　《中國高等植物圖鑒》二，75；
《廣東藥用植物手冊》，125。

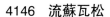

4146　流蘇瓦松

來源　景天科植物瓦松 Orostachys fim-
briatus (Turcz.) A. Berg. 的地上部分。

形態　二年生肉質草本，高 10～40cm。
全株粉綠色，密生紫紅色斑點。莖略斜
伸。基部葉成緊密的蓮座狀，線形至倒
披針形，邊緣呈流蘇狀的軟骨片和 1 針
狀尖刺。莖上葉散生，葉形與基部葉相
同，略長而尖。花成肥大頂生穗狀的圓
錐花序；花梗分枝，花萼與花冠均爲 5
片，花瓣淡紅色，乾後呈藍紫色，披針
形，膜質；雄蕊 10，雌蕊爲離生的 5 心
皮組成。蓇葖果矩圓形。

分佈　生於屋頂、牆頭及石上。全國各
地均有分佈。

採製　夏、秋採收，曬乾。

成分　含大量草酸。

性能　酸、苦，涼。有毒。清熱解毒，
止血，利濕，消腫。

應用　用於吐血，鼻衄，血痢，肝炎，
瘧疾，瘡口久不愈合，熱淋，痔瘡，濕
疹，疔瘡，燙傷。用量 1～3g。

文獻　《大辭典》上，0796；《滙編》上，
180；《內蒙古植物誌》四，3。

4147 黃花瓦松

來源 景天科植物黃花瓦松 Orostachys spinosus (L.) G.A. Mey. 的全草。

形態 二年生草本，第一年僅有蓮座葉，密生，葉片長圓形，先端有半圓形、白色、軟骨質的附屬物，中央具白色軟骨質的刺。翌年自蓮座中央長出不分枝的花莖，高 10～30cm；莖生葉互生，葉片寬線形至倒披針形，先端漸尖，有軟骨質的刺，基部無柄。穗狀花序，頂生，狹長；苞片披針形至長圓形；萼片 5，卵狀長圓形，有紅色斑點；花瓣 5，黃綠色，卵狀披針形，基部合生；雄蕊 10，較花瓣長；鱗片 5，近正方形，先端微缺。蓇葖 5，橢圓狀披針形。種子長圓狀卵形。

分佈 生於山坡石縫中。分佈於東北、內蒙古、甘肅、新疆、西藏。

採製 夏、秋採收，曬乾。

性能 酸、苦，涼。清熱解毒，止血，利濕消腫。

應用 用於吐血，鼻衄，血痢，肝炎，瘧疾，熱淋，痔瘡，濕疹，癰毒，疔瘡，燙傷。用量 15～30g。外用適量。

文獻 《大辭典》上，0796；《中國植物誌》34(1)，44。

4148 寬葉費菜

來源 景天科植物寬葉費菜 Sedum aizoon L. var. latifolium Maxim. 的根及全草。

形態 多年生草本，全體無毛，高 20～60cm。根莖近木質、塊狀。莖直立，不分枝，粗壯。葉互生。寬卵形、橢圓形、披針形、寬披針形，邊緣有鈍鋸齒。聚傘花序頂生。分枝平展，著花較密，花近無梗，花瓣黃色。蓇葖果成星芒狀排列。

分佈 生於石質山地疏林、灌叢、林間草甸。分佈於黑龍江北部、內蒙古東部。

採製 夏季採集。去泥土，曬乾。

性能 散瘀止血，安神鎮痛。

應用 用於衄血、咯血、便血，心悸，失眠，跌打損傷，瘰癧等。用量 9～15g。

文獻 《內蒙古中蒙藥誌》。

附註 蒙藥名"矛鈣 – 伊得"。

4149　粉團花

來源　虎耳草科植物圓錐繡球 Hydrangea paniculata Sieb. 的花。

形態　落葉灌木或亞喬木。樹皮灰褐色，小枝赤褐色，皮孔明顯。葉對生，橢圓形或卵形，邊緣具鋸齒。圓錐花序頂生，長 15～25cm，徑 8～12cm；不育花徑 1～5cm，萼片通常 4 片，白色，後變紫色；能育花萼筒盃狀，花瓣 5，白色。蒴果卵形，種子頂端有薄翅。

分佈　生於山谷溪邊、林緣灌叢或郊野路旁。分佈於浙江、安徽、江西、廣西。

採製　花期採收，曬乾。

成分　含傘形花內酯（umbelliferone）、乳酸鎂和乳酸鈣等。

性能　苦，溫。消濕，破血，抗瘧。

應用　用於瘧疾，用量 9～15g。外用治腎囊風。適量煎水洗。

文獻　《大辭典》下，4011。

4150　楔葉茶藨

來源　虎耳草科植物楔葉茶藨 Ribes diacanthum Pall. 的果實。

形態　落葉灌木，高 1～2m。當年生小枝紅褐色，有縱稜，平滑；老枝灰褐色，稍剝裂，節上有皮刺 1 對。單葉互生，葉片倒卵形，上半部 3 圓裂，裂片邊緣有幾個粗鋸齒，基部楔形。花單性，雌雄異株，總狀花序生於短枝上，雄花序長 2～3cm，多花，常下垂；雌花序短，長 1～2cm，苞片條形；萼筒淺碟狀，萼片 5，卵形或橢圓形；花瓣 5，鱗片狀，淡綠黃色；雄蕊 5，與萼片對生，花絲與花藥等長，下彎；子房下位，近球形。漿果，紅色，球形，含多數種子。

分佈　生於沙丘、沙地、河岸及石質山地。分佈於黑龍江，內蒙古。

採製　秋季果成熟時採收，曬乾。

性能　止咳，平喘。

應用　用於感冒咳嗽。用量 6～9g。

文獻　《內蒙古藥材資源普查選編》一，38；《內蒙古植物誌》三，14。

4151 香茶藨子

來源 虎耳草科植物香茶藨子 Ribes odoratum Wendl. 的果實。

形態 灌木。株高 2 m。幼枝密被白色柔毛。葉片輪廓卵形、腎圓形至倒卵形，3 裂，先端具粗鈍齒，基部楔形至截形；上面無毛，下面被短柔毛和稀疏棕褐色鏽斑。花兩性，黃色；5～10 朵花成總狀花序。漿果，近球形，熟時黑色。花期 5 月。

分佈 原產美國。中國園林、花圃偶見栽培。

採製 夏季採收，曬乾。

性能 辛，溫。解表。

應用 用於治療感冒初起等病症。用量9～15g。

附註 調查資料。

4152 英吉里茶藨

來源 虎耳草科植物英吉里茶藨 Ribes palczewskii Pojark 的果。

形態 灌木，高 50～120cm。當年小枝紅褐色，有縱稜，平滑；老枝灰褐色，稍剝裂，無皮刺。葉掌狀，三淺裂，葉背面疏生短柔毛；葉柄長，無腺點。花序短，花黃綠色，花瓣 5，鱗片狀。漿果，紅色，球形，無腺點，徑約1.3cm。

分佈 生於河岸林下、林緣、山腳草叢。分佈於內蒙古大興安嶺、黑龍江北部。

採製 秋季採摘，曬乾。

性能 解表，止咳。

應用 治感冒，咳嗽。用量 15～25g。

文獻 《大興安嶺藥用植物》，188。

附註 本植物作蒙藥"少布特日"用。

4153 興安茶藨

來源 虎耳草科植物興安茶藨 Ribes pauciflora Turcz. 的果實。

形態 灌木,高 40～100cm。當年小枝棕褐色,有縱稜,表面粗糙,有黃色腺點;老枝棕褐色,粗糙,無皮刺。葉片掌狀,三淺裂,有散生的黃色腺點。花瓣 5、鱗片狀,雄蕊 5。漿果球形,紅色,表面具散生的黃色腺點,果徑約 1.5cm。

分佈 生於山腳、林緣、河岸林下及草叢中。分佈於內蒙古、黑龍江。

採製 秋季採摘果實,曬乾。

性能 解表,止咳。

應用 治感冒,咳嗽。用量 15～25g。

文獻 《大興安嶺藥用植物》,188。

附註 本植物作蒙藥"少布特日"用。

4154 小葉茶藨

來源 虎耳草科植物小葉茶藨 Ribes pulchellum Turcz. 的果實。

形態 落葉灌木,高 1～2m。當年生小枝紅褐色,密生短柔毛;老枝灰褐色,略縱向剝裂,節上常有皮刺 1 對。單葉互生,葉片寬卵形,掌狀 3 深裂,少 5 深裂,先端尖,基部近截形,邊緣有粗鋸齒。花單性,雌雄異株,總狀花序生於短枝上;萼筒殘碟形,萼片 5,寬卵形;花瓣 5,鱗片狀,淡綠黃色或淡紅色;雄蕊 5,與萼片對生;子房下位,近球形,柱頭 2 裂。漿果,紅色,近球形,含多數種子。

分佈 生於石質山坡與溝谷。分佈於東北、華北、西北。

採製 秋季果成熟時採收,曬乾。

性能 止咳,平喘。

應用 用於咳嗽,哮喘。用量 9～15g。

文獻 《內蒙古藥材資源普查選編》一,38;《內蒙古植物誌》三,14。

4155 沼委陵菜

來源 薔薇科植物沼委陵菜 Comarum palustre L. 的根、全草。

形態 多年生草本，高 20～30cm。根莖長，橫走，具多數纖維狀鬚根。莖中空，稍分枝，淡紅褐色。奇數羽狀複葉；下部莖生葉具柄，上部者近無柄，小葉 5～7，長圓形，先端圓鈍，基部楔形或歪楔形，邊緣中上端有銳鋸齒。聚傘花序頂生或腋生，有 1～3 朵花；花萼紫紅色，萼片 5，卵形；副萼片 5，線狀披針形；花瓣紫色，卵狀披針形，比萼片小；雌、雄蕊多數。瘦果離生，多數，卵形，黃褐色，扁平，花柱宿存。

分佈 生於沼澤及泥炭沼澤處。分佈於東北。

採製 春、秋挖根，曬乾；夏季割全草，曬乾。

成分 根莖含鞣質；鮮全草含揮發油、維生素。

應用 根莖用於腹瀉；其浸劑治療胃癌和乳腺癌；葉煎劑外用洗傷口，促進愈合；全草治療肺結核，血栓性靜脈炎，黃疸，神經痛。

文獻 《長白山植物藥誌》，530。

4156 全緣栒子

來源 薔薇科植物全緣栒子 Cotoneaster integerrimus Medic. 的小枝、葉、果。

形態 灌木，高 1.2～1.5m。小枝棕褐色、褐色或灰褐色，嫩枝密被灰白色絨毛，以後逐漸脫落，老枝無毛。單葉，互生；葉片橢圓形或寬卵形，先端銳尖、圓鈍或微凹，基部圓形或楔形，全緣；托葉披針形。聚傘花序，有花 2～5 朵；苞片披針形；花萼筒倒圓錐形，萼片 5，卵狀三角形；花瓣 5，直立，近圓形，粉紅色；雄蕊 15～20，與花瓣近等長；花柱 2，短於雄蕊，子房頂端有柔毛。果實為梨果，近圓球形，紅色，先端有宿存花萼，具 2～4 小核。

分佈 生於山地樺木林下、灌叢及石質山坡。分佈於東北、內蒙古、西北。

採製 夏季採收小枝、葉，曬乾；秋季採果，曬乾。

性能 小枝、葉，果：祛風濕，止血，消炎。

文獻 《內蒙古藥材資源普查選編》一，39，217；《內蒙古植物誌》三，38。

4157 寶興栒子

來源 薔薇科植物寶興栒子 Cotoneaster moupinensis Franch. 的根。

形態 灌木，高約 5m。小枝灰黑色，幼時被毛。葉橢圓狀卵形或菱狀卵形，長 4～12cm，全緣，基部楔形或近圓形，上面微被毛，具皺紋和泡狀隆起，下面被短毛；柄短。聚傘花序有花 10～25 朵，被毛；花粉紅色，徑 8～10mm；萼筒鐘狀，外被毛，裂片三角形；花瓣直立，卵形或近圓形。梨果近球形或倒卵形，徑 6～8mm，黑色，核 4～5，平滑。

分佈 生於疏林邊或松林下。分佈於陝西、甘肅、四川、貴州、雲南。

採製 四季可挖，洗淨，曬乾。

性能 澀，平。補虛。

應用 用於子宮脫垂。用量 9～15g。

文獻 《四川省宜賓中草藥植物名錄》，142。

4158　水枸子

來源　薔薇科植物水枸子 Cotoneasyer multiflorus Bunge. 的果。

形態　灌木，高達 4m。小枝紅褐色。葉卵形或寬卵形，長 2～5cm，先端急尖或圓鈍，基部寬楔形或圓形，幼時下面有絨毛。聚傘花序有花 6～12 朵；花白色，徑 1～1.2cm；萼筒鐘狀，裂片 5，三角形；花瓣 5，平展，近圓形。梨果近球形或倒卵形，徑約 8mm，紅色。

分佈　生於海拔 2400～3000m的溝谷或山坡雜林中。分佈於東北、華北、西北和西南地區。

採製　8～10 月採果，晾乾。

性能　辛，溫。祛風除濕。

應用　用於關節炎，關節積黃水，黃水病。用量 6～9g。

文獻　《甘孜州藏藥植物 名錄》一，114。

4159　光葉遼寧山楂

來源　薔薇科植物光葉遼寧山楂 Crataegus sanquinea Pall. var. glabra Maxim. 的果實。

形態　小喬木，高 2～4m。枝刺錐形，長 1～3cm；小枝紫褐色、灰褐色、褐色；老枝及樹皮灰白色；芽寬卵形、紫褐色。單葉，互生；葉片寬卵形、菱狀卵形，先端銳尖或漸尖，基部楔形或近截形，邊緣有羽狀淺裂，兩面近無毛；托葉卵狀披針形或半圓形，褐色。傘房花序，頂生；苞片條形或倒披針形，褐色，早落；花萼近鐘狀，萼片 5，狹三角形；花瓣 5，白色，近圓形；雄蕊 20，花絲長短不齊；花柱 2～5，略短於雄蕊，子房下位，頂端有毛。果實爲梨果，近球形，血紅色，先端有宿存萼片，反折，有核 3～4。

分佈　生於陰坡，山楊、白樺雜木林中。分佈於內蒙古。

採製　秋季採收，曬乾。

性能　消食化滯，散瘀止痛。

應用　用於消化不良，小兒疳積，腸炎，產後腹痛，高血脂，縧蟲病，用量 9～15g。

文獻　《內蒙古藥材資源普選編》一，8；《滙編》上，117。

4160 皺果蛇莓

來源 薔薇科植物皺果蛇莓 Duchesnea chrysantha (Zoll. & Mor.) Miq. 的全草。

形態 草本，多少被柔毛。有多數長而細的匍匐莖。葉具長柄；托葉葉狀；小葉通常 3 片，稀 5 片，倒卵形，長 1.5～3cm，邊緣有鈍齒或鋸齒，上面近無毛，下面被稀疏長柔毛；花單生葉腋，直徑 1.2～1.5cm；花梗疏被長柔毛；萼片卵形或披針形，與副萼片同樣被疏長柔毛；副萼片 3～5 裂，很少全緣；花瓣黃色。果為多數紅色而多皺的小瘦果組成，球形或長橢圓形，萼片宿存。

分佈 生於村邊或荒野較潮濕、肥沃的地方。分佈於海南、福建、台灣、廣東及廣西。

採製 夏秋季採，曬乾或鮮用。

性能 消炎解毒，止血。

應用 用於崩漏；外用治疔瘡有特效，亦可治蛇傷，燙火傷。用量 12～24g。

文獻 《廣西藥用植物名錄》，204。

4161 台灣枇杷

來源 薔薇科植物台灣枇杷 Eriobotrya deflexa (Hemsl.) Nakai 的葉。

形態 喬木。幼枝、葉柄、葉背面及花序初時被鏽色絨毛。葉聚生於枝頂，長圓狀披針形或倒披針形，長 11～15cm，頂端急尖至漸尖，基部楔形，邊緣有疏鋸齒。圓錐花序頂生；苞片和小苞片長橢圓形，早落；花白色，直徑不超過 1cm；花柱 3～5，在中部合生。果近球形，直徑 1.2～2cm，黃紅色。

分佈 生於山坡及山谷林間。分佈於廣東、廣西、海南及台灣。

採製 葉全年可採，用硬毛刷刷去葉背絨毛，曬乾。

性能 清熱解毒，化痰止咳，和胃。

應用 急慢性氣管炎，呃逆嘔吐。用量 6～12g，水煎服。

文獻 《廣西藥用植物名錄》，205。

4162　翻白蚊子草

來源　薔薇科植物翻白蚊子草 Filipen-
dula intermedia (Glehn) Juz. 的根、葉
和全草。

形態　多年生草本，高 70～100cm。根
莖長，較細，橫走，鬚根多數。莖直
立，有條稜，較細弱，微帶紅色。羽狀
複葉；基生葉具長柄，小葉 5～7 深裂；
側生小葉 4～5 深裂；莖生葉有托葉；
頂生小葉約 7 深裂，側生小葉 2～3
對。圓錐花序頂生；萼片 5；花瓣 5，
白色，長卵形、卵圓形或近圓形；雄蕊
多數，超出花冠；心皮 10 個，有毛。
瘦果無柄，長圓形，邊緣有長睫毛。

分佈　生於林邊草地、濕潤草地、河岸
及水邊。分佈於東北、內蒙古。

採製　4～10 月挖根，曬乾；夏季挖全
草，曬乾。

應用　全草和根用於痛風，風濕和癲
癇。葉用於汗少；外用適量治凍傷，燒
傷。

文獻　《長白山植物藥誌》，539。

4163　星毛委陵菜

來源　薔薇科植物星毛委陵菜 Potentilla
acaulis L. 的全草。

形態　多年生草本，高 2～10cm，全株
被有白色星狀氈毛，呈灰綠色。根狀莖
木質化，橫走，節部生出新枝。莖自基
部分枝，斜倚。掌狀三出複葉，小葉倒
卵形，邊緣中部以上有齒。聚傘花序，
有花 2～5 朵，黃色，徑約 1.5cm。瘦果
近橢圓形。

分佈　生於典型草原帶的沙質草原。分
佈於東北、內蒙古、華北北部、西藏。

採製　春、夏季採取地上部分，曬乾。

性能　清肝利濕，退黃疸。

應用　治肝經濕熱，黃疸症。用量 8～
15g。

文獻　《內蒙古中蒙藥誌》。

附註　本植物為蒙醫用藥。蒙藥名"陶
來音－湯乃"。

4164　楔葉委陵菜

來源　薔薇科植物楔葉委陵菜 Potentilla ambigua Cam. 的全草。

形態　草本，高約 10cm。莖常紫色，生硬毛。基生葉爲掌狀三出複葉，小葉楔狀倒卵形，全緣，僅頂端有 3 或 5 齒，長 8～15mm，寬 5～8mm，兩面生黃色硬毛；無柄；托葉寬披針形；莖生葉較小。花單生，黃色，徑 2～2.5cm；5 瓣；雄蕊多數；花梗長 1.5～2cm，有長柔毛。瘦果卵形，褐色，有毛。

分佈　生於海拔 2,200～4,000m 林邊或石坡上。分佈於雲南、四川、西藏。

採製　夏季採，曬乾。

性能　清熱解毒，祛風濕。

應用　用於痢疾，腹瀉，風濕筋骨痛，癰癤腫痛。用量 9～15g。

文獻　《甘孜州中草藥名錄》一，197。

4165　三出葉委陵菜

來源　薔薇科植物三出葉委陵菜 Potentilla betonicaefolia Poir. 的全草。

形態　多年生草本。根木質化，圓柱狀，直伸。莖短縮，粗大，多頭，外包以褐色老托葉殘餘。花莖高 6～20cm，常帶暗紫紅色。基生葉爲掌狀三出複葉，小葉無柄，革質，矩圓狀披針形、披針形，先端鈍或尖，基部寬楔形或歪楔形，邊緣有圓鈍或銳尖粗大牙齒，稍反捲。聚傘花序頂生，苞片掌狀 3 全裂；萼筒（花托）碟狀，副萼片 5，萼片 5；花瓣 5，黃色，倒卵形；雄蕊多數；子房橢圓形，花柱頂生。瘦果橢圓形，稍扁，表面有皺紋。

分佈　生於向陽石質山坡、石質立頂及粗骨性土壤上。分佈於東北、華北。

採製　夏季採收，曬乾。

性能　苦、辛，微溫。消腫利水。

應用　用於各種水腫；入丸散。用量 9～15g。

文獻　《滙編》下，761；《內蒙古中草藥》三，89；《內蒙古植物誌》三，89。

4166　白花委陵菜

來源　薔薇科植物白花委陵菜 Potentilla inquinans Turcz. 的全草。

形態　多年生草本，高 70～120cm。全株被褐色或鏽褐色短柔毛和腺毛。莖直立，多分枝。羽狀複葉，頂生小葉發達，側生小葉漸小，小葉片邊緣具不規則牙齒。花較大，徑達 2.5cm，白色；萼片比副萼片長一倍。瘦果具縱皺紋。

分佈　生於石質山坡、林緣、溝塘河岸。分佈於內蒙古大興安嶺北部、黑龍江北部。

採製　夏、秋季割取地上部分，曬乾。

性能　清熱解毒，止痢。

應用　治赤白痢，腹痛腸鳴。用量 8～15g。

文獻　《大興安嶺藥用植物》，203。

附註　本植物爲蒙醫用藥。蒙藥名 "日高木巴"。

4167 多裂委陵菜

來源 薔薇科植物多裂委陵菜 Potentilla multifida L. 的帶根全草。

形態 多年生草本，高 10～30cm。主根粗壯，圓錐形，外皮暗褐色，斷面白色。莖斜上或鋪散，被柔毛。單數羽狀複葉，小葉無柄，長圓形，羽狀深裂，裂片條形或三角狀披針形，邊緣反捲，上面綠色，有毛，下面密被白毛。聚傘花序頂生；萼片 5，窄卵形；副萼較萼片小，均被毛；花瓣 5，黃色，倒卵形，先端凹，雄蕊多數。瘦果近卵形，有條紋。

分佈 生於路旁、河邊。分佈於東北、華北、西北。

採製 秋季採挖，洗淨，曬乾。

性能 甘、微苦，寒。清熱利濕，止血，殺蟲。

應用 用於肝炎，蟯蟲，功能性子宮出血，外傷出血。用量 15～30g，外用適量，研末敷傷處。

文獻 《滙編》下，255。

4168 大委陵菜

來源 薔薇科植物大委陵菜 Potentilla nudicaulis Willd. ex Schlecht. 的根、全草。

形態 多年生草本，高 25～70cm。直根木質化，粗壯，黑褐色。莖常單一，稍帶紫紅色。單數羽狀複葉，基生葉的小葉 11～15，小葉片矩圓形、狹矩圓形或矩圓狀披針形，先端尖，基部楔形，有時下延，邊緣有粗鋸齒；莖生葉的小葉數較少，條狀披針形。傘房狀聚傘花序，花序較鬆散，分枝較少；花直徑 1.5～2cm；花萼密被短柔毛，萼片 5，披針形；副萼片 5，披針形；花瓣 5，黃色，寬倒卵形，先端微凹；子房卵形，無毛；花柱近頂生。瘦果橢圓形。

分佈 生於草甸草原或草原化草甸中。分佈於東北、內蒙古。

採製 秋季採根，洗淨，夏季採全草，曬乾。

性能 根：清熱解毒，止痢。全草：清熱解毒，消炎止血。

應用 用於腸炎。用量 9～15g。

文獻 《內蒙古藥材資源普查選編》一，40；《內蒙古植物誌》三，95。

4169 菊葉委陵菜

來源 薔薇科植物菊葉委陵菜 Potentilla tanacetifolia Willd. ex Schlecht. 的全草。

形態 多年生草本，高 10～45cm。直根木質化，黑褐色；根莖短縮，多頭，木質，包被老葉柄和托葉殘餘。莖自基部叢生，斜升或直立，莖、葉柄、花梗均被柔毛，莖上部分枝。單數羽狀複葉，基生葉與莖下部葉較長，頂生小葉最大，側生小葉向下漸變小，小葉片狹長橢圓形、橢圓形或倒披針形，先端鈍，基部楔形，邊緣有缺刻狀鋸齒，上面綠色，下面淡綠色，均被短柔毛；托葉膜質，披針形，被長柔毛；莖上部葉與下部葉同形但較小，小葉數較少，葉柄較短，托葉草質，卵狀披針形，全緣或 2～3 裂。傘房狀聚傘花序開展；花萼 5，卵狀披針形，副萼片 5，披針形；花瓣 5，黃色，寬卵形，先端微凹；花柱頂生；花托被柔毛。瘦果褐色，卵形，微皺。

分佈 生長在典型草原和草甸草原。分佈於東北、華北和陝西、寧夏、甘肅。

採製 夏、秋採挖，曬乾。

性能 苦、甘，平。清熱解毒，消炎止血。

應用 用於腸炎，痢疾，吐血，便血，崩漏帶下，感冒，肺炎，瘡癰腫毒。用量 15～30g。

文獻 《內蒙古中草藥》，252；《內蒙古植物誌》三，98。

4170　窄葉火棘

來源　薔薇科植物窄葉火棘 Pyra-cantha angustifolia (Franch.) Schneid. 的果實。

形態　灌木或小喬木。小枝密被灰黃色絨毛。葉窄長圓形至倒披針狀長圓形，長 1.5～5cm，先端圓鈍，邊全緣微下捲，下面密生灰白色絨毛；葉柄密被絨毛，短。複傘房花序，徑 2～4cm，總花梗、花梗、花萼均密被絨毛；花瓣 5，近圓形，白色，徑約 2.5mm；雄蕊 20；花柱 5，子房被白色絨毛。果實扁球形，徑 5～6mm，熟時磚紅色，有宿存萼片。

分佈　生於陽坡乾燥灌叢中或路旁。分佈於湖北、雲南、四川。

採製　10～12 月採，曬乾。

性能　甘酸、澀，平。清熱解毒，收斂。

應用　用於痢疾，腸風下血，疔瘡，勞傷。用量 9～15g。

文獻　《西昌中草藥》上，581。

4171　刺薔薇

來源　薔薇科植物刺薔薇 Rosa aciularis Lindl. 的花。

形態　灌木，高 1～3m。莖有細直皮刺。小葉 3～7 枚；葉片寬橢圓形或長圓形，先端急尖或鈍，基部近圓形，邊緣有較淺的單鋸齒；托葉大部貼生於葉柄，離生部分寬卵形，邊緣有腺齒。花單生或 2～3 朵集生；萼片披針形；花粉紅色，直徑 3.5～5cm。果梨形或倒卵狀球形，紅色。

分佈　生於山坡陽處、灌叢中或樺木林下。廣泛分佈於北溫帶。

採製　花未完全開放時採收，陰乾。

性能　甘，微溫。止血，調經。

應用　用於吐血，血崩，月經不調。用量 6～15g。

文獻　《吉林中草藥》，690。

4172 落萼薔薇

來源 薔薇科植物落萼薔薇 Rosa alberti Regel. 的果實。

形態 灌木，高 1.5～2m。分枝多而呈蔓生狀，外有剝落的灰色皮層；皮刺疏生，細瘦。托葉基部連合，頂端分裂，裂片邊緣有褐色的腺毛。單數羽狀複葉，小葉 5～11 枚，卵形或橢圓形，邊緣有重鋸齒，上面光滑，下面沿葉脈處有絨毛；葉柄有絨毛或腺點。花單生，有長柄；萼片 5，兩面有絨毛；花瓣 5，白色，頂端波狀，寬三角形；雄蕊多數；花柱頭狀，有毛。果實卵圓形或橢圓形，紅色，成熟後花萼脫落。種子長圓形，淡黃色。

分佈 生於山坡、溝旁。分佈於新疆。

採製 8、9 月果實成熟時採收，曬乾或鮮用。

成分 含多種有機酸、糖類、鞣質等。

性能 甘、酸、澀，平。滋補肝腎，活血，止痢。

應用 用於性神經衰弱，高血壓，神經性頭痛，脾虛泄瀉，腎炎等。

文獻 《新疆藥植誌》二，52。

4173 扁刺薔薇

來源 薔薇科植物扁刺薔薇 Rosa sweginzowii Koehne 的果實。

形態 灌木，高約 3m。枝具基部膨大而扁平的皮刺，有時雜有小刺。單數羽狀複葉，小葉 5～11，橢圓形至卵狀長圓形，長 2～5cm，邊緣有重鋸齒；小葉柄和葉軸有柔毛、腺毛和小皮刺；托葉大部分附着於葉柄上。花單生或 2～3 朵簇生，徑 3～5cm，粉紅色；苞片卵狀披針形，邊緣有鋸齒或羽裂；萼片淺裂，擴展成葉狀或羽裂；花瓣寬倒卵形；雄蕊多數；花柱離生，被毛。果長圓形，紫紅色，有腺毛，萼宿存。

分佈 生於山坡或灌叢中。分佈於雲南、四川、湖北、陝西、甘肅、青海、西藏。

採製 9～10 月採，以紙遮蔽，曬乾。

性能 甘，微寒。清熱退燒，滋補，止瀉。

應用 用於中毒性發熱，肝炎，腎病，關節積黃水，腹瀉。用量 4～9g。

文獻 《青藏高原藥物圖鑒》，334。

4174 粗葉懸鈎子

來源 薔薇科植物粗葉懸鈎子 Rubus alceaefolius Poir. 的根及葉。

形態 藤狀灌木。枝、葉柄和花序柄均有小鈎刺並密生黃色絨毛。葉片心狀卵形或心狀圓形，大小不等，具不整齊 3～7 淺裂，邊緣有細淺圓齒，上面常有粗毛和囊泡狀小凸起，下面密生灰色或淺黃色綿毛和長柔毛；托葉大，早落；葉脈掌狀 3～5 出。圓錐花序或總狀花序頂生及腋生；苞片較大，葉狀；花萼 5，被毛；花冠 5，白色；雄蕊多數；心皮着生於膨大而凸起的花托上。聚合果漿果狀，球形，紅色。

分佈 生於曠野、山坡。分佈於福建、廣東、廣西及貴州。

採製 全年可採，曬乾。

性能 甘、淡，平。清熱利濕，活血祛瘀。

應用 用於肝炎，肝脾腫大，口腔炎，乳腺炎，痢疾，腸炎，跌打損傷，風濕骨痛；外傷出血。用量 15～30g；外用適量。

文獻 《滙編》下，37。

4175　蛇泡簕

來源　薔薇科植物鏽毛莓 Rubus reflexus Ker. 的根。

形態　攀援灌木，枝、葉背、葉柄、托葉、花序均密生鏽色絨毛，皮刺少數，散生。葉紙質，互生，掌狀分裂，邊緣有尖鋸齒；葉柄粗，長 2～7cm；托葉矩圓形，齒裂。總狀花序，腋生，花白色。聚合果球形。紅色，熟時黑色。

分佈　生於路旁、村邊、灌木叢中。分佈於廣東、廣西、福建、海南等地。

採製　夏、秋採集。洗淨切碎，曬乾。

性能　苦、澀、酸，平。祛風濕，強筋骨。

應用　用於風濕痹痛，跌打損傷，骨折。用量 15～30g。

文獻　《滙編》下，764。

4176　小懸鈎子

來源　薔薇科植物石生懸鈎子 Rubus saxatilis L. 的全株及果實。

形態　多年生草本，高 20～40cm。根莖橫走，黑褐色，節上生較細的不定根。花枝直立，不育枝有鞭狀匍枝，長達 2m，其頂端常形成新植株，均被長柔毛。三出複葉，稀單葉 3 裂，小葉片卵狀菱形。花 3～10 朵排成短傘房花序，或 1～2 朵生於腋生的短枝上；萼片 5，結果時宿存；花瓣 5，白色；雄蕊多數；雌蕊 4～6。聚合果近球形，紅色；果核矩圓形，具蜂巢狀孔穴。

分佈　生於陰坡、路旁或潮濕草甸。分佈於東北、華北、新疆。

採製　夏、秋採全株，曬乾。夏末果實近成熟時，摘取果實，於沸水中微浸，撈出曬乾。

性能　全株：苦、微酸，平。補肝健胃，祛風止痛。果：甘、酸，溫。補腎固精。

應用　全株用於急性、亞急性肝炎，食慾不振，風濕性關節炎；果用於遺精。用量均 3～9g。

文獻　《滙編》下，83；《內蒙古植物誌》三，730。

4177　紅腺懸鈎子

來源　薔薇科植物腺毛懸鈎子 Rubus sumatranus Miq. 的根及葉。

形態　直立或攀援灌木，枝、葉軸、葉柄、花序軸和花梗有紅棕色剛毛狀腺毛和鈎刺。羽狀複葉，小葉 5～7，稀 3，卵狀披針形至披針形，頂端漸尖，基部圓形，偏斜，邊緣有不整齊的尖鋸齒，兩面疏生柔毛，下面沿中脈有小鈎刺；托葉條形或條狀披針形。花單生或數朵成短總狀花序；花白色；萼裂片 5，披針形，外面有腺毛和短柔毛，內面密生短柔毛，果時反折，花瓣 5。聚合果矩圓形，橘紅色。

分佈　生於山坡或林緣。分佈於福建、海南、廣東及廣西。

採製　全年可採，鮮用或曬乾。

性能　苦、澀，涼。清熱解毒，活血利水。

應用　用於瘡癤腫毒，菌痢，腸炎。用量 15～30g；外用鮮葉適量搗爛敷患處。

文獻　《湖南藥物誌》三，290。

4178 星毛珍珠梅

來源 薔薇科植物星毛珍珠梅 Sorbaria sorbifolia (L.) A. Br. var. stellipila Maxim. 的莖皮。

形態 落葉灌木，高約 2m。多分枝。奇數羽狀複葉，互生，小葉 11～21 枚，廣披針形，邊緣有重鋸齒，葉背面疏生星狀毛，葉軸密被星狀毛。圓錐花序頂生，長約 12～30cm，密被星狀毛。花白色。聚合蓇葖果，果實具疏生短柔毛。種子圓形。

分佈 生於山地灌叢中。分佈於吉林、黑龍江。

採製 春末夏初採剝莖皮，曬乾。

性能 苦，寒。有毒。活血祛瘀，消腫止痛。

應用 用於骨折，跌打損傷。用量 6～15g。研末沖服。

文獻 《吉林省梅河口地區藥用植物》，145。

4179 毛相思子

來源 豆科植物毛相思子 Abrus mollis Hance 的全株。

形態 纏繞藤本，莖和枝被稀疏的長柔毛。羽狀複葉，小葉 22～32 片，上面有稀疏長柔毛，下面密被白色長柔毛。總狀花序腋生，被淡黃色長柔毛；花萼密被灰色柔毛；花冠粉紅色；雄蕊 9，合生成管狀。莢果被長柔毛，頂端有喙。

分佈 生於山谷疏林或丘陵山坡灌叢中。分佈於廣西、廣東及海南。

採製 全年可採，除去莢果，曬乾。

性能 甘，涼。清熱解毒，舒肝散瘀。

應用 用於傳染性肝炎，小兒疳積；外用治燒燙傷，瘡癤。用量 9～15g；外用適量。

文獻 《廣西藥用植物名錄》，223。

4180 藤金合歡

來源 豆科植物藤金合歡 Acacia sinuata (Lour.) Merr. 的葉。

形態 藤本，幼枝有柔毛；枝和葉柄有倒鈎刺。二回羽狀複葉長 15～20cm；羽片 6～10 對或更多；葉柄近基部有 1 個大腺體；在葉軸的上部也有 1～2 個腺體；小葉 15～25 對，條狀矩圓形，長 8～12mm，有毛，中脈偏向上邊緣。頭狀花序直徑約 1cm，數個再組成腋生的大型圓錐花序；花黃色或白色；萼漏斗狀。莢果條形，勁直，兩側邊緣淺波狀，長 7～10cm，寬約 2cm。

分佈 生於山谷林下濕潤處。分佈於廣西、廣東、海南、湖南、江西、雲南及貴州。

採製 全年可採，多為鮮用。

性能 甘、淡，涼。解毒消腫。

應用 用於腹痛急劇，牙痛。用鮮葉適量搗爛取汁沖酒服；外用嫩葉搗爛加雄黃適量、酒、水各一半，放於雞蛋殼內在爐上加熱外擦，口含幾小時即可。

文獻 《滙編》下，766。

4181 緬茄

來源 豆科植物緬茄 Afzelia xylo-carpa (Kurz) Graib 的種子。

形態 喬木，偶數羽狀複葉；小葉 2~8 片；小葉片闊卵形或闊橢圓形，長 5~8cm。圓錐花序頂生；萼管狀，裂片 4，略不等大；花瓣只有 1 枚發育，淡紫色；雄蕊 7，凸出，4 枚有花藥；雌蕊 1。莢果長圓形，長 10~12cm，寬 6~7cm，肥厚，質硬；種子矩圓形，直徑約 1.6cm，黑褐色，光滑，基部有黃白色、角質假種皮，假種皮與種子近等長。

分佈 廣東、雲南有栽培。

採製 夏、秋季採果實，取出種子，曬乾。

性能 去火，解毒。

應用 用於眼生雲翳，火眼，牙痛，瘡毒。外用適量。

文獻 《大辭典》下，5058。

4182 刺田菁

來源 豆科植物刺田菁 Sesbania aculeata Pers. 的根及葉。

形態 小灌木，高 1~3m。植株有細刺。羽狀複葉互生，長 10~30cm；小葉 40~80，條狀矩圓形，長 10~16mm，先端鈍，兩面有腺點。總狀花序腋生，有 2~6 朵花；花萼鐘狀，齒 5，短三角形；花冠黃色，旗瓣矩形，有紅色斑點。莢果圓柱狀，直或稍彎，長 15~22cm；種子多數，矩圓形。

分佈 生於山坡、路旁或濕潤處。分佈於四川、雲南、廣東、福建。

採製 夏季採挖，鮮用。

性能 甘、微苦，平。清熱利尿，涼血解毒。

應用 用於婦女赤、白帶，糖尿病，尿道炎，毒蛇咬傷。用量 15~30g 或適量搗敷。

文獻 《西昌中草藥》上。

4183 夏黃芪

來源 豆科植物夏黃芪 Astragalus complanatus R. Br. ex Bunge. 的種子。

形態 多年生草本，莖數個至多數，有棱，稍扁，通常平臥，長可達 1m 以上。奇數羽狀複葉，具 6~9 對小葉；葉片橢圓形或卵狀橢圓形，基部圓，先端鈍，稀微凹，全緣，背面密被短伏毛。總狀花序腋生，比葉長；花 3~7 朵，疏生，蒼白色或帶紫色。莢果紡錘狀或長圓狀。種子黑褐色。

分佈 生於向陽山坡、草地。分佈於東北、華北、西北。

採製 秋季採收種子，曬乾。

性能 甘，溫。補益肝腎，固精，明目。

應用 用於腰膝酸痛，遺精早泄，視力減退。用量 9~15g。

文獻 《草本誌》五，106。

4184　蔓草蟲豆

來源　豆科植物蔓草蟲豆 Atylosia scara-baeoides (Linn.) Benth. 的全株。

形態　纏繞狀藤本，莖柔弱，有紅褐色絨毛。小葉 3 片，兩面均生柔毛；基出 3 脈。總狀花序腋生；萼鐘狀，萼齒 4，被毛；花冠黃色，旗瓣有暗紫色的線紋；雄蕊二組(9＋1)。莢果矩圓形，密生紅褐色或鏽色長柔毛。

分佈　生於山坡、曠野草地上。分佈於華南及雲南。

採製　夏、秋季採，曬乾或鮮用。

性能　甘、辛、淡，溫。解暑利尿，止血生肌。

應用　用於傷風感冒，風濕水腫，外傷出血。用量 15～30g；外用適量，鮮葉搗爛敷患處或曬乾研末撒。

文獻　《滙編》下，766。

4185　首冠藤

來源　豆科植物深裂羊蹄甲 Bauhinia corymbosa Roxb. 的葉。

形態　藤本，幼枝及花序有鏽色長毛。葉近圓形，長和寬約 2.5～5cm，頂端深裂至葉片全長的¾，或幾至基部，裂片頂端圓，基部截形或近心形，下面有時有紅褐色長柔毛；葉柄疏生鏽色長毛。傘房花序頂生；花萼管狀，裂片 5，外面有 10 條紅色條稜，密生鏽色毛；花冠 5，白色帶淡紅色脈紋，外面疏生長毛；發育雄蕊 3，花絲淡紅色，退化雄蕊 2～5；子房無毛。莢果條形，長 10～20cm，寬 1.5～2.5cm，黑色，有光澤。

分佈　生於山坡疏林中。分佈於中國南部。

採製　全年可採，鮮用。

性能　清熱解毒。

應用　用於瘡毒。外用適量。

文獻　《廣東藥用植物手冊》，279。

4186 刺果蘇木

來源 豆科植物刺果蘇木 Caesalpinia crista Linn. 的根及葉。

形態 藤本,枝、葉軸和小葉軸有倒鈎刺和密生黃色柔毛。二回羽狀複葉,有羽片 6～9 對;小葉 6～12 對,小葉片矩圓形或長橢圓形,長 1.3～3cm,頂端鈍,具細尖,基部偏圓形,兩面疏被黃色短柔毛;托葉大,葉狀,羽狀深裂或淺裂。總狀花序腋生;萼長約 6～8 mm,密被黃色絨毛,萼齒 5;花冠白色。莢果矩圓形,長 5～6cm,密生針狀刺。

分佈 生於村邊或近海邊。分佈於海南、廣東、廣西及台灣。

採製 全年可採,鮮用或曬乾。

性能 苦,涼。祛瘀止痛,清熱解毒。

應用 用於急、慢性胃炎,胃潰瘍,癰瘡癤腫。用量 5～10g;外用適量。

文獻 《滙編》下,767。

4187 蒙古錦雞兒

來源 豆科植物蒙古錦雞兒 Caragana arborescens (Amm.) Lam. 的帶根全草。

形態 灌木或小喬木,高 1～3m,有時可達 6～7m。樹皮暗綠色,平滑,有光澤。小枝細弱,暗綠褐色。托葉脫落,長枝上的托葉有時宿存並硬化成針刺;偶數羽狀複葉,小葉 8～14,羽狀排列。花 1 朵,偶有 2 朵生於一花梗上,花梗簇生或單生;花萼鐘狀,萼齒極短;花冠黃色,旗瓣寬卵形,翼瓣長橢圓形,耳矩狀,龍骨瓣稍短於旗瓣,鈍頭,爪稍短於瓣片;子房圓筒形。莢果圓形,稍扁,種子栗褐色至紫褐色,光亮。

分佈 生於平原、沙丘。分佈於東北、華北、西北。

採製 夏季採收,曬乾或鮮用。

性能 甘,溫。滋陰養血。

應用 用於月經不調,宮頸癌,乳腺癌。用量 10～15g。鮮用 24～30g。

文獻 《大藥典》下,3191;《內蒙古植物誌》三,172。

4188　狼麻

來源　豆科植物鬼箭錦雞兒 Caragana jubata (Pall.) Poir. 的根。

形態　多刺矮灌木，高 1～3m。樹皮灰褐色或黑色。葉軸全部宿存並硬化成針刺狀，長 5～7cm，幼時密生長柔毛。葉密集於枝端；小葉 8～12，羽狀排列，長橢圓形至條狀長橢圓形，長 0.7～2.4cm，先端有針刺，兩面疏生長柔毛。花單生，蝶形，淺紅色，5 瓣，長 2.5～3.2cm；花萼筒狀，長 1.4～1.7cm，密生長柔毛，萼齒披針形；雄蕊 2 束(9＋1)；子房密被長柔毛。莢果長橢圓形，長約 3cm，密被絲狀長柔毛。

分佈　生於山坡灌叢中。分佈於遼寧、河北、山西、內蒙古、青海、甘肅、四川。

採製　初夏、秋末採挖，去鬚根，剖去木心，切段曬乾。

性能　辛、苦，寒。清熱散腫，生肌止痛。

應用　用於癰疽，瘡癤，腫痛。用量 6～24g。外用適量。

文獻　《滙編》下，767；《青海省中草藥野外辨認手冊》，217。

4189　北京錦雞兒

來源　豆科植物北京錦雞兒 Caragana pekinensis Kom. 的果實。

形態　灌木，高 1～2m。樹皮灰黃色，幼枝有短柔毛。羽狀複葉，小葉 12～16 枚，橢圓形或倒卵狀橢圓形，長 5～12mm，寬 5～7mm，先端鈍或圓，有細尖，基部楔形，兩面密生短柔毛。花單生，花冠黃色。莢果、花萼、子房密生柔毛。

分佈　生於山坡、路旁、灌叢中。分佈於河北、山西。

採製　夏季採收，曬乾。

性能　苦，寒。清熱解毒。

應用　用於咽喉腫痛。用量 3～9g。

附註　調查資料。

4190 臘腸樹

來源 豆科植物婆羅門皂莢 Cassia fistula L. 的果實。

形態 喬木，高可達 15m。樹皮灰白色，平滑。偶數羽狀複葉，對生，小葉 4～8 對，卵形至橢圓形。花腋生，總狀花序懸垂；花冠蝶形，鮮黃色。莢果圓柱形，暗褐色，長 30～60cm；種子扁平赤褐色，光亮。

分佈 中國南部有栽培。

採製 9 月果實成熟採收，曬乾。

成分 含蘆薈大黃甙（barbaloin）等。

性能 苦，大寒。主心隔間熱風，骨蒸寒熱，殺蟲。

應用 用於小兒疳積，胃脘痛，殺蟲。用量 30～60g。

文獻 《大辭典》下，4702。

4191 毛排錢樹

來源 豆科植物毛排錢樹 Desmodium blandum van Meeuwen 的根。

形態 灌木，全株被黃色絨毛。三出小葉，頂生小葉卵形或長菱形，長 7～10cm，側生小葉較小，斜卵形，兩端鈍或有時頂端稍凹入。花白色或淡綠色，通常 4～7 朵生於葉狀苞片內，由此而形成頂生的總狀花序；苞片密被絨毛，長 1.5～3cm，互相交疊排成錢牌狀；萼 5齒，外側 2 齒合生；花冠蝶形；雄蕊 10；子房被毛。莢果線狀長圓形，密被銀灰色絨毛。

分佈 生於丘陵荒地、山坡草地。分佈於中國西南部至東南部。

採製 夏、秋季採，鮮用或曬乾。

性能 淡、澀，涼。有小毒。祛風清熱，活血散瘀。

應用 用於感冒發熱，瘧疾，肝脾腫大，跌打腫痛，血崩，風濕骨痛，赤白帶下。用量 25～50g。

文獻 《廣西本草選編》上，518；《大辭典》上，904。

4192 糙毛假地豆

來源 豆科植物糙毛假地豆 Desmodium heterocarpun (Linn.) DC. var. strigosum van Meeuwen 的根和全株。

形態 小灌木或亞灌木，莖近直立，多少被緊貼柔毛。複葉互生；3 小葉，下面薄被緊貼的疏毛；托葉披針形。總狀花序頂生及側生，稠密；苞片披針形；花萼鐘狀，5裂；花冠紫紅色，蝶形；雄蕊 10，2 體；子房上位；花柱曲。莢果扁平。

分佈 生於山坡、草地、路邊。分佈於華南及雲南、貴州、四川。

採製 夏、秋季採，曬乾。

性能 甘、澀、微苦，平。根：健胃，消痰止咳；全株：消癰解毒，清熱利尿，透邪外出。

應用 根用於虛寒性咳嗽及小兒疳積；全株用於流行性乙型腦炎，防治腮腺炎。用量 15～60g；外用適量。

文獻 《大辭典》上，2958。

4193　顯脈山綠豆

來源　豆科植物顯脈山綠豆 Desmodium reticulatum Champ. 的全株。

形態　亞灌木，嫩枝被緊貼的疏毛。小葉 3 片，莖下部有時只有小葉 1 片，葉片背面被緊貼的疏柔毛。總狀花序頂生；花冠蝶形，5瓣，粉紅色，後變藍色；雄蕊 2組；子房無毛。莢果近無毛或被鉤狀短柔毛，腹縫直，背縫波狀，有莢節 3～7 個。

分佈　生於山野間或曠野。分佈於中國南部。

採製　夏、秋季採，鮮用或曬乾。

性能　祛瘀。

應用　用於痢疾，外傷出血。用量9～15g；外用適量。

文獻　《廣西藥用植物名錄》，234。

4194　紅山螞蟥

來源　豆科植物單葉假地豆 Desmodium rubrum (Lour.) DC. 的全株。

形態　亞灌木，高達 50cm。莖被柔毛。托葉膜質，線狀披針形，小托葉刺狀；單葉互生，橢圓形或卵形，長 2.2cm，先端鈍，全緣，基部心形，下面被毛。總狀花序頂生；苞片卵狀披針形，膜質；花蝶形，5 瓣，紫紅色，長約 6mm。莢果長約 2cm，寬 3mm，稍彎，腹縫線直，背縫線縊縮，4～8節，近方形。

分佈　生於向陽山坡。分佈於四川、雲南、廣東、海南等。

採製　夏秋採收，曬乾。

性能　淡，平。消食，健胃，消炎止瀉。

應用　用於腎炎，食積腹脹，腹瀉。用量 9～15g。

文獻　《西昌中草藥》上，330。

4195　小果皂莢

來源　豆科植物華南皂莢 Gleditsia australis Hemsl. 的果實。

形態　喬木，二回羽狀複葉，有羽片 2～6 對，小葉通常 5～6 對，小葉片斜橢圓形或菱狀披針形，長2～3cm，頂端鈍而圓，微缺，基部斜急尖或斜楔形，上面被稀疏柔毛或漸無毛，下面無毛。花雜性，雄花散生於總狀花序或圓錐花序上；雄蕊 10；兩性花較大，直徑8～10mm，集成總狀花序；萼裂片 5；花瓣 5。莢果線狀長圓形，長 8～12cm，寬 1～1.5cm，近彎拱；種子圓柱狀，長約 8mm，黑褐色，光滑。

分佈　生於溪邊疏林中。分佈於海南及廣西。

採製　秋季採收，曬乾。

性能　微苦、辛，微寒。有小毒。殺蟲，開竅，祛痰。

應用　用於中風昏迷，口噤不語，痰涎壅塞。

文獻　《廣西藥用植物名錄》，222。

4196 山巖黃芪

來源 豆科植物山巖黃芪 Hedysarum alpinum L. 的根。

形態 多年生草本，高 40～100cm。根粗壯，暗褐色。莖直立，具縱溝，無毛。單數羽狀複葉，小葉 9～21；葉片卵狀矩圓形，狹橢圓形或披針形，先端鈍或稍尖，基部圓形或寬楔形，全緣。托葉披針形或近三角形，基部合生，膜質，褐色。總狀花序腋生，伸長，花多數；苞片條形，膜質，褐色；花萼短鐘狀，有短柔毛；萼齒 5，三角形至狹披針形；花冠藍紫色，旗瓣長倒卵形，頂端微凹，翼瓣稍短於旗瓣，龍骨瓣長於旗翼瓣，有爪及短耳；子房無毛。莢果有莢節，近扁平，橢圓形至狹倒卵形，兩面具網狀脈紋。

分佈 生於河谷沼澤化草甸、河岸沼澤化灌叢、山地灌叢及林緣。分佈於東北、內蒙古。

採製 秋季採挖，洗淨，曬乾

性能 止汗。

應用 內蒙古民間用於表虛自汗不止，強壯。用量 9～15g。

文獻 《內蒙古藥材資源普查選編》一，10，113，220；《內蒙古植物誌》三，243。

4197 山鸞豆

來源 豆科植物山鸞豆 Lathyrus palustris L. var. pilosus (Cham.) Ledeb. 的帶根全草。

形態 多年生草本，高 30～50cm。根莖細，橫走地下。莖攀援，常呈之字形屈曲，稍分枝，疏生長柔毛。偶數羽狀複葉，小葉 4～8，多為披針形、條形或近矩圓形；葉軸末端具分岐的捲鬚。總狀花序腋生；花萼鐘形，上萼齒短於下萼齒；花瓣 5，藍紫色；旗瓣倒卵形，翼瓣短於旗瓣，長於龍骨瓣，龍骨瓣片半圓形；雄蕊 10，兩體；子房條形。莢果矩圓狀條形或條形。種子近圓形。

分佈 生於河灘沼澤化草甸和草甸。分佈於東北、內蒙古。

採製 夏、秋採收，曬乾。

性能 利尿，通經，祛風濕，止痛，清熱解毒。

應用 民間用於子宮疾患。用量 9～15g。

文獻 《內蒙古藥材資源普查選編》一，10，43，113，220；《內蒙古植物誌》三，276。

4198 多花胡枝子

來源 豆科植物多花胡枝子 Lespedeza floribunda Bunge 的根。

形態 小灌木，高 30～50cm。根木質，多分枝。莖下部多斜升分枝，灰褐色或暗褐色，具細稜，密被白色柔毛。羽狀三出複葉，互生，頂生小葉較大，倒卵形，或倒卵狀矩圓形。總狀花序腋生；花 2 型，一種無花瓣，結實，另一種有花冠，紫色，結實或不結實；花萼寬鐘狀，萼齒 5，披針形；雄蕊 10，2體。莢果卵形，頂端尖，有網狀脈紋，不開裂，密被柔毛。種子 1 枚。

分佈 生於乾旱草坡、山坡叢林中。分佈於東北、華北、華東北部、河南、四川。

採製 秋季採挖，洗淨，曬乾。

性能 澀，涼。消積散瘀。

應用 用於疳積。用量 6～15g。

文獻 《滙編》下，771；《內蒙古植物誌》三，254。

4199 苦檀子

來源 豆科植物厚果雞血藤 Millettia pachycarpa Benth. 的種子、果實和葉。

形態 多年生落葉木質大型藤本，幼時具疏絨毛，後幾無毛。單數羽狀複葉互生，具長柄；小葉 6～8 對，具柄；披針形或長圓倒披針形，先端鈍，基部圓楔形，全緣，下面被黃色絹毛。圓錐花序腋生，花 2～5 朵簇生於序軸的節上，淡紫色；花萼寬鐘狀，有短柔毛；花冠蝶形，旗瓣無毛。莢果肥厚木質，多為長方形，1～3 節。種子黑褐色，近腎形。

分佈 生於山間灌叢中。分佈於江西、福建、湖南、廣西、廣東、四川、貴州、雲南。

採製 夏、秋採葉、種子及果實，曬乾。

成分 含魚藤酮（rotenone）和擬魚藤酮。

性能 苦、辛，涼。有大毒。散瘀消腫。

應用 外用治跌打損傷，骨折。種子和果實研末調敷；葉搗爛敷患處。用量 0.6～1.5g。

文獻 《滙編》下，361。

4200 褐毛黎豆

來源 豆科植物褐毛黎豆 Mucuna castanea Merr. 的老莖。

形態 藤本，小枝和葉柄密被赤褐色茸毛。小葉3，卵形或斜卵形，長 10～16cm，頂端具小尖頭，基部闊圓形而偏斜，幼時兩面有褐色茸毛。總狀花序生於老莖上。莢果長達 35～40cm，寬 4～4.5cm，被褐色茸毛，頂端有圓錐狀的喙，莢縫增厚呈肋狀，種子間縊縮；種子橢圓形，壓扁，種臍幾佔種子周圍的全長。

分佈 生於山谷或山坡林中。分佈於廣西、廣東及海南。

採製 全年可採，切片曬乾。

性能 澀，涼。清肺熱，止咳，舒筋活血。

應用 用於肺燥咳，咳血，腰膝酸痛，月經不調，貧血，萎黃病。用量 50～150g。

文獻 《滙編》下，772。

4201 沙棘豆

來源 豆科植物砂珍棘豆 Oxytropis psammocharis Hance 的全草。

形態 多年生草本，高 5～15cm。根圓柱形，伸長，黃褐色。莖短縮或幾乎無地上莖。葉叢生，多數；為具輪生小葉的複葉，每輪有 4～6 小葉，小葉條形或披針形，密被毛。總狀花序近頭狀，生於總花梗頂端；苞片條形；花萼鐘形，5 齒裂；花冠粉紅色或帶紫色，旗瓣倒卵形，頂端圓或微凹，基部漸狹成短爪，翼瓣比旗瓣稍短，龍骨瓣比翼瓣稍短或近等長。莢果寬卵形，膨脹，被毛。

分佈 生於沙丘、河岸沙地及沙質坡地。分佈於東北、華北。

採製 6～7 月採收，曬乾。

性能 淡，平。消食健脾。

應用 用於小兒消化不良。用量 15～30g。

文獻 《滙編》下，773；《大辭典》上，2374。

4202 水黃皮

來源 豆科植物水黃皮 Pongamia pinnata (Linn.) Merr. 的種子。

形態 喬木，羽狀複葉，小葉 5～7 片，卵形至寬橢圓形，長 6～17cm；托葉早落。總狀花序腋生，花常 2 朵簇生於花序總軸的節上；萼寬鐘形，長約 4mm，萼齒不明顯，有鏽色疏柔毛；花冠白色或淡紅色，蝶形，長約 1.5cm，瓣片有長爪；雄蕊二組(9＋1)；子房有鏽色柔毛。莢果矩圓形，長 4～6cm，兩端尖；種子 1 粒。

分佈 生於水邊及潮汐能至的海岸。分佈於海南、廣東、廣西、福建及台灣。

採製 秋、冬季採。將種子榨出的油供藥用。

應用 用於癬疥，膿瘡及風濕症。外用適量。

文獻 《海南植物誌》二，291。

4203 貝加爾野豌豆

來源 豆科植物貝加爾野豌豆 Vicia baicalensis (Turcz.) P.Y. Pr. 的全草。

形態 多年生草本,高 30～80cm。根莖粗壯,近木質。莖直立,數莖叢生。葉為雙數羽狀複葉,2～4對,小葉橢圓狀披針形、卵狀橢圓形,葉軸末端為針刺狀。花序腋生,超出小葉,花淡藍色、藍紫色。莢果扁,莢果內種子之間無橫隔壁。

分佈 生於林下、林緣或林間草地。分佈於內蒙古大興安嶺北部、黑龍江北部。

採製 夏、秋季採集,曬乾。

性能 袪風燥濕,解毒止痛。

應用 作"透骨草"入藥,治筋骨痛。用量 9～15g。

文獻 《大興安嶺藥用植物》。

4204 北野豌豆

來源 豆科植物北野豌豆 Vicia ramuriflora (Maxim.) Ohwi 的全草。

形態 多年生草本,高 50～100cm。根莖粗,木質塊狀。莖直立,叢生。葉為雙數羽狀複葉,具小葉 4～8,葉軸成刺狀;小葉卵狀橢圓形。花序腋生,花藍色、藍紫色至粉紅色;花萼鐘狀。莢果扁,狹矩圓形,兩端漸狹,無毛。

分佈 生於林下、林緣及林間草甸。分佈於內蒙古、東北。

採製 夏、秋季割取地上部分,曬乾。

性能 袪風燥濕,解毒止痛。

應用 用於風濕症,筋骨痛。用量 10～25g。

文獻 《長白山植物藥誌》653;《藥材資源普查選編》,221。

4205 飯豆

來源 豆科植物眉豆 Vigna cylindrica (Linn.) Skeels 的種子。

形態 草本,高 20～40cm,有時頂部纏繞。小葉 3,菱狀卵形,長 5～8cm,全緣;托葉長橢圓狀披針形。總狀花序腋生,花 2～3 朵生於序軸上部,總軸於花梗間有 1 個腺體;花長約 2cm;花萼筒狀,長約 6～8mm,5 齒裂,上面 2 齒常合生,外面有皺紋;花冠蝶形黃白色帶紫色,雄蕊 10,2 束(9+1)。莢果長柱形,長 7～13cm;種子近腎形,長 7～9mm,通常黃白色。

分佈 中國多數省區有栽培。

採製 夏、秋季採,曬乾。

性能 甘、鹹,平。調中益氣,健脾益腎。

應用 用於脾胃虛弱,食少,便溏,水腫。用量 9～15g。

文獻 《廣東藥用植物手冊》,325。

4206　牻牛兒苗（老鸛草）

來源　牻牛兒苗科植物牻牛兒苗 Erodium stephanianum Willd. 帶果實的全草。

形態　一年生草本，長 1～1.5m。莖纖弱，平鋪或斜上，淡紫紅色，具鈍稜，節明顯。葉對生，被毛，二回羽狀深裂，輪廓長卵形或矩圓狀三角形，基部葉具長柄，莖生葉柄較短，托葉三角狀披針形，質薄有毛。花 2～5 朵成傘形排列，頂生或腋生，花梗長，被白毛；萼片 5，矩圓形或近橢圓形；花瓣 5，藍紫色，倒卵形。蒴果，成熟時 5 果瓣與中軸分離，喙狀，呈螺旋狀捲曲。種子長倒卵圓錐形，褐色。

分佈　生於山坡、田野。全國大部省區均有分佈。

採製　夏、秋果實成熟時採收，曬乾。

成分　含揮發油，其中主要成分爲牻牛兒醇（geraniol），檞皮素及其他色素。

性能　苦、辛，平。祛風，活血，清熱解毒。

應用　用於風濕疼痛，拘攣麻木，癰疽，跌打損傷，腸炎，痢疾。用量 6～15g。

文獻　《大辭典》上，1700；《內蒙古植物誌》四，3。

4207　粗根老鸛草

來源　牻牛兒苗科植物粗根老鸛草 Geranium dahuricum DC. 的全草。

形態　多年生草本，高 20～60cm。根狀莖短，下部具一簇長紡錘形粗根。莖直立，具縱稜，常二歧分枝。葉對生，葉片腎狀圓形，掌狀 7 裂近連基部。花序腋生，通常具 2 花，花較大，直徑 1.5cm，萼片 5；花瓣 5，淡紫色；密腺 5；雄蕊 10。蒴果有毛，先端有喙，每果瓣具一種子，成熟時由下而上反捲裂開，不作螺旋狀捲曲，果瓣宿存於花柱上。

分佈　生於林下、林緣、灌叢及林緣草甸。分佈於東北、華北、西北。

採製　夏季採收，曬乾。

成分　根、莖、葉含鞣酸，可提取烤膠。

性能　苦、辛，平。祛風，活血，清熱解毒。

應用　用於風濕疼痛，拘攣麻木，癰疽，跌打損傷，腸炎，痢疾。用量 6～15g。

文獻　《大辭典》上，1700；《內蒙古植物誌》四，10。

4208　大花老鸛草

來源　牻牛兒苗科植物大花老鸛草 Geranium transbaicalicum Serg. 的全草。

形態　多年生草本，高 45～60cm。根莖短，根細圓柱狀。莖直立或斜升，被有伏毛或柔毛。葉片對生，橢圓狀三角形。葉裂片羽狀分裂，裂片較深。花梗短，具毛，花大，直徑達 3～4cm，花瓣藍紫色；花柱果期直立。蒴果具腺毛。

分佈　生於山坡草地、沼澤旁草地或草原。分佈於內蒙古呼倫貝爾草原。

採製　夏、秋季割取地上全草，曬乾。

性能　祛風濕，活血通絡，止瀉痢。

應用　治風寒濕痹，筋骨疼痛，腸炎，痢疾。用量 9～15g。

文獻　《大興安嶺藥用植物》。

附註　蒙藥名"曼久亥"。

4209　香葉天竺葵

來源　牻牛兒苗科植物香葉天竺葵 Pelargonium graveolens L. Herit. 的全草。

形態　草本，高 60～90cm，全株具芳香，密被短毛和淡黃色腺毛。葉互生，寬心形，掌狀 5～7 裂，裂片再狹裂，邊緣具不等缺刻；葉柄長 4～6cm。傘形花序與葉對生；苞片 4，卵形；萼片 5；花瓣 5，玫瑰紅色或粉紅色，有紫脈紋，上方兩瓣較大；雄蕊 10 枚；雌蕊 1 枚，子房 5 室。蒴果由喙部向上捲曲 5 裂。

分佈　全國各地均有栽培。

採製　全年可採，陰乾。

成份　含揮發油，主要爲甲酸酯、牻牛兒苗醇、香茅醇等。

性能　辛，溫。祛風除濕。

應用　用於風濕，疝氣。用量 9～15g。

文獻　《大辭典》下，3440。

4210　貝加爾亞麻

來源　亞麻科植物貝加爾亞麻 Linum baicalense Juz. 的全草及種子。

形態　多年生草本，高 20～60cm。主根垂直，粗壯，木質化。莖從基部叢生，直立，分枝，無不育枝。葉互生，條形至條狀披針形，莖上部葉較疏生，葉片邊緣捲曲，莖下部葉呈鱗片狀。聚傘花序，花多數，暗藍色或藍紫色，徑約 2cm。蒴果近球形，種子矩圓形，栗褐色。

分佈　生於草原、河灘、砂質草地。分佈於東北、西北、內蒙古。

採製　夏、秋季採集全草及種子，曬乾。

性能　解毒，潤燥，驅風。

應用　鮮草外敷治瘡腫，種子治便秘，皮膚瘙癢，蕁麻疹。外用適量。

文獻　《內蒙古中蒙藥誌》。

附註　蒙藥名"麻嘎領古"。

4211　野亞麻

來源　亞麻科植物野亞麻 Linum stelleroides Planch. 的種子及地上部分。

形態　一至二年生草本，高 40～70cm。根近長錐形，略有分枝，具鬚根。莖圓柱形，基部稍木質，上部多分枝。單葉，互生，密集，葉片條形或條狀披針形，先端尖，基部漸狹，全緣，無柄。聚傘花序，分枝多；花梗細長；萼片 5，卵狀披針形或卵形，邊稍膜質，具黑色腺點；花瓣 5，倒卵形，淡紫色、紫藍色或藍色；雄蕊 5，花絲基部連合成筒狀，裏面有退化雄蕊 5；子房 5 室。蒴果球形或扁球形。種子扁平，光滑，褐色。

分佈　生於乾燥山坡及草原上。分佈於東北、西北、華北、華東。

採製　夏季花期採地上部分，鮮用或曬乾。秋季採種子，曬乾。

成分　莖皮含多縮戊糖。

性能　甘，平。養血潤燥，祛風解毒。

應用　用於血虛便秘，皮膚瘙癢，蕁麻疹，瘡癤腫毒。用量 3～9g。外用全草適量。

文獻　《滙編》下，562；《內蒙古中草藥》，654。

4212　楝葉吳茱萸

來源　芸香科植物楝葉吳茱萸 Euodia meliaefolia (Hance) Benth. 的根、葉及果實。

形態　喬木，單數羽狀複葉，無腺點，邊淺波狀或有細齒，下面灰白色或粉綠色。聚傘狀圓錐花序頂生；花雌雄異株，雄花花絲下部被毛；雌花花瓣較大，白色。蓇葖果紫紅色，表面有網狀皺紋；種子黑色。

分佈　生於溪澗旁或村邊。分佈於華南及雲南。

採製　秋季採果實，全年可採根和葉。鮮用或曬乾。

性能　果實：辛、苦，溫。暖胃，止痛。根、葉：辛、微甘、澀，涼。有小毒。清熱化痰，止咳。

應用　果實：用於胃痛吐清水。一日用量3g；治頭痛用果30g。根、葉：用於肺結核。用量9～15g；用於瘰癧癭腫。外用適量。

文獻　《滙編》下，790。

4213　山橘

來源　芸香科植物山橘 Fortunella hindsii (Champ.) Swingle 的根及果實。

形態　有刺灌木，幼枝具稜。葉為單生複葉，卵狀橢圓形，全緣或有不明顯的細齒。單花腋生，少有2～3朵集生；萼片5；花瓣5，寬矩圓形；雄蕊20，不同程度合生成若干束；花柱約與子房等長或稍短，柱頭頭狀，子房3～4室。果球形或扁球形，直徑1～1.5cm。

分佈　生於山谷林下或陽坡灌叢中。分佈於中國南部及東南部沿海各省區。

採製　根全年可採，果實秋、冬季採，分別曬乾。

性能　根：辛、苦，溫。醒脾行氣；果：辛、酸、甘，溫。寬中化痰下氣。

應用　用於風寒咳嗽，胃氣痛，食積脹滿，疝氣。用量根15～30g，果9～15g。

文獻　《滙編》下，790；《大辭典》上，0406。

4214　四季橘

來源　芸香科植物月月橘 Fortunella obovata Tanaka. 的果實。

形態　小灌木，枝密生，節間短，無刺或近無刺。葉小，長橢圓形，脈不明顯，上部葉緣略呈波狀圓鋸齒，基部全緣。花腋生，單生；花冠白色；子房多數，8～10室。果圓形或扁圓形，金黃色，光滑，果皮薄，有特殊香味，果肉酸；種子小。

分佈　廣東、廣西有栽培。

採製　冬季採果，用鹽醃製。

性能　辛、酸、甘，溫。寬中，化痰行氣。

應用　用於風寒咳嗽，胃氣痛，食積脹滿，疝氣。用量9～15g。

文獻　《華南植物園名錄》，163；《廣州常見經濟植物》，123。

4215 北芸香

來源 芸香科植物北芸香 Haplo-phyllum dauricum (L.) Juss. 的全草。

形態 多年生草本，高6～25cm，全株有特殊香氣。根棕褐色。莖基部略粗大，木質，淡黃色，無毛；叢生，直立，上部較細，綠色，具明顯細毛。單葉互生，全緣，無柄，葉片條狀披針形至狹矩圓形，灰綠色，下部葉較小，倒卵形，兩面有腺點，中脈不顯。傘房狀聚傘花序，頂生，萼片5，綠色，矩圓狀披針形，基部連合；花瓣5，黃色，橢圓形，邊緣薄膜質；雄蕊10，離生，花絲下部增寬，邊緣密被長白睫毛，花藥長橢圓形；子房3室，黃棕色。蒴果，黃綠色，3瓣裂，每室種子2粒，種子腎形，黃褐色，表面有皺紋。

分佈 生於草原、森林草原，荒漠草原的山地。分佈於東北、華北、西北。

採製 夏、秋採收，曬乾。

性能 祛風。

應用 用於風濕。用量9g。

文獻 《內蒙古藥材資源普查選編》一，46，115；《內蒙古植物誌》四，29。

4216 大管

來源 芸香科植物大管 Microme-lum falcatum (Lour.) Tanaka 的根及葉。

形態 灌木或小喬木，奇數羽狀複葉互生，鐮刀狀披針形，稀卵形，背面被毛，有細油點，邊有不明顯的疏齒。花白色，傘房花序式的圓錐花序頂生；萼淺杯狀，花瓣5片，長圓形；雄蕊10。果橢圓形或倒卵形，表面有腺點。

分佈 生於曠野及沿海岸較乾旱地帶。分佈於廣東、廣西、海南及雲南。

採製 全年可採，鮮用或曬乾。

性能 苦、辛，溫。散瘀行氣，止痛，活血。

應用 用於毒蛇咬傷，胸痹，跌打損傷。用量根9～15g；葉6～12g。

文獻 《滙編》下，791；《大辭典》上，1375。

4217 茵芋

來源 芸香科植物茵芋 Skimmia reevesiana Fortune 的葉。

形態 灌木，單葉，常集生於枝頂，上面中脈有密微柔毛，有腺點。聚傘狀圓錐花序頂生；花常為兩性，白色或黃色，有腺點，5數；萼片邊緣有短緣毛；子房4～5室。漿果狀核果，熟時紅色。

分佈 生於山谷林下濕潤處。分佈於中國東南沿海各省至湖南、湖北、廣西、貴州。

採製 全年可採，曬乾。

性能 苦，溫。有毒（大量服用會引起血壓下降，心肌麻痹而死亡）。祛風勝濕。

應用 用於頑痹拘急攣痛。用量3～9g。

文獻 《滙編》下，791。

4218　細金牛草

來源　遠志科植物小花遠志 Polygala arvensis Willd. 的全草。

形態　一年生草本，高 5～15cm。莖直立或伏地，被短柔毛。葉互生，近無柄。花小，近無花梗，叢生於葉腋；萼片 5，花瓣狀；花瓣 3，最下爲龍骨瓣，先端有冠狀多裂的附屬體；雄蕊 8。蒴果近圓形，被毛，頂端邊緣有一圈窄翅內凹。

分佈　生於山坡草地和低窪處。分佈於浙江、江西、湖南、廣西及廣東。

採製　秋季採，曬乾。

性能　甘、微苦，平。散瘀止血，化痰止咳，解毒消腫。

應用　用於咳嗽胸痛，肺結核，咳血，尿血，便血，月經不調，跌打損傷，小兒麻痹後遺症，肝炎，毒蛇咬傷。用量 9～15g。

文獻　《滙編》下，79。

4219　方葉五月茶

來源　大戟科植物方葉五月茶 Antidesma ghaesembilla Gaertn. 的莖及葉。

形態　小喬木，嫩枝被短柔毛。葉長圓形或倒卵形，長 3～8cm，兩端均近圓形，頂端有時有小尖頭或微凹，全緣，上面脈上多少被短柔毛，下面被短柔毛；托葉線形，早落。雄花序爲分枝的穗狀花序；雌花序爲分枝的總狀花序，均被絨毛；雄花：黃綠色，萼片 5，有時 6～7，花絲生於分離的腺體之間，腺體被長柔毛；雌花：花梗極短，花萼與雄花的相似，花盤環狀，子房被短柔毛，柱頭 3。核果扁球形，被疏短柔毛，直徑約 4mm。

分佈　生於山坡、丘陵疏林或灌叢中。分佈於海南、廣東、廣西及雲南。

採製　全年可採，曬乾。

性能　酸，平。解毒，通經。

應用　用於小兒頭瘡，月經不調。用量 9～15g。

文獻　《廣西藥用植物名錄》，186。

4220 巖高蘭

來源 巖高蘭科植物巖高蘭 Empetrum sibiricam V. Vassil. 的果實。

形態 常綠匍匐狀小灌木，高 20～50cm。分枝稠密，紅褐色，被微紅白色短捲毛。葉互生，密集，條形，長約 0.5cm，寬約 0.1cm，邊緣反捲。花雌雄異株，無花瓣，萼片 3。漿果球形，暗紫黑色至黑色，徑約 0.6cm，內含種子 7～11 顆。

分佈 生於森林中高山多石空地。分佈於內蒙古東部，大興安嶺北部。

採製 夏、秋季採摘，曬乾。

性能 補腎添精，強腰健骨。

應用 病久體虛，腰膝酸軟，陽萎。用量 9～15g。

文獻 《大興安嶺藥用植物》1990.3；《中國高等植物圖鑒》二，631。

4221 野漆樹

來源 漆樹科植物野漆樹 Toxicodendron succedaneum (L.) O. Ktze. 的根或樹皮。

形態 落葉灌木或小喬木，全株無毛。單數羽狀複葉互生，小葉 7～15，卵形，基部稍不對稱，邊緣全緣。圓錐花序腋生，花黃綠色，5 數。核果扁腎形。

分佈 生於山坡、林緣或灌木叢中。分佈於華南、華東、西南及河北。

採製 全年可採，曬乾。

成分 樹皮含鞣質，葉含野漆樹甙（rhoifolin），果含漆樹酸（rhusinic acid）等。

性能 苦，寒。有小毒。消熱解毒，散瘀消腫，止血，殺蟲。

應用 用於尿血，血崩，肝炎，胃痛，哮喘。外用於骨折，跌打損傷，濕熱瘡毒，癬癩，外傷出血。用量 6～9g，外用適量。

文獻 《大辭典》上，1247；《滙編》下，569。

附註 本種的葉、果實亦供藥用。

4222 火把花

來源 衛矛科植物昆明山海棠 Tripterygium hypoglaucum (Lévl.) Hutch. 的全株或根皮。

形態 藤本灌木，高 2～3m。枝紅褐色，具稜及疣狀突起。葉互生，卵形或長卵形，長 6～12cm，邊緣有細鋸齒，上面綠色，下面粉白色，側脈 6～7 對；葉柄長約 1cm。圓錐花序頂生，花小，白色，萼片 5；花瓣 5；雄蕊 5，生於花盤邊緣；子房上位，三稜形。蒴果具三片膜質翅，矩圓形，長 1.5cm，翅具脈；種子黑色。

分佈 生於向陽灌叢或疏林中。分佈於浙江、江西、湖南、廣西、四川、貴州、雲南。

採製 全年可採，曬乾。

成分 含雷藤素甲（triptolide）、衛矛醇、生物鹼等。

性能 苦、澀，溫。劇毒。續筋接骨，祛瘀通絡，抗癌。

應用 用於骨折，風濕疼痛，跌打損傷。用量 0.3g。

文獻 《大辭典》下，4882。

4223 小果微花藤

來源 茶茱萸科植物小果微花藤 Iodes vetiginea (Hance) Hemsl. 的根。

形態 藤本，枝有鏽色絨毛；捲鬚腋生或生於葉柄的一側。葉長卵形至卵形，長 6～12cm，基部圓形或淺心形，下面密生黃色絨毛。聚傘花序腋生，有黃色絨毛；花單性，雄花序長 8～20cm；雄花黃綠色；萼齒 5；花冠裂片 5；雄蕊 5，退化雌蕊有糙伏毛；雌花較大，子房密生糙伏毛。核果寬倒卵形，長 1.5～1.8cm，密生黃色糙伏毛。

分佈 生於山坡林中或灌叢中，攀援於樹上。分佈於雲南、貴州、廣西、廣東及海南。

採製 四季可挖取，洗淨，曬乾。

性能 祛風止痛，消炎。

應用 用於風濕痹痛，急性結膜炎。用量 9～15g。

文獻 《廣西藥用植物名錄》，287。

4224 青榨槭

來源 槭樹科植物青榨槭 Acer davidii Fr. 的根皮及樹皮。

形態 落葉喬木，高 10～15m。小枝綠褐色，無毛。單葉對生，長卵形，長 6～12cm，寬 4～9cm，先端漸尖，基部心形或圓形，邊緣圓齒不整齊；葉柄長 2～8cm，幼時被毛。花雄性與兩性同株，總狀花序下垂，頂生；花黃綠色，萼片 5，橢圓形；花瓣 5，倒卵形，與萼片等長；雄蕊 8，無毛，其內側具花盤；雌蕊子房有紅褐色短柔毛，柱頭反捲。翅果黃褐色或紅褐色，鈍角展開，幾成水平。

分佈 生於中山疏林中。分佈於華北、華東、中南至西南各地。

採製 秋、冬季採剝，去淨雜質，曬乾。

性能 辛、苦，溫。清熱解毒，解暑。

應用 用於癰瘍，火眼，暑熱發痧。用量 5～8g。外用適量。

文獻 《四川省中藥資源普查名錄》，101。

4225 桂圓

來源 無患子科植物龍眼 Dimocarpus longan Lour. 的假種皮。

形態 喬木，偶數羽狀複葉互生，小葉兩面無毛，下面粉綠。聚傘圓錐花序頂生，被星狀短絨毛；萼裂片三角狀卵形，內外均被絨毛和叢生星狀毛；花瓣白色，披針形，外面有微柔毛；花絲有硬毛。果近球形，表面稍粗糙，有不明顯的網紋；種子茶褐色或黑褐色，光亮。

分佈 中國西南部至東南部有栽培。

採製 秋季採摘，鮮用或曬乾。

成分 含維生素 A、B、葡萄糖、蔗糖，酒石酸。

性能 甘，平。補心脾，養血安神。

應用 用於病後體虛，神經衰弱，健忘，心悸，失眠。用量 9～15g；鮮品適量。

文獻 《滙編》下，1290；《大辭典》上，1300。

附註 龍眼根微苦，平；利濕通絡。葉清熱解毒，利濕。種子止血，定痛，理氣，化濕。花治諸種淋症。果皮甘，溫；用於心虛頭暈，散邪祛風。

4226 荔枝

來源 無患子科植物荔枝 Litchi chinensis Sonn. 的假種皮。

形態 喬木，小枝常生白色皮孔。偶數羽狀複葉互生，小葉 2～3 對，少有 4 對，革質，兩面無毛，有光澤。聚傘圓錐花序頂生；花萼有金黃色短絨毛；子房密生小瘤體和硬毛。果卵形或近球形，外果皮有瘤狀凸起；假種皮白色，肥厚，多汁。

分佈 中國西南至東南部有栽培。

採製 夏季採收，曬乾。

成分 含蔗糖、葡萄糖、蛋白質、脂肪、維生素 C、枸橼酸等。

性能 甘、酸，溫。益氣補血。

應用 用於病後體弱，脾虛久瀉，血崩。用量 9～15g。

文獻 《滙編》下，445；《大辭典》下，3342。

附註 荔枝核甘、微苦、澀，溫；理氣，散結，止痛。根微苦、澀，溫；消腫止痛。葉可治耳後潰瘍，爛腳。外果皮治痢疾，血崩，濕疹。

4227 海南韶子

來源 無患子科植物海南韶子 Nephelium topengii (Merr.) H.S. Lo 的果皮。

形態 喬木，高 10～20m。小枝常被微柔毛。偶數羽狀複葉互生；小葉 2～4 對，長圓形至狹長圓形，長 6～15cm，全緣。下面粉綠色，被柔毛。圓錐花序近頂生，長 10～30cm，被金黃色短絨毛；雌雄異株；花無花瓣；萼片 5～7；花盤被硬毛；雄蕊 7～8，中部以下被長柔毛。核果橢圓形至橢圓狀球形，成熟時黃色或紅色，被稍軟的刺，刺長 3.5～5mm。

分佈 生於中、低海拔山坡雨林中。分佈於廣西、廣東、雲南。

採製 夏秋季採摘，曬乾。

應用 用於痢疾。用量 9～15g。

文獻 《廣東藥用植物手冊》，419。

4228 柳葉鼠李

來源 鼠李科植物柳葉鼠李 Rhamnus erythroxylon Pall. 的葉。

形態 落葉灌木，高達 2m，多分枝，具刺。常年生枝紅褐色，枝先端為針刺狀，二年生枝為灰褐色。單葉在長枝上互生或近對生，在短枝上簇生，條狀披針形，先端漸尖，基部楔形，邊緣稍內捲，具疏細鋸齒。單性花，10～20 朵束生於短枝上，萼片 5；花瓣 5，黃綠色；雄蕊 5。核果球形，熟時黑褐色，內具 2～3 核；種子倒卵形，背面有溝，種溝開口佔種子全長的 ⅗。

分佈 生於山坡、沙丘間地及灌叢中。分佈於內蒙古、河北、山西、陝西、甘肅。

採製 春、夏季採收，曬乾或鮮用。

性能 甘，寒。消食健胃，清熱去火。

應用 用於消化不良，腹瀉。用量 15～30g，泡服或當茶飲。

文獻 《滙編》下，789；《內蒙古植物誌》四，70。

附註 本品的果實也用於解熱瀉下。

4229 小接骨丹

來源 葡萄科植物葎草葉蛇葡萄 Ampelopsis humulifolia Bge. 的根。

形態 落葉木質藤本，枝光滑或偶有微毛，捲鬚與葉對生，分叉。葉質地堅韌，闊卵形，3～5 掌狀深裂，基部心形或近平截，邊緣有粗鋸齒，上面有光澤，鮮綠色，下面蒼白色。聚傘花序與葉對生，總花梗細，長於葉柄。花淡黃色，萼片合生成杯狀。漿果球形，淡黃色或淡藍色。

分佈 生於山坡或溝谷。分佈於吉林、遼寧、內蒙古、河北、陝西、山東、山西、甘肅、安徽、河南等地區。

採製 秋季挖根，剝取根皮，曬乾或鮮用。

性能 辛，熱。活血散瘀，消炎解毒，生肌長骨，袪除風濕。

應用 用於跌打損傷，骨折，瘡癤腫痛，風濕性關節炎。用量 9～15g。外用適量搗敷。

文獻 《大辭典》上，0554。

4230　異葉爬山虎

來源　葡萄科植物異葉爬山虎 Par-thenocissus heterophylla (Bl.) Merr. 的根及莖。

形態　藤本，捲鬚短而分枝，頂端有吸盤。葉異形，營養枝上的葉常爲單葉，心形，較小，有小齒，老枝上的葉爲三出複葉，邊有小齒或無，背面淡綠或帶蒼白色。聚傘花序生於短枝頂端或葉腋，花瓣 5 或 4；花柱圓柱狀。果球形。

分佈　生於山地林中或巖石上，常攀附於樹幹上。分佈於安徽、浙江、福建、江西、廣西、湖南、湖北、四川、雲南及貴州。

採製　秋季採，曬乾。

性能　酸、澀，溫。祛風活絡，活血止痛。

應用　用於風濕筋骨痛，赤白帶下，產後腹痛；外用治骨折，跌打腫痛，瘡癤。用量 9～15g。外用適量。

文獻　《滙編》下，252。

4231　山杜英

來源　杜英科植物山杜英 Elaeo-carpus sylvestris (Lour.) Poir. 的根。

形態　喬木，幼枝疏生短毛。葉狹倒卵形，長 4～12cm，頂端鈍，基部楔尖，邊緣上部有不明顯鈍鋸齒。總狀花序腋生；花白色；萼片披針形，外面生短毛；花瓣細裂至中部或中部以下，裂片絲狀；雄蕊多數；子房有絨毛。核果橢圓形，長 1～1.6cm。

分佈　生於山地雜木林中。分佈於廣西、廣東、海南、湖南、江西、福建、台灣及浙江。

採製　夏季採收，曬乾。

性能　辛，溫。散瘀消腫。

應用　用於跌打瘀腫。外用適量。

文獻　《新華本草綱要》一，321。

4232　假黃麻

來源　椴樹科植物甜麻 Corchorus acutangulus Lam. 的全卓。

形態　草本，分枝有短柔毛。葉卵形、寬卵形或狹卵形，長 2～5cm，邊緣有鋸齒，下面沿脈有疏毛，基出 3 脈；托葉鑽形。聚傘花序腋生；花黃色；萼片 5 或 4；花瓣 5 或 4；雄蕊多數；子房有毛。蒴果圓筒形，有 6～8 稜，其中 3～4 稜有狹翅，頂端有 3～4 個喙狀突起，成熟時裂成 3～4 瓣。

分佈　生於路邊、田邊或草坡上。分佈於長江以南各省區。

採製　夏、秋季採，鮮用或曬乾。

成分　種子含強心甙類。

性能　苦，寒。清熱利濕，消腫拔毒。

應用　用於中暑發熱，痢疾，咽喉疼痛；外用治瘡癤腫毒。用量 25～50g；外用適量。孕婦忌服。

文獻　《滙編》下，568。

4233　黃花地桃花

來源　椴樹科植物刺蒴麻 Triumfetta bartramia L. 的全株。

形態　半灌木，莖枝被毛。單葉互生，菱狀寬卵形、寬卵形至卵形，上部葉不裂，下部葉 3 裂，邊緣有鋸齒，兩面被毛，下面稍密並有星狀毛。花黃色，組成腋生聚傘花序，萼片 5，頂端有角，花瓣 5，雄蕊 8～15。果近球形，直徑約 3mm，有短毛和鉤狀刺。

分佈　生於山坡路旁或林緣。分佈於華南及雲南、福建、台灣。

採製　夏、秋季採，鮮用或曬乾。

性能　苦，寒。清熱除濕，利水通淋。

應用　用於感冒風熱表症，泌尿系結石，痢疾。葉外用於瘡癤。用量 30～60g；外用適量。

文獻　《大辭典》上，354。

4234　吊燈花

來源　錦葵科植物吊燈花 Hibiscus schizopetalus (Mast.) Hook. f. 的根。

形態　灌木，高 1～3m。葉矩圓形，長 4～7cm，邊緣具齒缺；托葉鑽形，早落。花單生小枝上部葉腋間，花梗細長，下垂，長 8～14cm，中部具關節；小苞片 5，披針形；萼管狀，具 5 淺齒；花瓣 5，長 5cm，紅色，深細裂呈流蘇狀，向上反捲；雄蕊管細長而包裹着花柱；長 9～10cm，花柱枝 5，柱頭頭狀。蒴果圓柱狀，長約 4cm，徑約 1cm。

分佈　台灣、福建、廣東、海南、廣西、雲南等有栽培。

採製　四季可採，洗淨，曬乾。

性能　澀，平。消炎。

應用　用於腋下生瘡。外用適量。

文獻　《廣西藥用植物名錄》，181。

4235 大花葵

來源 錦葵科植物大花葵 Malva mauritiana L. 的種子。

形態 一年生草本，高 80～100cm。莖直立，較粗壯，上部分枝，疏被單毛，下部無毛。單葉互生，葉片近圓形或近腎形，5 淺裂，裂片三角形，先端鈍，基部近心形，邊緣具圓鈍重鋸齒；葉柄長達 13cm。花多數，簇生於葉腋，花大，直徑 3.5～4cm；花萼 5 裂，裂片三角形；副萼 3，卵形，大小不等；花瓣 5，紫紅色，具暗紫色脈紋，倒三角形，先端凹缺，基部具狹窄的瓣爪；雄蕊多數，筒狀，具倒生毛，基部與瓣爪相連；雌蕊由 10～14 個心皮組成。分果，果瓣背部具蜂窩狀突起網紋，側面具輻射狀皺紋，有稀疏的毛，每果瓣內含 1 種子。種子腎形，棕黑色。

分佈 內蒙古有栽培。

採製 秋季採收，曬乾。

性能 甘，寒。利水，潤腸通便，下乳。

應用 用於淋病，小便不利，乳汁不通，大便乾燥。用量 6～15g。

文獻 《內蒙古中草藥》526；《內蒙古植物誌》四，86。

4236 白背黃花稔

來源 錦葵科植物白背黃花稔 Sida rhombifolia Linn. 的全株。

形態 亞灌木，分枝多，被淡黃色星狀氈毛。單葉互生，托葉刺毛狀，葉片下面被星狀白毛。花黃色，單生葉腋；花梗較葉柄長；花萼杯狀，裂片 5，外被星狀毛；花瓣 5；雄蕊多數。蒴果扁球形，包藏於宿萼內；分果瓣頂端具 2 短芒。

分佈 生於山坡、曠野和村邊草叢。分佈於華南及四川、貴州、雲南。

採製 秋季採，曬乾或鮮用。

性能 甘、淡，涼。清熱利濕，排膿止痛。

應用 用於感冒發熱，扁桃體炎，細菌性痢疾，泌尿系結石，黃疸，瘧疾，腹中疼痛；外用治癰癤疔瘡。用量 9～15g；外用適量，煎水洗或鮮草搗爛敷患處。

文獻 《滙編》上，766。

4237 馬鬆子

來源 梧桐科植物馬鬆子 Melochia corchorifolia Linn. 的莖及葉。

形態 亞灌木狀草本，高不及 1m。枝黃褐色，略被星狀短柔毛。葉片卵形、長圓狀卵形或披針形，少有不明顯的 3 淺裂，上面近無毛，下面略被星狀短柔毛；基出 5 脈，托葉長條形。花密集，排成頂生或腋生的聚傘花序或團傘花序；小苞片長條形，混生在花序上；萼 5 淺裂，外面被長柔毛和剛毛；花瓣淡紅色；花柱線狀。蒴果圓球形，有 5 稜，被長柔毛。

分佈 生於曠野間。分佈於華東及華南。

採製 春、夏、秋季採，曬乾。

性能 淡，平。清熱利濕。

應用 用於急性黃疸型肝炎。用量 30～60g。

文獻 《滙編》下，756。

4238 蘋婆

來源 梧桐科植物蘋婆 Sterculia nobilis Smith 的果殼。

形態 喬木，高達 10m。葉長圓形或橢圓形，長 6～25cm，頂端漸尖或鈍，基部圓形或鈍；托葉早落。圓錐花序頂生或腋生，長 8～26cm；萼鐘狀，粉紅色，外被短柔毛，5 裂，裂片長條狀披針形，先端內曲，且在頂端互相黏合；無花瓣；雄蕊柄彎曲；子房具柄，花柱彎曲，柱頭 5 淺裂。蓇葖果鮮紅色，長 5～7cm，寬約 3cm，頂端有喙；種子在每一蓇葖內有 1～4 個，黑褐色，直徑約 1.7cm。

分佈 生於山地疏林中。分佈於台灣、福建、廣西、貴州；現華南各地多爲栽培。

採製 5～6 月採其果殼曬乾。

性能 甘，溫。止痢。

應用 用於痢疾。用量 25～50g。

文獻 《廣西本草選編》上，364。

4239 金蓮木

來源 金蓮木科植物金蓮木 Och-na integerrima (Lour.) Merr. 的根及莖。

形態 灌木至小喬木，高 2～4m。葉矩圓狀倒披針形或倒披針形，長 7～17cm，邊緣有小鋸齒，網脈明顯。花序近傘房狀，頂生或生短側枝上；花黃色，直徑達 3cm；萼片 5，長 8～10mm；花瓣 5，倒卵形；雄蕊多數，排成 3 輪，花藥條形，頂孔開裂；子房 10～12 室，柱頭盤狀，5～6 淺裂。核果 10～12mm。

分佈 生於低海拔至中海拔山地林中。分佈於海南、廣東及廣西。

採製 四季可採，曬乾。

性能 苦、澀，平。收斂固腎。

應用 用於泄瀉，滑精，遺精。用量 15～30g。

文獻 《廣東藥用植物手冊》，195。

4240 毛木樹

來源 山茶科植物峨嵋木荷 Schi-ma wallichii Choisy. 的葉。

形態 喬木，高 7～12m。芽、小枝、葉柄、葉下面均有短柔毛。葉薄革質，長橢圓形，長 8～16cm，寬 3～7cm，全緣或疏鈍齒；葉柄寬扁。花簇生或單生於枝端和葉腋；萼片 5，外面密生短絲毛，宿存；花瓣 5，外面一瓣兜形；雄蕊多數；子房 5 室。蒴果球形，木質，室背 5 裂，直徑約 2cm；種子腎形，長約 8mm。

分佈 生於山谷、林地。分佈於四川、雲南，貴州、湖南，江西等地。

採製 夏季採葉，陰乾。

性能 澀，涼。有小毒。收斂止瀉，殺蟲。

應用 用於腸炎，痢疾，鼻出血，蛔蟲病。用量 10～15g。

文獻 《滙編》下，752；《中國高等植物圖鑑》二，860。

4241 石筆木

來源 山茶科植物石筆木 Tutche-ria championi Nakai 的根及葉。

形態 小喬木，葉倒卵狀橢圓形或橢圓形，長 8～17cm，頂端短尾狀，邊緣上部有淺鋸齒。花淡黃色，單朵頂生，直徑約 5cm；萼片 3 列，有金黃色絨毛，內列花瓣狀；花瓣 5，頂端凹缺；雄蕊多數；子房 5 室，有絨毛。蒴果球形，直徑約 3cm，密生金黃色絨毛，室背 5 裂。

分佈 生於中海拔的山谷、溪邊和雜木林下。分佈於廣西，廣東、湖南及雲南。

採製 四季可採，曬乾。

性能 苦，涼。消積滯。

應用 用於積滯。用量 25～50g。

文獻 《廣東藥用植物手冊》，191。

4242 大對經草

來源 藤黃科植物突脈金絲桃 Hypericum przewalskii Maxim. 的全草。

形態 草本，高約 40cm。根棕色。莖圓柱形，少分枝。單葉對生，卵形長 4～6cm，寬 2～2.5cm，先端圓鈍，基部心形抱莖，全緣。花頂生，黃色，單朵或數朵成聚傘花序，萼片 5，矩圓形，長約 1cm；花瓣 5，雄蕊多數；子房上位，1 室，花柱頂端 5 裂，長約 5mm。蒴果圓錐形，長約 1.3cm。

分佈 生於山坡和林邊草叢中。分佈於陝西、甘肅、青海、河南、湖北、四川。

採製 夏季採收，曬乾。

性能 苦，平。清暑，利尿，調經。

應用 用於傷暑，小便不利，月經不調。用量 9～15g。

文獻 《滙編》下，1054。

4243 水柏枝

來源 檉柳科植物水柏枝 Myricaria germanica (L.) Desv. 的嫩枝。

形態 落葉灌木，高 1～2m。莖直立，具多數分枝，光滑。葉互生，鱗片狀，長披針形或披針形，先端鈍或急尖，有腺點，藍綠色。總狀花序頂生，苞片卵狀披針形，漸尖，基部具寬膜質邊緣；萼片 5，披針形，漸尖，基部具乾膜質邊緣；花瓣 5，粉紅、白或紫紅色，矩圓狀橢圓形，長於花萼；雄蕊 10 枚，5 長 5 短，相間排列，花絲聯合，爲長花絲之半；子房卵形，具粗壯花柱，柱頭頭狀。果實爲 3 瓣裂。種子具有柄的白色簇毛。

分佈 生於水邊、河灘。分佈於內蒙古、甘肅、陝西、青海、山西、四川、雲南、西藏。

採製 春、夏採收，剪取嫩枝曬乾。

性能 甘、鹹，平。疏風，解表，透疹，止咳，清熱解毒。

應用 用於麻疹不透，風濕痹痛。用量 3～9g。外用適量煎水洗治癬。

文獻 《大辭典》上，1096。

4244 具苞河柏

來源 檉柳科植物具苞河柏 Myricaria germanica (L.) Desv. var. bracteata (Royle) Franch. 的嫩枝。

形態 灌木，高達 1.5m。葉小型，橢圓狀長圓形至長圓形，長 1～6mm，寬 0.4～0.7mm。總狀花序頂生或側生，長 3～15cm，下面的花先開，邊開花邊伸長邊結果；苞片寬卵形至倒卵狀長圓形，先端突縮成三角狀漸尖至尾狀漸尖；萼片邊緣膜質；花瓣粉紅色，倒卵狀長圓形，長約 5mm；花絲 ½～⅔ 合生。蒴果長 7～9mm；種子有種纓。

分佈 生於海拔 2800～4100m 河灘砂地。分佈於華北及西藏、四川。

採製 夏秋採收，曬乾。

性能 甘、鹹，平。疏風，解表，透疹，清熱解毒，止咳。

應用 用於麻疹不透，風濕痹痛，發熱咳嗽。用量 3～9g。

文獻 調查資料。

4245 枇杷柴

來源 檉柳科植物枇杷柴 Reaumuria soongorica (Pall.) Maxim. 的枝、葉。

形態 小灌木，高 10～25cm。老枝灰棕色。葉肉質，圓柱形，上部稍粗，先端鈍，常 4～6 枚簇生。花單生葉腋或爲少花的穗狀花序，無梗；萼鐘形，質厚，5 裂，下部一半合生；花瓣 5，張開，白色略帶淡紅，矩圓形，近中部有 2 個倒披針形附屬物；雄蕊 6～8，少有 12；子房橢圓形，花柱 3 個，分離。蒴果紡錘形，3 瓣裂；種子全部有淡褐色毛。

分佈 爲荒漠植物，成片生於山間盆地、湖岸鹽碱地、戈壁、砂礫山坡。分佈於內蒙古、東北、陝西、甘肅、青海、新疆。

採製 夏季採收，曬乾。

應用 用於濕疹，皮炎。外用適量，水煎洗。

文獻 《滙編》下，750。

4246 興安堇菜

來源 堇菜科植物興安堇菜 Viola gmeliniana roemer et Schultes. 的全草。

形態 多年生草本，高 8～15cm。無地上莖，根莖較短，垂直，主根粗壯，黃褐色，直伸。葉匙形、長圓形、倒披針形、披針形，葉片叢狀，邊緣具小齒。花菫色、藍色或淡紫色，下瓣連距長 0.8～1.4cm。蒴果橢圓形，無毛。

分佈 生於林緣、灌叢、田野、草原。分佈於內蒙古大興安嶺、黑龍江北部。

採製 春季採集，去除殘葉，曬乾。

性能 清熱解毒，涼血消腫。

應用 治癰瘡，咽炎，肝炎等。

文獻 《內蒙古藥材資源普查選編》一。

4247 消毒藥

來源 堇菜科植物堇菜 Viola verecunda A. Grey 的全草。

形態 草本，高 20～30cm。基生葉多，寬心形或近新月形，長 1.5～2.5cm，寬 2～2.5cm，邊緣有淺波狀圓齒；具長柄；莖生葉扁心形或三角狀心形，托葉披針形或條狀披針形，全緣或具疏齒。花白色或淡紫色；萼片 5，披針形，基部附器半圓形，不顯著；花瓣 5，長 1cm，距囊狀，長 2～3mm，側瓣稍有毛，唇瓣有紫色條紋。蒴果橢圓形，長約 8mm，3 瓣裂。

分佈 生於田坎、山坡、水溝邊陰濕之處。分佈於全國大部分省區。

採製 7～8 月挖採，曬乾。

性能 苦，辛。清熱解毒，活血止血。

應用 用於蛾口瘡，刀傷，無名腫毒，乳癰，咳血。外用適量。

文獻 《大辭典》下，3960；《四川省宜賓中草藥植物名錄》，70。

4248　雲南菫菜

來源　菫菜科植物雲南菫菜 Viola yunnanfuensis W. Beck. 的全草。

形態　草本，高約 10cm，全體被短毛。葉互生，長卵形或三角狀卵形，長 3～5cm，先端圓鈍，基部平截或近圓形，下延，邊緣有鈍齒；葉柄約等於葉片。花淡紫色，萼片線狀披針形，稍不對稱，花瓣 5，長圓形，上面兩片最大，下面一片基部具囊狀短距；花梗長約 8cm，基生，中部以上有對生的線形小苞片 2 枚。蒴果三角狀卵形，熟時 3 裂。種子多數，淺棕色。

分佈　生於山坡路旁。分佈於雲南、四川。

採製　秋季採收，曬乾。

性能　辛、澀，平。清熱解毒。

應用　用於癰疽瘡瘍。外用適量。

文獻　《滙編》下，2065。

4249　紅花天料木

來源　大風子科植物紅花天料木 Homalium hainanense Gagnep. 的葉。

形態　喬木，高 8～15m。葉橢圓狀矩圓形至寬矩圓形，長 6～10cm，邊緣淺波狀或近全緣。總狀花序腋生，長 5～15cm；花粉紅色；萼筒長 1mm，貼生於子房，有短柔毛，裂片 4～6，長 1.5mm，兩面生短柔毛；花瓣 4～6，寬匙形，長約 2mm，兩面生短柔毛；雄蕊 4～6，花絲無毛，長於花瓣；子房生短柔毛，花柱 4～6。

分佈　生於低海拔至中海拔林中。分佈於海南。

採製　夏季採摘，鮮用。

性能　微澀，涼。清熱消腫。

應用　用於毒瘡。外用適量。

文獻　《廣東藥用植物手冊》，173。

4250　裂葉秋海棠

來源　秋海棠科植物裂葉秋海棠 Begonia laciniata Roxb. 的全草。

形態　肉質草本，根狀莖橫走，具節。莖具膨大的節，有棕色綿毛。單葉互生，葉片斜卵形，長 12～20cm，先端漸尖，基部偏心形，具 3～7 大小不等淺裂，邊緣有疏鋸齒和睫毛，下面帶淡紅紫色，有棕色柔毛。聚傘花序疏鬆，腋生；花單性同株，粉紅色；雄花花被片 4，其中 2 片較大；，雌花花被片 5，其中 4 片較大。蒴果被毛，具 3 翅，其中 1 翅特大。

分佈　生於林下溝邊、石上等陰濕處。分佈於浙江、江西、福建、台灣、海南，廣東、湖南、廣西、四川、貴州和雲南。

採製　全年可採，鮮用或曬乾。

性能　酸，涼。清熱解毒，化瘀消腫。

應用　用於感冒，急性支氣管炎，風濕性關節炎，跌打內傷，閉經，肝脾腫大；外用治蛇咬傷，跌打腫痛。用量 10～25g；外用適量。

文獻　《滙編》上，816。

4251 竹節秋海棠

來源 秋海棠科植物竹節秋海棠 Begonia maculata Raddi. 的全草。

形態 亞灌木，莖具明顯呈竹節狀的節。葉厚肉質，斜卵狀長圓形，長 10～20cm，先端尖，基部偏心形，邊緣淺波狀，上面深綠色，有多數圓形的小白點，下面深紅色。聚傘花序腋生，懸垂；苞片 2，對生，披針形，花通常淡紅色；雄花直徑 2.5cm；萼片 2，大於 2 枚花瓣；雌花的萼片 5，花瓣 5，等大。果實具 3 稜翅，鮮紅色。

分佈 廣東、海南、廣西等地有栽培。

採製 全年可採，鮮用或曬乾。

性能 酸、澀，涼。健胃，行氣，散瘀消腫。

應用 用於消化不良，跌打腫痛。用量 9～15g；外用適量。

文獻 《廣東藥用植物手冊》，185。

4252 掌裂葉秋海棠

來源 秋海棠科植物掌裂葉秋海棠 Begonia pedatifida Levl. 的根莖。

形態 多年生草本，無莖。根狀莖粗而橫走。葉根生，近圓形，長寬均 12～15cm，掌狀分裂幾達基部；裂片矩圓狀披針形，中部的最長，再分裂，邊緣有疏鋸齒；葉柄長超過葉片約 2 倍。二歧聚傘花序 5～6 花，總花梗長 10～15cm，生根狀莖上，花淡紅色，徑 3～3.5 cm，雄花被片 4；雌花被片 5。蒴果，3 翅，其中 1 翅特大。

分佈 生於林下蔭地溝邊。分佈於江西、湖南、湖北、四川、貴州、雲南、廣西、廣東。

採製 9～10 月採挖，生用或曬乾。

性能 酸、甘，平。祛風活血，利水，解毒。

應用 用於風濕關節疼痛，水腫，尿血，跌打，蛇傷。用量 9～12g。

文獻 《大辭典》上，1060；《四川中藥誌》。

4253 大花紫薇

來源 千屈菜科植物大花紫薇 Lagerstroemia speciosa Pers. 的根及葉。

形態 喬木，葉橢圓形或卵狀橢圓形，長 10～25cm，頂端漸尖，基部略狹或近圓形，側脈 10～15 對，在近葉緣處彎拱連結。圓錐花序頂生；花冠淡紅色，直徑達 5cm；花梗被黃白色短絨毛；萼有縱稜 12 條，被糠粃狀毛，裂片三角形，外反，具鱗片狀附屬體；花瓣 6，倒卵形，具爪，有皺紋；雄蕊多數；子房 4～6 室，花柱長 2～3cm。蒴果倒卵形，直徑 12～18mm。

分佈 中國南部和西南部有栽培。

採製 全年可採，曬乾。

性能 收斂，解毒。

應用 用於癰瘡腫毒。用量 9～15g，外用適量。

文獻 《廣西藥用植物名錄》，128。

4254 木欖

來源 紅樹科植物木欖 Bruguiera gymnorrhiza (Linn.) Savigny 的樹皮。

形態 喬木，莖基部有板狀支柱根。葉橢圓狀長圓形，長 7～15cm，頂端稍漸尖，基部鈍，邊緣乾時背捲；托葉披針形。花單生，花梗下彎；萼管近鐘形，萼片 10～14，線形，約與萼等長；花瓣短於萼裂片，2 深裂，基部密被絹毛，裂縫間有剛毛 1 條和每一裂片頂部有 2～4 條。子房半下位。果包藏於萼筒內且二者合生；種子 1，於果離母樹前發芽，胚軸紡錘形。

分佈 生於海灘紅樹林中。分佈於廣東、海南、福建、廣西及台灣。

採製 全年可採，曬乾。

性能 微澀，涼。清熱消腫。

應用 用於疔瘡腫毒。用量 9～15g。

文獻 《廣東藥用植物手冊》，206。

4255　細葉野牡丹

來源　野牡丹科植物細葉野牡丹 Melastoma intermedium Dunn 的全株。

形態　亞灌木，高約 60cm，小枝疏被短粗伏毛。葉橢圓形或長圓狀橢圓形，長 2～4cm，上面疏被隱藏於表皮下的粗伏毛，僅尖端露出，下面沿脈上及葉柄被粗伏毛。花序頂生，被小粗伏毛；苞片小；萼管卵形，長約 6mm，薄被緊貼、針狀的粗伏毛，裂片長約 7mm；花瓣玫瑰紅色，長 2～2.5cm。果卵形，直徑約 6mm，頂端近截平，有緊貼的剛毛和宿存的萼簷。

分佈　生於曠野潮濕地上。分佈於海南、廣東、廣西和福建。

採製　夏季採挖，曬乾。

應用　用於痢疾，口腔炎；外用治蛇咬傷。用量 15～30g。

文獻　《廣西藥用植物名錄》，166。

4256　毛草龍

來源　柳葉菜科植物毛草龍 Jussiaea suffruticosa Linn. 的全株。

形態　亞灌木，全株通常被粗毛。分枝稍具縱稜。葉披針形，長 3.5～10cm。花腋生；小苞片不明顯；萼裂片 4，卵形，長 6～7mm，具 3 脈；花瓣 4，黃色，倒卵圓形，頂端微凹，具 4 對明顯的脈紋，長 8～10cm；子房 4 室。蒴果圓柱形，長 2～5cm，直徑約 5mm，被毛，有稜 8 條；種子多數，近半球形，種脊明顯。

分佈　生於水塘邊、溝邊及潮濕的曠地上。分佈於中國西南部至東部。

採製　夏、秋季採，曬乾或鮮用。

性能　淡，涼。疏風涼血。

應用　用於感冒咳嗽，喉痛，口瘡，瘤腫。用量 15～30g；外用適量，煎水洗。

文獻　《大辭典》上，1069。

4257　鎖陽

來源　鎖陽科植物鎖陽 Cynomorium songaricum Rupr. 的肉質地上部分。

形態　多年生肉質寄生草本，高 15～100cm。莖圓柱狀，暗紫紅，基部膨大。葉小，鱗片狀，散生。穗狀花序頂生，肉質，棒狀，密生暗紫色小花，覆以鱗片狀苞片；雄花花被片 1～6，線形，長 3～5mm，雄蕊 1；雌花花被片棒狀。堅果球形，很小。

分佈　生於乾旱與含鹽鹼的沙地。分佈於內蒙古，寧夏，新疆，甘肅、青海。

採製　春季採收，挖出後除去花序，曬乾或切片曬乾。

成分　莖含花色甙（anthocyanin）、三萜皂甙、鞣質、脯氨酸。

性能　甘，溫。補腎壯陽，強腰膝，潤腸。

應用　用於陽萎，滑精，腰腿酸軟，腸燥便秘。用量 4.5～15g。

文獻　《滙編》下，633。

4258 糙葉五加

來源 五加科植物糙葉五加 Acanthopanax henryi (Oliv.) Harms 的根皮。

形態 落葉灌木，高 1.5～3m。枝疏生粗壯而略下彎的刺。掌狀複葉，小葉 5，稀 3，橢圓形或長倒卵形，長 3～6cm，邊緣具細鋸齒，上面粗糙，下面有細毛；葉柄長 4～7cm，粗糙。傘形花序 2 至數個生於枝頂；總花梗有粗毛，長 2～3.5cm；花梗長 1～1.5cm；萼近全緣；花瓣 5；雄蕊 5；子房下位，5 室，花柱合生成柱狀。果實成熟時呈黑色。

分佈 生於林下或灌叢中。分佈於河北、河南、陝西、甘肅、四川、湖南、湖北、江蘇、浙江、安徽等地。

採製 夏、秋採挖，剝取根皮，曬乾。

性能 辛，溫。祛風濕，壯筋骨，活血祛瘀。

應用 用於風寒濕痹，腰痛，陽萎，小兒行遲，水腫，腳氣，瘰癧腫毒，跌打勞傷。用量 3～10g。

文獻 《大辭典》上，0767。

4259 假通草

來源 五加科植物假通草 Brassaiopsis cilliata Dunn 的根皮。

形態 有刺灌木，高 2m。單葉，掌狀 5～7 深裂，長 20～30cm，寬過於長，基部心形，裂片狹橢圓形，邊緣有睫毛狀鋸齒，上面及下面脈上有極少刺剛毛；葉柄長。傘形花序約 10 個組成中、大型圓錐花序，具刺剛毛，後脫落；花白色，萼齒 5；花瓣 5，子房半下位，2 室，花柱合生成短柱狀。果寬扁球形或卵形，徑約 7mm；有種子 2；具柄。

分佈 生於山谷中。分佈於四川、雲南、貴州、廣西。

採製 春秋季採挖，曬乾。

性能 利水，通淋，止血，消腫。

應用 用於風濕痛，水腫，月經不通，大便燥結。用量 9～15g。

文獻 《四川省宜賓中草藥植物名錄》，226。

4260 上樹蜈蚣

來源 五加科植物常春藤 Hedera nepalensis K. Koch. var. sinensis Rehd. 的全草。

形態 常綠攀援木質藤本，莖上有附生根。莖被淡黃棕色或灰色的鱗片；嫩枝有鏽色鱗片。葉互生，二型，革質，具膜質鱗片。不育枝上的葉為三角狀卵形或戟形，具白色長絨毛，全緣或三角形，先端漸尖，基部楔形或寬楔形；花枝上的葉橢圓狀披針形，長橢圓狀卵形或披針形、稀卵形或圓卵形，基部圓形或楔形。傘形花序單生或 2～7 頂生；花淡黃白色或淡綠白色；萼全緣，有棕色鱗片；花瓣 5；雄蕊 5；子房下位，5 室，花柱合生成柱狀，果球形。

分佈 生於低山區的林蔭中，多攀援於大樹或巖石上。分佈於華中、華南、西南、甘肅和陝西。

採製 四季可採，曬乾。

成分 莖含鞣質、樹脂；葉含常春藤甙、肌醇、胡蘿蔔素等。

性能 辛，溫。能除濕，祛風。

應用 治風濕關節疼痛，腰痛，跌打損傷。用量 3～9g。

文獻 《大辭典》下，4322。

4261　金黃柴胡

來源　傘形科植物金黃柴胡 Bupleurum aureum Fisch. 的根。

形態　灌木，高 50～150cm。根較細，分枝少。莖常不分枝。莖生葉長圓狀倒卵形或橢圓形，基部心形，抱莖或被莖穿過。複傘形花序，總苞片寬卵形，小總苞片 5，卵圓形。花黃色。雙懸果長橢圓形，具稜線，每稜槽有油管 3 條，合生面 4～6 條。

分佈　生於高山林間空地、山地陰坡灌木叢下或溝谷、河岸。分佈於新疆天山、阿爾泰山。

採製　春、秋挖取根，洗淨，曬乾。

成分　含芸香甙（rutosite）、核糖醇（ribitol）、廿九酮（nonacosanone）、皂甙、生物鹼及少量揮發油。

性能　苦、辛，微寒。和表解裏，疏肝，昇陽。

應用　治感冒發熱寒熱往來，胸滿脅痛，口苦耳聾，頭痛目眩，瘧疾，下痢脫肛，月經不調，子宮下垂。用量 3～9g。

文獻　《新疆藥用植物誌》二，88。

4262　狹葉毒芹

來源　傘形科植物狹葉毒芹 Cicuta virosa L. f. angustifolia (Kitatbel) Schube 的根莖。

形態　多年生草本，高 50～90cm。根莖較粗，節間相接，內有橫隔。莖分歧，節間中空，全株無毛。葉二至三回羽狀分裂，葉裂片線狀披針至線形，長約 4cm，寬不過 0.2～0.3cm。傘梗 5～10 條。花白色。

分佈　生於山野的沼澤地、河邊水濕地。分佈於東北、內蒙古。

採製　秋季挖採根莖，去泥土，曬乾。

性能　拔毒，祛瘀。有大毒。

應用　用於化膿性骨髓炎，將根莖搗爛敷之。外用適量。

文獻　《內蒙古中蒙藥誌》；《長白山植物藥誌》，831。

附註　蒙藥名"好日圖一朝古日"。

4263　新疆藁本

來源　傘形科植物鞘山芎 Conioselinum tataricum Hottm. 的根莖及根。

形態　多年生草本，高 1～2m，根莖多橫向生長。莖直立，中空，無毛，節部稍呈膝狀彎曲；基生葉具長柄，二回羽狀深裂至全裂；莖生葉具短柄，上部葉具膨大的葉鞘。複傘花序頂生或腋生，傘幅近等長；花小，白色至淡紫紅色；雙懸果寬橢圓形，果稜翅狀。

分佈　生於山地草甸，山坡草叢及河谷灌叢中。分佈於天山、阿爾泰山等地。

採製　春秋或深秋採挖，除去鬚根，洗淨，陰乾。

成分　含揮發油，主要爲 β-水芹烯（β-phellandrene）、肉豆蔻醚（myristicin）、藁本內酯（ligustilide）、蛇床酞內酯（cnidilide）及 α-醋酸松油醇酯（α-terpinyl acetate）等。

性能　辛，溫。祛風燥濕，散寒止痛。

應用　用於風寒感冒頭痛，偏頭痛，寒濕腹痛，風濕性關節炎及疥癬。用量 3～10g。

文獻　《新疆藥用植物誌》二，102。《藥學學報》23.5（1988）：361。

4264　法羅海

來源　傘形科植物白雲花 Heracleum rapula Franch. 的根。

形態　草本，高 0.5～1m。根圓柱形，垂直生長，常有分枝。莖直立，中空，有分枝，具縱稜，被白色粗毛。葉互生，有長柄，基部擴大成鞘，抱莖，有粗毛；葉片 3～5 裂，稀 7 裂，上面淡綠色，被疏毛，下面蒼白綠色，密被白色綿毛，邊緣有細圓鋸齒。複傘形花序頂生，傘幅 18～25，花梗約 25 條；花小，白色；具輻射花。雙懸果扁倒卵形，側稜翅狀，油管長爲果實長的 ½。

分佈　生於高山石隙或山坡草地。分佈於西藏、雲南和四川。

採製　秋季採挖，洗淨切片，曬乾。

成分　含揮發油。

性能　苦、辛，溫。祛風除濕，活絡止痛，止咳平喘。

應用　用於風濕筋骨疼痛，跌打損傷，感冒，咳嗽，閉經。用量 3～9g。

文獻　《大辭典》上，1477。

4265　羽苞藁本

來源　傘形科植物羽苞藁本 Ligusticum daucoides (Fr.) Fr. 的根。

形態　草本，高 10～60cm。莖細。基生葉卵形至三角形，長 2～15cm，三出式羽狀多裂，最終裂片條形，長 1～3mm；葉柄長 10～23cm；莖生葉向上簡化成擴展的葉鞘。複傘形花序頂生；總苞片數個，條狀披針形，長 7～10mm，具羽狀分裂窄裂片，外面生短柔毛；傘幅 10～20，長 3～25cm；小總苞片數個，絲狀，具羽狀分裂狹裂片；花梗 20 多；花白色至黃綠色，5 瓣。雙懸果矩圓形，果稜有窄翅。

分佈　生於山地叢林中。分佈於四川、雲南。

採製　夏、秋採挖，曬乾。

性能　苦、辛，微寒。發汗解表。

應用　用於風寒感冒，頭痛。用量 9～15g。

文獻　《四川省中藥資源普查名錄》，125。

4266　川羌活（羌活）

來源　傘形科植物寬葉羌活 Notopterygium forbesii Boiss. 的根狀莖和根。

形態　草本，高達 1m。根和根狀莖塊狀或圓柱狀；莖具稜。基生葉及莖下部葉二至三回三出式羽狀深裂，最終裂片卵狀披針形，長 2～4cm，邊緣成不規則羽狀深裂，有尖銳鋸齒，下面脈上稍有毛；莖生葉簡化成三出葉。單葉或成膨大的紫色葉鞘。複傘形聚傘花序頂生和側生；無總苞；傘幅多數；小總苞片多數，條形；花梗多數；花淡黃色。雙懸果卵形，長 3～4mm，背稜和中稜有翅。

分佈　生於山坡草叢和灌叢中。分佈於四川、甘肅、青海。

採製　秋後採挖，除去莖葉，曬乾。

成分　含揮發油。

性能　辛、苦，溫。解表，祛風，勝濕，止痛。

應用　用於感冒風寒，發熱，頭痛，青光眼，關節疼痛，破傷風，蕁麻疹，皮膚瘙癢。用量 3～9g。

文獻　《滙編》上，401。

4267 羊洪膻

來源 傘形科植物缺刻葉茴芹 Pimpinella thellungiana Wolff 的帶根全草。

形態 多年生草本，高30～80cm，全株被短毛。主根長圓柱狀，長20cm 以上，土棕色。莖直立，上部稍分枝，具縱稜，節間實心。羽狀複葉互生，基生葉與莖下部葉具長柄；葉片 1 回單數羽狀複葉，輪廓矩圓形至卵形；中部與上部莖生葉較小與簡化；頂生葉爲一至二回羽狀全裂，最終裂片狹條形。花爲頂生及腋生複傘形花序；傘幅 8～20；無總苞片與小總苞片；具花 15～20 朵；萼齒不明顯；花瓣 5，白色；雄蕊 5。雙懸果卵形，果稜絲狀。

分佈 生於陰濕、半山荒地。分佈於東北、內蒙古、河北、山西、陝西。

採製 秋季採挖，洗淨，曬乾。

性能 辛，溫。溫中散寒。

應用 用於克山病，心悸，氣短，咳嗽。用量 3～9g。

文獻 《滙編》下，216；《內蒙古植物誌》四，165。

4268 綠花鹿蹄草

來源 鹿蹄草科植物綠花鹿蹄草 Pyrola chlorantha Sw. 的全草。

形態 多年生常綠草本，高 13～17cm，全株無毛。根狀莖細長橫走。葉簇生基部，革質，近圓形，邊緣有稀疏的腺圓齒，微外捲；葉柄等於或長於葉片。總狀花序着花 2～10 朵；花葶細長，中部具 1 枚膜質苞片，披針形；花萼 5 裂，裂片正三角形或三角狀寬卵形；花瓣 5，綠色，矩圓形，長約 4mm，寬 1.5mm；雄蕊 10，花藥黃色，孔裂，頂孔管狀；子房扁球形，花柱長而彎曲，柱頭下部環狀加粗。蒴果扁球形，直徑 4～6mm。

分佈 生於山地林下。分佈於內蒙古。

採製 夏季採收，曬乾。

性能 苦，溫。祛風除濕。

應用 用於風濕疼痛。用量 9～15g。

文獻 《內蒙古藥材資源普查選編》一，118；《內蒙古植物誌》五，5。

4269 凝毛杜鵑

來源 杜鵑花科植物凝毛杜鵑 Rhododendron agglutinatum Balf. f. et Forrest 的花、葉。

形態 常綠灌木，高1.2～5m。葉革質，長圓狀卵形，長 4～7cm，寬 2～3.5cm。先端鈍尖，基部鈍或截形，成長後上面無毛，下面黃褐色，有薄層膠黏狀絨毛，中脈隆起，被毛；葉柄長約 1.5cm，常呈淺黃色，近無毛。頂生傘形花序緊密，有花約 10～15 朵，總軸長 5mm，被微柔毛；花梗長 1.5cm，有疏捲毛；花萼小，裂片 5，有短睫毛；花冠漏斗狀鐘形，長約 3.5cm，白色、乳白色，有深紅色斑點，裂片 5，長約 1.5cm，先端有缺刻；雄蕊 10，花絲下部被毛；子房和花柱均無毛。

分佈 生於中海拔灌叢林地。分佈於甘肅、四川、雲南和西藏。

採製 盛花期採花，夏末秋初採葉，陰乾。

性能 苦，寒。清熱解毒。

應用 用於肺部疾病，肺膿腫，咽喉疾病，氣管炎，梅毒性炎症。用量 6～9g。

文獻 《中國民族藥誌》一，218。

4270　毛肋杜鵑

來源　杜鵑花科植物毛肋杜鵑 Rhododendron augustinii Hemsl. 的花。

形態　常綠灌木，高 1～6m。小枝幼時密被柔毛及褐色鱗片。葉長圓狀披針形或橢圓形，長 2～6.5cm，上面疏生鱗片及短柔毛，下面中脈被長柔毛和鱗片，鱗片間距爲直徑的 1～3 倍。頂生傘形花序，通常有花 3～4 朵；花梗長達 2cm，被褐色鱗片和短柔毛；花萼小；花冠鐘狀漏斗形，白色、淡紫色或深藍色，長 2.5～4cm，裂片 5，外面疏生鱗片；雄蕊 10，不等長，長 2.5～4cm，花絲基部疏被柔毛；子房圓錐形，基部被短柔毛和密鱗片。蒴果圓柱狀，長 1～2cm，密被鱗片。

分佈　生於海拔 1200～3200m 的灌叢中和林下。分佈於四川、雲南、西藏。

採製　4～6 月採花，晾乾。

性能　苦，寒。止咳，平喘。

應用　用於慢性氣管炎。用量 6～9g。

附註　調查資料。

4271 美容杜鵑

來源 杜鵑花科植物美容杜鵑 Rhododendron calophytum Franch. 的根。

形態 常綠灌木或小喬木，高5~12m。幼枝綠色或淡紫色。葉長圓狀披針形或長卵形，長18~29cm，上面亮綠色；葉柄粗壯，長2~2.5cm。頂生總狀傘形花序，有花15~20朵，總軸長1.5~2cm，密被黃色簇毛；花梗長3~4.5cm，紫紅綠色；花萼小，無毛；花冠寬鐘狀，長5~6cm，基部膨大，白色帶淡紅色，內面基部有紫色斑塊，裂片5~7，不整齊，圓形，先端有缺刻；雄蕊15~20，不等長；子房卵球形，花柱長達2.7cm，柱頭盤狀。蒴果圓柱形或長圓形，長達4.5cm。

分佈 生於海拔1500~3000m的林內或灌叢中。分佈於四川、貴州。

採製 夏、秋季採挖，曬乾或鮮用。

性能 微苦、澀，涼。祛風除濕。

應用 用於風濕性關節炎。用量9~15g。

附註 調查資料。

4272 頭花杜鵑

來源 杜鵑花科植物頭花杜鵑 Rhododendron capitatum Maxim. 的枝、葉。

形態 常綠灌木，高50~150cm。莖密被黑色或褐色鱗片。葉革質，橢圓形，長1~1.4cm，上面被白色或淡黃色鱗片，鱗片鄰接或覆蓋，下面的鱗片鄰接或不鄰接。傘形花序頂生，頭狀，有花3~7朵；花萼裂片5，膜質，基部有鱗片，邊緣具纖毛；花冠紫色或深紫色，寬漏斗形，長8mm；雄蕊10，花絲基部被柔毛；子房具白色鱗片和微柔毛，花柱無毛或基部被柔毛。蒴果卵球形，有鱗片。

分佈 生於灌木林下或草地上。分佈於陝西、甘肅、青海、四川。

採製 全年可採。陰乾，切段或蒸餾取揮發油。

性能 辛，溫。止咳平喘，祛痰。

應用 用於慢性氣管炎，哮喘。用量6~9g。

文獻 《大辭典》上，533；《滙編》下，798。

4273 毛喉杜鵑

來源 杜鵑花科植物毛喉杜鵑 Rhododendron cephalanthum Franch. 的葉和花。

形態 常綠灌木，高約0.3m。幼枝被柔毛、剛毛和鱗片。葉長橢圓形，長1.5cm，邊緣反捲，上面光滑，下面密被黃棕色屑片狀鱗片。頂生頭狀花序有花數朵；花萼大，淡黃綠色，外面有鱗片，具長睫毛；花冠狹筒狀，淡紅白色，長1.4cm，喉部裏面密被長柔毛；雄蕊5，內藏，花絲基部微有毛；子房被鱗片，花柱很短，蒴果長4mm，有鱗片。

分佈 生於海拔4000m以上的山坡上。分佈於四川、雲南、西藏。

採製 夏、秋採收，晾乾或陰乾。

性能 甘、澀，溫。清熱消炎，止咳平喘，強身抗老。

應用 用於氣管炎，消化不良，胃下垂，胃擴張，肝脾腫大，水腫，體虛，瘡毒，癰腫。用量3~15g；外用適量。

文獻 《中國民族藥誌》一，486；《青海省中草藥野外辨認手冊》，193。

4274　秀雅杜鵑

來源　杜鵑花科植物秀雅杜鵑 Rhododendron concinuum Hemsl. 的葉。

形態　常綠小灌木，高 1～3m。小枝紅棕色，具腺狀鱗片。葉橢圓形、寬橢圓形或長圓狀披針形，長 3～9cm，上面疏被淡褐色疣狀鱗片，沿中脈有微毛，下面密被黃色鱗片和黑色疏鱗片，鱗片大小相等，並連結或微覆蓋。傘形花序有花 3～5 朵；花萼細小，具鱗片；花冠漏斗狀，紅紫色或紫色，長 2～3.5cm，外面疏生金色鱗片；雄蕊 10，不等長，花絲基部被柔毛；花柱無毛或近基部有柔毛。蒴果圓柱形，長 8～14mm，具鱗片。

分佈　生於海拔 3000m 的灌叢中。分佈於河南、陝西、甘肅、四川、雲南、貴州。

採製　6～7 月採葉，晾乾。

性能　苦，寒。祛痰，止咳，平喘。

應用　咳嗽，哮喘，支氣管炎。用量 9～15g。

文獻　《青海省中草藥野外辨認手冊》，193。

4275　樹生杜鵑

來源　杜鵑花科植物樹生杜鵑 Rhododendron dendrocharis Franch. 的花。

形態　常綠附生小灌木，高 0.5～1m。幼枝具紅棕色剛毛。葉橢圓形至闊橢圓形，長 1～1.8cm，邊緣反捲，下面具互不覆蓋的細鱗片，鱗片圓形，褐色。花單生枝頂；花梗短，被黃褐色剛毛；花萼大，5 深裂，裂片闊橢圓形，外面散生鱗片，邊緣具剛毛狀睫毛；花冠寬鐘形，薔薇色，長 1.2cm，內面上方具深紅色斑點，基部具柔毛，裂片 5，卵形；雄蕊 10，花絲中部以下被柔毛；子房卵形，密被黃色鱗片，花柱紫色，下部具絨毛。蒴果橢圓形，長 1.2cm，被褐色鱗片。花期 4 月。

分佈　生於海拔 2200～2700m 的樹上。分佈於四川、雲南、西藏。

採製　4 月採花，晾乾。

性能　苦，寒。清熱，止血，調經。

應用　用於癰瘡腫毒，月經不調，外傷出血。用量 3～6g；外用適量。

附註　調查資料。

4276　隱蕊杜鵑

來源　杜鵑花科植物隱蕊杜鵑 Rhododendron intricatum Franch. 的葉。

形態　常綠灌木，高達 1.5m。小枝密集，細長。葉長橢圓形或卵狀橢圓形，長 8mm，上面有細鱗片，下面有連結或近連結的淡黃色鱗片。頂生花序近圓球形，有花 2～5 朵；花萼小，裂片長約 2mm；花冠紅色至紅紫色，淡藍紫色至深藍色，高足碟狀，長 6～14mm，花冠管長 4～10mm，喉部有硬毛，裂片 5；雄蕊 10，長約 2.5mm，比花冠管短，花絲基部被白色柔毛；子房長約 1.5mm，有鱗片，花柱粗壯。蒴果卵狀，徑 1.5mm，有鱗片。

分佈　生於海拔 3500～4500m 的草地上。分佈於四川、雲南。

採製　夏季採葉，晾乾。

性能　苦，寒。祛痰，止咳，平喘。

應用　治咳嗽，哮喘，支氣管炎。用量 9～15g。

文獻　《青海省中草藥野外辨認手冊》，193。

4277 酒瓶花

來源 杜鵑花科植物亮毛杜鵑 *Rhododendron microphyton* Franch. 的根。

形態 常綠矮灌木，高 50～200 cm。小枝密被紅棕色糙伏毛。葉橢圓形或卵狀披針形，長 0.5～3.2 cm，邊緣具細圓齒，兩面散生紅棕色扁平糙伏毛。傘形花序頂生，有花 3～7 朵；花萼不發達，具毛；花冠漏斗形，薔薇色或白色，長 2cm，裂片 5，開展，長圓形，上方 3 裂片具深紅色斑點；雄蕊 5，伸出花冠外，花絲中下部被短柔毛；子房卵形，密被亮栗褐色毛。蒴果長達 8mm，被毛。

分佈 生於灌叢或草地上。分佈於廣西、四川、貴州、雲南。

採製 夏、秋季採挖，曬乾或鮮用。

性能 微苦、澀，涼。清熱解表，利尿。

應用 用於感冒，急、慢性腎炎，腎盂腎炎，小兒驚風。用量 15～30g。小兒酌減。

文獻 《滙編》下，476。

4278 光背杜鵑

來源 杜鵑花科植物青海杜鵑 *Rhododendron przewalskii* Maxim. 的葉。

形態 常綠灌木，高達 3m；幼枝無毛。葉厚革質，橢圓形至長圓形，長 7～10cm，基部圓形或微呈心形，下面初被淡褐色毛。頂生傘房狀傘形花序，有花 10～15 朵；總軸長約 1.5cm；花冠鐘狀，白色至粉紅色，有紫紅色斑點，裂片 5，圓形，先端有缺刻；雄蕊 10，花絲下半部被微柔毛；花柱長過雄蕊，柱頭綠色。蒴果長圓柱形，長達 2cm，無毛。

分佈 生於高山林下或灌叢中。分佈於陝西、甘肅、青海、雲南、四川、西藏。

採製 四季可採，刷去背面的絨毛，切絲，生用或蜜炙用。

性能 苦、辛，涼。有大毒。止咳，祛痰，降血壓。

應用 治老年慢性支氣管炎，高血壓，梅毒性炎症，肺膿腫，內臟膿腫，皮膚發癢(外用)。用量 1g。

文獻 《滙編》下，254；《青藏高原藥物圖鑒》，102。

附註 本品花、果可鎮咳祛痰，清肺和胃。

4279　腋花杜鵑

來源　杜鵑花科植物腋花杜鵑 Rhododendron racemosum Franch. 的葉。

形態　常綠灌木，高達 2m；幼枝被腺狀鱗片。葉革質，長橢圓形，長 1.5～3cm，上面疏生鱗片，僅中脈具少數毛，下面灰白色，密被鱗片，鱗片相距約等於其直徑；葉柄密被鱗片。花序腋生於枝頂，具花 2～3 朵，有時爲總狀花序；花梗具鱗片；花萼小，5 裂，具鱗片；花冠漏斗狀，長 8～12mm，裂片 5，淡紅色、紅色或玫瑰紅色，外面疏被鱗片；雄蕊 10，伸出冠外，花絲下部被柔毛；子房密被鱗片。蒴果橢圓形，長 5～7mm，疏生鱗片。

分佈　生於海拔 2000～3000m 的林下或山坡上。分佈於四川、雲南。

採製　夏末秋初採葉，陰乾，研成細粉。

成分　葉含多種黃酮成分。

性能　止咳，祛痰，平喘。

應用　用於咳嗽多痰。用量 9～15g。

文獻　《中草藥學》，295。

4280　紅棕杜鵑

來源　杜鵑花科植物紅棕杜鵑 Rhododendron rubiginosum Franch. 的花、葉。

形態　常綠灌木或小喬木，高達 10m。小枝具黑色或棕色鱗片。葉橢圓狀披針形或卵狀披針形，長 3.5～7cm，上面光滑，無或有鱗片，下面有紅棕色光亮鱗片，鱗片稀覆蓋；葉柄長達 1.2cm，有鱗片。頂生傘形花序，有花 4～8 朵；總軸極短；花梗長 0.8～2cm；花萼極短；花冠漏斗狀或鐘狀，長 2.5～3.5cm，紅紫色或粉紅色，有棕色斑點，外面有鱗片；雄蕊 10，略伸出冠外，花絲向基部疏生柔毛；子房密生鱗片。蒴果長圓形，長達 1.5cm，有鱗片。

分佈　生於海拔 2500～3500m 的灌叢或開闊林中。分佈於四川、雲南、西藏。

採製　4～6 月採花，夏、秋季採葉，陰乾。

性能　苦，寒。清熱瀉火，止咳化痰。

應用　用於瘡毒，咳嗽多痰。用量：花 6～9g，葉 9～15g。

附註　調查資料。

4281　黃毛杜鵑

來源　杜鵑花科植物黃毛杜鵑 Rhodo-dendron rufum Batal. 的葉。

形態　常綠灌木或小喬木，高 1.5～8 m。幼枝初被白色叢捲毛。橢圓形至長圓狀卵形，長 6.5～11cm。下面有兩層毛被，上層薄，鬆軟，鏽棕色至黃棕色，由分枝毛組成，下層緊密，帶白色。頂生總狀傘形花序，有花 6～11 朵；花萼小，裂片 5；花冠漏斗狀鐘形，長 2～3cm，白色至淡粉紅色，有深紅色斑點，內面基部有短柔毛，裂片 5，稍不等大；雄蕊 10，花絲基部被微柔毛；子房密被綿毛，有時向上有少數有柄腺體。蒴果長圓形，長 1.5～2.5cm。

分佈　生於海拔 2300～3800m 的林中。分佈於陝西、甘肅、青海、四川。

採製　四季可採，切段，陰乾。

性能　苦，寒。祛痰，止咳，平喘。

應用　主治咳嗽，哮喘，支氣管炎，常製取揮發油藥丸。用量 9～15g。

文獻　《青海省中草藥野外辨認手冊》，195。

4282　水仙杜鵑

來源　杜鵑花科植物水仙杜鵑 Rhodo-dendron sargentianum Rehd. et Wils. 的葉。

形態　匍匐矮灌木，高 0.3～0.6m。幼枝密被鱗片和腺體。葉芳香，長 8～16mm，上面無鱗片或宿存乾燥鱗片，下面的鱗片排列成 3 層，最下層的鱗片金黃色。頂生傘形總狀花序有花 6～12 朵；花萼鐘狀，裂片 5，被鱗片和緣毛；花冠高腳碟狀，黃色，長 10～13mm，花冠管內面密被脣毛，裂片 5，略開展，圓形，外面有鱗片，雄蕊 5，藏於花冠內；子房有黃色鱗片。蒴果長 4mm，疏被鱗片。

分佈　生於海拔 3000～3600m 的崖石上。分佈於四川西部。

採製　全年可採。

性能　苦，寒。祛痰，止咳，平喘。

應用　治咳嗽，哮喘，支氣管炎。用量 9～15g。

文獻　《青海省中草藥野外辨認手冊》，194。

4283 綠點杜鵑

來源 杜鵑花科植物綠點杜鵑 Rhododendron searsiae Rehd. et Wils. 的花。

形態 灌木，高 2.5～3m。幼枝密被鱗片和腺體。葉卵狀披針形或長披針形，長 3～8cm，下面藍綠色，具銀白色、金黃色、深棕色鱗片，鱗片不等大。頂生傘形總狀花序有花 4～8 朵；花萼大，裂片 5，長卵形，先端常有細毛；花冠闊漏斗狀，白色至淡紫色，長 2.5～3cm，花冠管長達 1cm，裂片 5，卵形，長 1.8～2cm，具紫色斑紋；雄蕊 10，花絲扁平，下部被長柔毛；子房有密鱗片，花柱長 2cm。蒴果長達 1.4cm，具鱗片。

分佈 生於海拔 2300～2800m 的叢林中。分佈於四川。

採製 5～6 月採收，晾乾。

性能 苦，寒。清熱，和血，調經。

應用 用於瘡毒，月經不調。用量 6～9g。

文獻 調查資料。

4284 大杜鵑

來源 杜鵑花科植物爆杖花 Rhododendron spinuliferum Franch. 的根、葉、花。

形態 常綠灌木，高 0.5～3m。幼枝被灰黃色柔毛和剛毛。葉橢圓形至倒披針形，長 3～10cm，上面粗糙，下面疏被柔毛和鱗片。花序生枝頂葉腋；花萼小，被柔毛。花冠赭紅色，管狀，兩端梢收縮，長 1.4～2cm，裂片 5，卵形；雄蕊 10，伸出冠外，花藥黑色；子房密被綿毛，疏被鱗片，花柱長過雄蕊，基部被柔毛。蒴果長圓形，長約 1cm，密被綿毛。

分佈 生於松林下或開闊的灌叢中。分佈於四川、雲南。

採製 3～4 月採花，晾乾；其餘四季可採，曬乾。

性能 辛，溫。有毒。祛風除濕，通經活絡，消炎。

應用 主治崩漏，白帶，跌打損傷，瘡、癤、癰、癬。用量 9g；外用適量。

文獻 《滙編》下，798。

4285　四川杜鵑

來源　杜鵑花科植物四川杜鵑 Rhodo-dendron sutchuenense Franch. 的根、葉。

形態　常綠灌木或小喬木，高達 6m。小枝幼時被薄絨毛。葉倒披針狀長圓形，長 8～25cm，基部常成寬楔形，中脈極粗壯，疏被絨毛。頂生總狀花序有花 8～10 朵，總軸長 1.5～2.5cm；花萼小，盤狀，波狀 5 淺裂；花冠寬鐘狀，白色、粉紅帶薔薇色，長 5～7.5cm，內面有深色斑點，基部被微柔毛，裂片 5～6，頂部有深缺刻；雄蕊 13～15，花絲中部以下被柔毛；子房長圓形，花柱紅色。蒴果長圓形，長約 3.5cm，直徑 1cm。

分佈　生於海拔 2000m 以上的林內。分佈於湖北、陝西、四川。

採製　四季可採，曬乾。

性能　袪風除濕，止痛。

應用　用於風濕關節疼痛。用量 9～15g。

附註　調查資料。

4286　百里香葉杜鵑

來源　杜鵑花科植物千里香杜鵑 Rho-dodendron thymifolium Maxim 的枝、葉。

形態　常綠小灌木，高達 1.2m。幼枝密生鱗片。葉芽鱗早落。葉狹圓狀披針形，長約 8mm，兩端鈍或圓，兩面有銀白色密鱗片，下面的鱗片大小一式，覆瓦狀。花芽鱗宿存；花序頂生有花 1～2 朵；花萼小，密生鱗片；花冠淡紫色或紫藍色，闊漏斗狀，長 6～12mm，內有柔毛；雄蕊 10，伸出，花絲基部被柔毛；子房密生鱗片，花柱紫色，短於雄蕊。蒴果卵球形，長 3～4.5mm，密生鱗片。

分佈　生於濕潤山坡或林緣。分佈於青海、甘肅、四川。

採製　全年均可採，陰乾。

性能　辛，溫。止咳平喘，祛痰。

應用　用於慢性氣管炎，哮喘。用量 6～9g。

文獻　《滙編》下，798；《青藏高原藥物圖鑒》，102。

4287　心葉紫金牛

來源　紫金牛科植物心葉紫金牛 Ardisia maclurei Merr. 的全株。

形態　亞灌木或小灌木，莖高 4～15cm，幼時有密的鏽色長柔毛。葉互生，罕輪生，基部心形，兩面均有長柔毛。近傘形花序，近頂生，有鏽色長柔毛；花萼有疏柔毛或緣毛；花冠裂片無毛，無斑點。果球形。

分佈　生於密林下及山谷陰濕處。分佈於廣東、海南及廣西。

採製　全年可採，曬乾。

性能　苦，涼。止血，清熱解毒。

應用　用於吐血，便血，瘰癧。用量 6～9g。

文獻　《滙編》下，800。

4288　酸藤子

來源　紫金牛科植物酸藤子 Embelia laeta (L.) Mez 的果、根、葉。

形態　攀援灌木，根表面黑色。嫩枝無毛。單葉互生，倒卵形或長圓狀倒卵形，邊緣全緣，兩面無毛，無腺點。總狀花序短，長 3～8mm，腋生或側生，花淡黃色，4 數，萼片無毛。漿果狀核果，球形，直徑約 5mm，腺點不明顯。

分佈　生於山坡、路旁的灌木叢中或林緣。分佈於華南及雲南、福建、江西、台灣。

採製　夏季採果，蒸熟曬乾。根、葉全年可採，鮮用或曬乾。

性能　果酸、甘，平。強壯，補血。根、葉酸，平。消炎止瀉，散瘀止痛。

應用　果用於閉經，貧血。根用於胃腸炎，痢疾，咽喉痛。葉外用於跌打腫痛，瘡瘍潰爛久不收口。用量 15～30g；外用適量。

文獻　《大辭典》下 2537；《廣西民族藥簡編》，201。

4289　箭報春

來源　報春花科植物箭報春 Primula fistulosa Turkev 的全草。

形態　多年生草本，全株無或略被粉狀物。具多數鬚根。葉全部基生，蓮座狀，葉片矩圓形或矩圓狀披針形，先端漸尖，稀鈍，基部下延成寬翅狀柄，邊緣具不整齊淺齒。花葶粗壯，似管狀中空，高達 28cm，頂端驟細，具細稜；花序由 20 朵以上花密集呈球狀傘形；苞片多數，卵披針形；花梗等長，被腺毛；花萼鐘狀或杯狀，裂片 5，矩圓形，暗綠色；花冠高腳碟狀，薔薇色或帶紅紫色，裂片 5，倒卵形，先端深 2 裂；雄蕊 5，子房近球形。蒴果近球形，頂端 5 裂瓣；種子黑褐色，較大，表皮具細小蜂窩狀凹眼。

分佈　生於低濕地草甸、富含腐殖質砂質草甸。分佈於東北、內蒙古。

採製　夏、秋採收，曬乾。

性能　辛、微甘，涼。清熱解毒。

應用　用於高熱，咳嗽，小兒肺炎，咽喉炎，口腔炎。用量 15～25g。

文獻　《內蒙古藥材資源普查選編》一，52；《內蒙古植物誌》五，24。

4290　段報春

來源　報春花科植物段報春 Primula maximowiczii Regel 的全草。

形態　多年生草本，全株無毛。鬚根多粗壯，黃白色。葉全部基生，蓮座狀，葉片大，矩圓狀倒披針形、倒卵狀披針形或橢圓形，先端鈍圓，基部漸狹成寬翅狀柄，或近無柄，葉緣有細三角狀牙齒。花葶粗壯，高 22～76cm，層疊式傘形花序，1～3 輪，每輪 4～16 朵花；苞片多數，披針形，先端漸尖，基部連合；花萼鐘狀，5 裂，裂片寬三角形；花冠筒狀，暗紅紫色，喉部有環狀突起，裂片 5，矩圓形，全緣，先端常反折；子房矩圓形；雄蕊 5，內藏；花絲極短，花藥鈍形。蒴果圓柱形，5～10 瓣裂。種子黑褐色，不整齊多面體，種皮具網紋。

分佈　生於山地林下、林緣及山地草甸等。分佈於吉林、內蒙古、河北、山西、陝西、甘肅、青海。

採製　夏季採收，曬乾。

性能　止痛，祛風，清熱解毒。

應用　用於癲癇頭痛。用量 9～15g。

文獻　《內蒙古藥材資源普查選編》一，52；《內蒙古植物誌》五，28。

附註　全草作蒙藥用，能止痛，祛風。

4291　天山報春

來源　報春花科植物天山報春 Primula sibirica Jacq. 的全草。

形態　多年生草本，全株不被粉狀物。鬚根多數。葉全部基生，蓮座狀，葉片圓形、圓狀卵形至橢圓形，先端鈍圓，基部圓形或寬楔形，全緣或微有淺齒，質薄；葉柄細弱。花葶高 10～23cm，纖細，花後伸長；傘形花序一輪，具 2～6 朵花；苞片少數，邊緣交迭，矩圓狀倒卵形；先端漸尖，基部有耳狀附屬物緊貼花葶；花萼筒狀鐘形，裂片 5，矩圓狀卵形，頂端鈍尖，邊緣密被短腺毛；花冠淡紫紅色，高腳碟狀，花冠筒細長，喉部具小舌狀突起，花冠裂片倒心形；雄蕊 5，子房橢圓形。蒴果圓柱形，稍長於花萼。種子多數，盾狀。

分佈　生於河谷草甸、碱化草甸、山地草甸。分佈於黑龍江、內蒙古、甘肅、青海、新疆、四川。

採製　夏季採收，曬乾。

性能　活血化瘀，祛濕止痛。

應用　用於跌打內傷瘀血。用量 9～15g。

文獻　《新疆中藥資源名錄》，81；《內蒙古植物誌》五，25～26。

4292　白花茶

來源　木樨科植物扭肚藤 Jasminum amplexicaule Buch.-Ham. 的莖及葉。

形態　藤狀灌木，小枝纖長，被微毛。葉對生，頂端短尖，基部常截平至微心形，兩面被柔毛或上面近無毛。花白色，排成頂生、稍密集的聚傘花序；萼裂片 8，線形；花冠高腳碟狀，冠管細長，圓筒狀。核果肉質。

分佈　生於丘陵、山坡灌叢中。分佈於廣東、海南及廣西。

採製　全年可採，曬乾。

性能　微苦，涼。清熱解毒，利濕消滯。

應用　用於急性胃腸炎，痢疾，消化不良，急性結膜炎，急性扁桃體炎。用量 15～30g。

文獻　《滙編》下，304。

4293　遼東水蠟樹

來源　木樨科植物遼東水蠟樹 Ligustrum obtusifolium Sieb. et Zucc. var. suave Kitagawa 的蠟質分泌物。

形態　落葉灌木，高達 3m。幼枝有短柔毛。葉紙質，長橢圓形，先端銳尖，基部楔形，兩面均無毛。圓錐花序時常下垂，長 2～3.5cm，有短柔毛；花冠長而尖；花藥和花冠裂片近等長，花柱較短。核果寬橢圓形，熟時黑色。

分佈　生於山坡。分佈於山東、江蘇、江西、安徽、湖南、陝西。

採製　夏、秋間刮取臘質分泌物，曬乾。

性能　淡，平。利尿，強壯。

應用　用於身體虛弱，四肢無力，水腫，小便不利。用量 9～15g。

文獻　《吉林省藥用植物名錄》，41。

4294　羅星草

來源　龍膽科植物條萼田草 Canscora melastomacea Hand.-Mazz. 的全草。

形態　草本，莖四稜形。葉對生，卵狀披針形，有三出脈。聚傘花序頂生或腋生；花白色；花萼筒狀，頂端 4 齒裂；花冠頂端 4 裂，裂片大小不等；雄蕊 4，着生於冠筒近頂部，只有 1 枚發育；子房上位，1 室，花柱絲狀。蒴果矩圓形；種子多數，近圓形，扁壓。

分佈　生於山谷、田邊。分佈於海南、廣東及廣西。

採製　全年可採，曬乾。

性能　苦，寒。清熱消腫，散瘀止痛，接骨。

應用　用於急性膽囊炎，急性腸炎，急性扁桃體炎。用量 9～12g；外用治跌打骨折，關節腫痛。鮮全草搗爛或研粉調酒外敷。

文獻　《滙編》下，823。

4295　尖葉假龍膽

來源　龍膽科植物尖葉假龍膽 Gentianella acuta (Michx.) Hüt 的全草。

形態　一年生草本，高 10～30cm，全株無毛。莖直立，四稜形。葉對生，披針形，長 1～3cm，寬 0.3～0.7cm，先端尖，全緣，三至五出脈，無葉柄；基部葉匙形，較小。聚傘花序頂生或腋生；花藍色，管狀鐘形，裂片 5，矩圓形。子房條狀矩圓形，無花柱，柱頭 2 裂，蒴果長矩圓形，種子球形，淡棕褐色。

分佈　生於山地林下、灌叢及低濕草甸。分佈於內蒙古、新疆、山西、寧夏。

採製　夏、秋季採收全草，陰乾。

性能　清熱，利濕，解毒。

應用　主治黃疸，肝火，頭痛，發燒。用量 5～15g。

文獻　《內蒙古藥材資源普查選編》一，53。

附註　蒙藥名"桑底克"。

4296 黃花藥藥

來源 龍膽科植物黃花川西獐牙菜 Swertia zayuensis T.N. Ho et S.W. Liu var. flavescens T.N. Ho et S.W. Liu 的帶根全草。

形態 草本，高 15～75cm。主根明顯，淡黃色。莖四稜形，從基部起作塔形或帚狀分枝。葉無柄，卵狀披針形至狹披針形，基部略呈心形，半抱莖。圓錐狀複聚傘花序多花，花梗長至 5cm；花 4 數，徑 8～13mm；花萼長爲花冠的 ½～⅔；花冠黃綠色或淡黃白色，基部具 2 個溝狀腺窩。蒴果；種子橢圓形。

分佈 生於海拔 3500m 左右的河灘、山坡、灌叢中。分佈於青海、四川。

性能 苦，涼。清熱利濕。

應用 用於黃疸型肝炎。

文獻 《中國植物誌》62 卷，401。

4297 獐牙菜

來源 龍膽科植物瘤毛獐牙菜 Swertia pseudochinensis Hara 的全草。

形態 一年生草本，高 10～40cm。莖單一或分枝。四稜形，帶紫色。葉對生，無柄，線狀披針形，長 2～4cm，先端漸尖，基部狹，全緣。圓錐狀聚傘花序頂生或腋生，萼片 5，線狀披針形；花冠藍紫，直徑達 2cm，5 深裂，裂片狹卵形，內側基部有 2 腺窩，腺窩邊緣的毛具瘤狀突起；雄蕊 5，花藥暗紫色。蒴果橢圓形。

分佈 生於山坡、草地、林邊。分佈於東北、華北、河南、山東。

採製 夏、秋採收，切段，陰乾。

成分 含當藥苦甙(swertiamarin)、當藥素(swertisin)、黃色龍膽根素(gentisin)、黃色龍膽根素葡萄糖甙(gentisin-glucoside)。

性能 苦，寒。清熱，健胃，利濕。

應用 用於胃炎，消化不良，黃疸，火眼，牙痛，口瘡。用量 3～9g。

文獻 《大辭典》下，5358；《滙編》上，909。

4298　藥用狗牙花

來源　夾竹桃科植物藥用狗牙花 Ervatamia officinalis Tsiang 的根。

形態　灌木，高 2～4m。葉對生，長橢圓形；托葉三角狀卵形。聚傘花序腋生；萼管鐘狀，內面無腺體或僅有 1～2 個；花冠白色，裂片兩面被微柔毛；雄蕊着生於冠管喉部膨大處；子房無毛；柱頭有長硬毛，頂端 2 裂。蓇葖果雙生，線狀長圓形，頂端有喙。

分佈　生於低海拔至中海拔山地的疏林中。分佈於海南、廣東和雲南。

採製　全年可採，曬乾。

性能　苦、辛，涼。全株有毒。解毒，祛風，降壓。

應用　用於咽喉腫痛，風濕痹痛，高血壓，腹痛。用量 9～15g。水煎服。

文獻　《滙編》下，804。

4299　藍樹

來源　夾竹桃科植物藍樹 Wrightia laevis Hook. f. 的根及葉。

形態　喬木，小枝有皮孔。葉對生，乾後呈藍色或淺藍色。花序頂生；花萼裂片卵形，內面基部有卵形腺體；花冠白色淺黃色，漏斗狀；雄蕊着生於冠筒頂端，花藥背面被微毛。蓇葖果 2 個，線狀圓柱形，外果皮有斑點。

分佈　生於山地疏林中或山谷向陽處。分佈於海南、廣東、廣西、雲南及貴州。

採製　全年可採，鮮用或曬乾。

性能　微苦，涼。有小毒。消腫生肌。

應用　用於跌打損傷，腮腺炎，蕁麻疹，濕疹，瘡瘍潰爛。外用適量搗爛外敷或煎水外洗。

文獻　《廣西本草選編》上，838。

4300　倒吊筆

來源　夾竹桃科植物倒吊筆 Wrightia pubescens R. Br. 的根及葉。

形態　喬木，枝條密生皮孔。葉對生，兩面被柔毛。聚傘花序頂生；花冠白色、淡黃色或粉紅色，漏斗狀；副花冠 10，鱗片狀；花藥伸出冠筒喉部之外，被毛；花柱絲狀，柱頭卵形。蓇葖果 2 個貼生，下垂，線狀披針形。

分佈　生於低海拔山地疏林中。分佈於廣東、海南、廣西及雲南。

採製　全年可採，根曬乾，葉鮮用。

性能　甘，平。有小毒。根：祛風利濕，化痰散結；葉：祛風解表。

應用　根及根皮：用於頸淋巴結結核，風濕關節炎，腰腿痛，慢性支氣管炎，黃疸性肝炎，肝硬化腹水，白帶；葉：用於感冒發熱。用量根 15～30g；根皮 9～15g；葉 6～9g。

文獻　《滙編》下，520。

4301　三脈球蘭

來源　蘿藦科植物鐵草鞋 Hoya pottsii Traill 的全株。

形態　附生攀援藤本，葉厚而肉質，卵形至卵狀長圓形，基部圓形至近心形；基出脈 3。花冠白色，裂片寬卵形，內面被長柔毛。果線狀長圓形，外面有黑色斑點；種子線狀長圓形。

分佈　生於山地林中陰濕處，附生於樹上或石上。分佈於華南及雲南、台灣。

採製　全年可採，曬乾或鮮用。

性能　苦，涼。有毒。接筋骨，活血祛瘀。

應用　用於跌打損傷，骨折，刀槍傷。外用適量。

文獻　《大辭典》下，3826。

4302　藍葉藤

來源　蘿藦科植物藍葉藤 Marsdenia tinctoria R. Br. 的根及果。

形態　攀援灌木，高達 5m。葉矩圓形或卵狀矩圓形，長 5～12cm，基部近心形，鮮時或乾後呈藍色。聚傘圓錐花序近腋生；花黃白色，乾後藍黑色；花冠筒鐘狀，喉部被毛；副花冠由5枚矩圓形裂片組成；花粉塊每室 1 個，狹矩圓形，直立。蓇葖果圓筒狀刺刀形，長達 10cm，徑約 1cm，被茸毛；種子頂端具黃絹質毛。

分佈　生於林中。分佈於西藏、四川、貴州、雲南、廣西、廣東、湖南、台灣。

採製　根全年可採，秋季採果，曬乾。

性能　甘，溫。根補脾益氣，溫經通絡，鎮痛。

應用　根用於風濕筋骨疼痛，腰痛，跌打損傷，脾虛，乳汁不足；果治心胃氣痛。用量根 6～12g，果 6～9g。

文獻　《廣東藥用植物手冊》，496。

4303　通脈丹

來源　蘿藦科植物通脈丹 Tylophora mollissima Wight 的全株。

形態　纏繞藤本，全株被鏽黃色長柔毛。葉卵狀長圓形，頂端有短尖頭，基部近心形。花序與葉近等長；花小，黃綠色；花萼裂片外面有柔毛，萼內基部有五個腺體；花冠裂片內面有微毛；副花冠裂片卵形；子房無毛。果披針形，頂端具長尾尖。

分佈　生於中海拔的山地林中。分佈於海南及廣西。

採製　全年可採，曬乾。

性能　清熱，止咳。

應用　莖、葉用於哮喘；根清肺熱，止咳。用量9～15g。

文獻　《滙編》下，809。

4304 腎葉打碗花

來源 旋花科植物腎葉打碗花 Calystegia soldanella (L.) R. Br. 的全草。

形態 多年生草本。莖細長，匍匐。葉互生，具長柄；葉片腎形，長 1.5～3cm，寬 2.5～4.5cm，邊緣淺波狀。單花腋生，花梗長 4～9cm；苞片 2 枚，廣卵圓形，長 0.9～1.5cm，頂端圓或微凹，具小短尖；萼片 5，卵圓形；花冠淡紅色或淡紫色，漏斗狀。蒴果卵圓形。種子黑褐色。

分佈 生於沙地。分佈於東北、華北、華東、西南。

採製 夏季採挖帶根全草，曬乾，切段。

性能 苦，寒。清熱利尿，降血壓。

應用 用於水腫，小便不利，高血壓。用量 15～30g。

附註 調查資料。

4305 鈴當子

來源 旋花科植物西伯利亞牽牛 Ipomoea sibirica Pers. 的種子。

形態 一年生草本，無塊根。莖細弱匍匐稍纏繞。單葉互生，葉片卵狀至披針形，較小，先端細長而尖，基部心形，全緣。花單生葉腋，或爲聚傘花序；花萼綠色，萼片 5，宿存；花冠合瓣，漏斗形，粉紅色，稍 5 裂；雄蕊 5，子房上位，2 室。蒴果，扁圓球形。種子黑褐色至黑棕色。

分佈 生於草地，常與蕎麥伴生。分佈於東北、內蒙古。

採製 秋季果實成熟而未裂開時採集，曬乾後，除去果殼，收集種子。

成分 種子含多糖，由 97% 葡萄糖和甘露糖(1：1)、3% 半乳糖組成，種子油中含 3.5% 二烯酸，9.3% 三烯酸。

性能 瀉下去積，逐水消腫。

應用 用於大便秘結，食積腹脹。用量 9g。

文獻 《大辭典》下，3842；《滙編》下，830。

4306 葵葉蔦蘿

來源 旋花科植物葵葉蔦蘿 Quamoclit sloteri House 的根。

形態 一年生草本。莖纏繞，多分枝。葉掌狀深裂，裂片披針形，先端細長而尖，基部 2 裂片各 2 裂；葉柄與葉片近等長；假托葉較大，與葉同形。聚傘花序腋生，1～3 花，總花梗粗壯，常較葉柄長；花冠高腳碟狀，較大，長 3～5cm，紅色。蒴果圓錐形或球形。種子 1～4 粒，有微柔毛。

分佈 全國庭園普遍栽培。

採製 秋季採挖，洗淨，曬乾。

性能 苦，寒。清熱解表，消腫解毒。

應用 用於感冒發熱。用量 9～15g。外用治癰瘡腫毒。研末香油調敷。

文獻 《花卉園藝》，148。

4307 花荵

來源 花荵科植物花荵 Polemonium laxiflorum Kitam. 的根。

形態 多年生草本,高 40~80cm。根莖橫走或斜生,具多數鬚根。莖圓柱形,中空。奇數羽狀複葉;小葉 15~25,無柄;葉片長卵圓狀披針形,先端漸尖,基部窄形,全緣。圓錐花序頂生或腋生;總梗和花梗密生短腺毛,花萼鐘狀,5裂片呈三角形;花冠寬鐘狀,藍色或淡藍色,裂片 5,圓形;雄蕊 5;雌蕊柱頭3裂。蒴果廣卵形,包於宿萼內。種子暗褐色。

分佈 生於山坡草地、灌木叢中、路旁及溪谷草地。分佈於東北、內蒙古、河北、陝西。

採製 秋季採挖,洗淨,曬乾。

成分 含有皂甙。

性能 苦,平。止血,祛痰,鎮靜。

應用 用於急、慢性支氣管炎,胃潰瘍出血,咳血,衄血,子宮出血,月經過多。用量 3~9g。

文獻 《大辭典》上,2151;《長白山植物藥誌》,938。

4308 琉璃草

來源 紫草科植物展枝倒提壺 Cynoglossum divaricatum Stepn. ex Lehm. 的根。

形態 多年生草本,高 60~80cm。全株密生白絨毛。根垂直,單一或稍分枝。莖剛直,叉狀分枝。基生葉及下部莖生葉有柄,長橢圓狀倒披針形;上部葉無柄,披針形。蝎尾狀花序頂生,花紫色,後變藍色;萼片深5裂,卵形,果期向外反折;花冠筒狀,喉部以下具 5 個附屬物,裂片 5,近方形,藍色、紅紫色,子房4裂,花柱圓錐狀,果期宿存。小堅果,扁卵形,密生錨狀刺。

分佈 生於半固定沙地、平坦沙地、田邊、村旁。分佈於東北、內蒙古、陝西。

採製 夏、秋或春採收,曬乾。

性能 淡,寒。清熱解毒。

應用 用於扁桃體炎,瘡癤癰腫。用量 9~15g。

文獻 《大辭典》下,4068。

附註 果實亦供藥用;苦,平。收斂止瀉。治小兒腹瀉。用量 3~9g。或研末爲散。

4309 大崗茶

來源 紫草科植物厚殼樹 Ehretia thyrsiflora (Sieb. et Zucc.)Nakai 的心材、枝及葉。

形態 喬木。葉互生,橢圓形、狹倒卵形或狹橢圓形,邊有細鋸齒,上面疏生短伏毛。花序圓錐狀頂生或腋生,疏生短毛;花萼鐘狀,5淺裂;花冠白色,裂片 5;雄蕊 5,着生於冠筒上;花柱 2 裂。核果球形。

分佈 生於丘陵或山地林中。分佈於河南、山東及華南各省。

採製 全年可採,曬乾。

性能 枝葉:甘、微苦,平。清熱解暑,去腐生肌。心材:甘、鹹,平。破瘀生新,止痛生肌。

應用 枝葉用於腸炎腹瀉,瘡瘍。心材用於跌打損傷。用量 9~15g。

文獻 《滙編》下,827。

4310　白骨壤

來源　馬鞭草科植物海欖雌 Avicennia marina (Forsk.) Vierh. 的果實。

形態　灌木。小枝四方形。葉對生，全緣，下面灰白色，被細短毛。花小，直徑不超過 5mm，數朵集成頭狀花序；花萼 5 裂，外面有茸毛；花冠黃褐色，頂端 4 裂；雄蕊 4；子房頂端有絨毛。果近球形，稍扁壓，表面有毛。

分佈　生於海邊和鹽沼地帶。分佈於海南、福建、台灣、廣東及廣西。

採製　夏、秋季採，曬乾。

性能　消炎，解毒。

應用　用於痢疾，感冒。用量 9～15g。

文獻　《廣西藥用植物名錄》，490。

4311　裸花紫珠

來源　馬鞭草科植物裸花紫珠 Callicarpa nudiflora Hook. et Arn. 的葉。

形態　灌木至小喬木。嫩枝和花序均被粗糠狀星狀毛，枝有灰黃色皮孔。葉卵狀披針形，上面深綠色，乾後變黑色，有腺點，下面被灰褐色星狀絨毛，邊緣有鋸齒。聚傘花序 6～9 次分歧；花萼杯狀；花冠紫色，鐘狀，裂片4；雄蕊4。果熟時紫色，乾後黑色。

分佈　生於山坡、丘陵灌叢中。分佈於廣東、廣西及海南。

採製　全年可採，曬乾或鮮用。

性能　苦、辛，溫。止血，止痛，散瘀消腫。

應用　用於刀傷出血，內出血，扭傷腫痛。用量 15～30g，水煎服；外用適量研粉外敷。

文獻　《常用中草藥彩色圖譜》一，18。

4312　狹葉紅紫珠

來源　馬鞭草科植物狹葉紅紫珠 Callicarpa rubella Lindl. f. angustata Péi 的根。

形態　灌木，高 1～3m。小枝密被灰黃色星狀絨毛。葉狹披針形或倒披針形，長 8～14cm，寬 2～4cm，先端長漸尖，基部心形，邊緣具細鋸齒，上面被微柔毛，下面密被灰色星狀毛。聚傘花序 4～6 次分枝，密被星狀柔毛；苞片細小；花萼被毛；花冠紫色至粉白色，微被毛。果圓球形，徑約 2mm，成熟時紫紅色。

分佈　生於林內或灌叢中。分佈於雲南、貴州、四川、廣西、廣東。

採製　四季可採，洗淨，曬乾。

性能　理氣活血，消腫截瘧，發汗退熱。

應用　用於肺癆，風濕，淋濁，小兒驚風。用量 9～15g。

文獻　《雲南植物誌》一，411。

附註　枝葉煎水洗漆瘡。

4313　蒙古蒕

來源　馬鞭草科植物蒙古蒕 Caryopteris mongolica Bunge 的花、葉、枝。

形態　落葉小灌木,高 15～40cm。老枝灰褐色,有縱紋,幼枝常爲紫褐色,初時密被灰白色柔毛,後漸脫落。單葉對生,披針形,條狀披針形或條形。聚傘花序頂生或腋生,花鐘狀,先端 5 裂,外被短柔毛,果熟時可增至 1cm 長,宿存;花冠藍紫色,筒狀,外被短柔毛,先端 5 裂,其中1裂片較大,先端撕裂,其餘裂片先端鈍圓或微尖;雄蕊 4,二强;花柱細長,柱頭2裂。果實球形,成熟時裂爲 4 個小堅果,小堅果矩圓狀扁三稜形,邊緣具窄翅,褐色。

分佈　生於石質山坡、沙地、乾河床及溝谷等地。分佈於內蒙古、山西、陝西、甘肅。

採製　夏季採枝、葉,7～8 月採花,曬乾。

性能　祛寒,燥濕,健胃,壯身,止咳。

應用　用於消化不良,胃下垂,慢性氣管炎及浮腫。用量 9～15g。

文獻　《內蒙古植物誌》五,162。

附註　本品爲蒙醫用藥。

4314　路邊青

來源　馬鞭草科植物大青 Clerodendrum cyrtophyllum Turcz. 的全株。

形態　落葉灌木。嫩枝被柔毛。單葉對生,橢圓形,邊緣全緣,兩面無毛或沿脈被疏毛。圓錐狀聚傘花序頂生,花白色,花萼 5 淺裂,花冠 5 裂,雄蕊 4。核果卵球形,直徑 5～7mm,爲紅色宿萼包圍。

分佈　生於山野、路旁、村邊。分佈於華東、華中、華南、西南及台灣。

採製　全年可採,曬乾。

成分　葉含黃酮類。

性能　苦,寒。清熱解毒,涼血,止血。

應用　用於流行性感冒,流行性腮腺炎,急性傳染性肝炎,菌痢,酒糟鼻,尿路感染。用量 9～15g。

文獻　《大辭典》上,126。

4315 苦燈籠

來源 馬鞭草科植物鬼燈籠 Clerodendron fortunatum Linn. 的全株。

形態 灌木。幼枝密被黃褐色柔毛。葉對生，僅背脈上有毛。聚傘花序腋生；萼紫藍色，具 5 稜，有白色腺點，裂片闊卵形，結果時增大；花冠白色；雄蕊 4。核果球形，成熟時藍綠色，包藏於萼內。

分佈 生於荒地、村邊或丘陵地帶。分佈於中國南部。

採製 全年可採，鮮用或曬乾。

性能 微苦，涼。清熱解毒，消腫散結。

應用 用於感冒風熱，氣管炎，咽喉炎，胃痛，腹痛，癰瘡癧腫，風濕痹痛。用量 9～30g；外用適量。

文獻 《廣西本草選編》上，1120。

4316 四稜筋骨草

來源 馬鞭草科植物四稜筋骨草 Schnabelia oligophylla H. -M. 的全草。

形態 多年生草本，高達 1m。莖四稜，暗綠色，稜邊具明顯的膜質翅，節處較細，多分枝。單葉對生，葉片卵形或卵狀披針形，兩面有毛，下部葉多為 3 裂。花淡紫色，單生葉腋，小苞片 2 片；花萼鐘形，5 裂，裂片披針形；花冠 2 唇形；雄蕊 4 枚，伸出花冠管外；雌蕊 1 枚，子房 4 深裂，花柱 2 裂。小堅果。

分佈 生於山野蔭濕處。分佈全國各地。

採製 5 月採收，曬乾。

性能 辛、苦，溫。祛風除濕，舒筋活絡。

應用 用於風濕痹痛，四肢麻木，跌打損傷，經閉。用量 9～15g。

文獻 《大辭典》上，1355。

4317 山牡荊

來源 馬鞭草科植物山牡荊 Vitex quinata (Lour.) F.N. Williams 的根及葉。

形態 喬木。嫩枝四稜形。掌狀複葉，小葉通常 5 片，上面常有白色腺點，下面有腺點。聚傘花序對生於主軸上，組成圓錐狀；苞片條形，易脫落；花萼鐘狀，被黃色腺點和短絨毛；花冠頂端 5 裂呈二唇形；柱頭 2 淺裂；子房有腺點。果近球形。

分佈 生於溪邊或山坡。分佈於浙江、湖北、湖南、廣西、雲南、福建、廣東、海南及台灣。

採製 全年可採，曬乾。

性能 淡、平。健脾，止咳定喘，鎮靜退熱。

應用 用於小兒疳積，氣管炎，喘咳，發熱。用量 6～9g。

文獻 《廣西藥用植物名錄》，500；《大辭典》上，1277。

4318 異葉青藍

來源 唇形科植物異葉青藍 Dracocephalum heterophyllum Benth. 的地上部分。

形態 多年生草本。莖多數斜臥，高 5～20cm，密生短柔毛。葉對生，基生葉和莖下部葉有長柄，通常紫紅色；葉片寬卵形或長卵形，邊緣具圓鋸齒，上部葉柄較短。花有短柄，假輪生於莖頂端呈穗狀；苞片倒卵形，上部具齒，齒端有細芒；花萼二唇，萼齒披針形，齒端有芒；花冠二唇形，黃白色，密生白色短柔毛。種子長卵形，暗褐色。

分佈 生於高山和高原沙質河灘、礫石質山坡及高山草原等。分佈於新疆、青海、甘肅、西藏。

採製 夏季開花時割取地上部分晾乾。

成分 含黃酮類化合物、揮發油等。

性能 辛，微溫。止咳平喘，清熱解毒，平肝。

應用 慢性支氣管炎，肝炎，尿道炎，淋巴結炎，高血壓。用量 9～15g。

文獻 《新疆藥用植物誌》一，128。

4319 雞骨柴

來源 唇形科植物雞骨柴 Elsholtzia fruticosa (D. Don) Rehd. 的根。

形態 灌木，高 0.8～2m。莖被白色捲曲疏毛。葉披針形或橢圓狀披針形，長 6～13cm，兩面被毛及黃色腺點；葉柄短。輪傘花序多花，組成腋生及頂生的假穗狀花序；苞片披針形；萼鐘狀，齒 5；花冠白色至淡黃色，長約 5mm，外被白色長柔毛，2 唇形，上唇微凹，下唇 3 裂，中裂片圓形。小堅果條狀矩圓形。

分佈 生於海拔 1500～3200m 處山坡、草地、路旁。分佈於湖北、四川、西藏、雲南、貴州、廣西。

採製 秋季採挖，洗淨，曬乾。

性能 苦、澀，溫。溫經通絡，祛風除濕。

應用 用於風濕關節疼痛。用量 9～15g，泡酒。

文獻 《大辭典》上，1042；《匯編》下，839；《中國高等植物圖鑑》三，686。

附註 葉可敷腳癬，疥瘡。

4320 木香薷

來源 唇形科植物木本香薷 Elsholtzia stauntonii Benth. 的全草。

形態 半灌木，小枝被微柔毛。葉片披針形至橢圓狀披針形，長 8～12cm，兩面脈上被微柔毛，下面密佈凹腺點。輪傘花序頂生、疏散、近偏於一側排列成長 7～13cm 的假穗狀花序；苞片及小苞片披針形或線狀披針形；花萼鐘狀，長約 2mm，外被白色絨毛，萼齒 5，近相等，卵狀披針形；花冠玫瑰紫色，長約 9mm，花冠筒內有斜向毛環，上唇直立，頂端微凹，下唇 3 裂，中裂片近圓形。小堅果橢圓形，無毛。

分佈 生於河灘、溪邊、草坡及石山上。分佈於河北、河南、山西、陝西、甘肅。

採製 夏、秋採收，曬乾。

性能 辛、苦，微溫。理氣止痛，開胃。

應用 用於胃氣疼痛，氣滯疼痛，嘔吐，腸炎，風濕關節疼痛等。用量 6～9g。

文獻 《新華本草綱要》一，436。

4321　皺面草

來源　唇形科植物皺面草 Leucas zey-lanica (Li) R. Br. 的全草。

形態　草本，全株被絨毛；莖四稜形。葉對生，背面有黑色小腺點，兩面疏被糙伏毛。花多朵排成輪生，生於上部葉腋；花萼管狀鐘形；花冠白色，二唇形；雄蕊4，二長二短。小堅果4個，生於萼基部。

分佈　生於村邊、路旁、荒野等處。分佈於廣東、廣西及海南。

採製　夏、秋季採，曬乾。

性能　苦，溫。驅風解表，止咳化痰。

應用　用於感冒，咳嗽，偏頭痛，風火牙痛，腸胃不適，百日咳，支氣管炎。用量9～15g。外用治皮膚瘙癢，鮮草適量煎水外洗。

文獻　《常用中草藥彩色圖譜》二，369。

4322　興安薄荷

來源　唇形科植物興安薄荷 Mentha da-huria Fisch. ex Benth. 的全草或葉。

形態　多年生草本，高30～60cm，全株有香氣。莖稀分枝，具四稜形。單葉對生，葉片卵形或卵狀披針形，先端銳尖，基部楔形，邊緣具淺圓齒狀鋸齒。輪傘花序，通常莖頂2個輪傘花序聚集成頭狀花序；花萼管狀鐘形，萼片5，寬三角形；花冠淺紅或粉紫色，冠檐4裂，上裂片2淺裂，其餘3裂片矩圓形；雄蕊4。小堅果卵球形。

分佈　生於山地森林地帶、森林草原地帶、河灘濕地、草甸。分佈於黑龍江、吉林、內蒙古。

採製　夏、秋季割取全草，曬乾。

性能　辛，涼。疏風，散熱，辟穢，解毒。

應用　用於外感風熱，頭痛，目赤，咽喉腫痛，食滯氣脹，口瘡，牙痛，瘡疥，癮疹。用量2～6g；或入丸、散。外用適量。

文獻　《大辭典》下，5553；《內蒙古植物誌》五，217。

4323 膿瘡草

來源 唇形科植物膿瘡草 Panzeria ala-shanica Kupr. 的全草。

形態 多年生草本，高 15～35cm。莖從基部多分枝。葉片輪廓爲寬卵形，莖生葉掌狀 3～5 深裂，具長柄；苞葉較小，3 深裂。輪傘花序，具多數花，組成密集的穗狀花序；小苞片鑽形；花萼管狀鐘形，萼齒 5；花冠淡黃色或白色，二唇形，上唇盔狀，下唇 3 裂；雄蕊 4，前對稍長；花柱爲相等 2 淺裂。小堅果卵圓狀三稜形，具疣點，頂端圓。種子直立。

分佈 生於荒漠草原帶的沙地、沙礫質平原或丘陵坡地，也見於荒漠區的山麓、溝谷及乾河床。分佈於內蒙古、寧夏、陝西。

採製 夏季採割，曬乾。

性能 辛、微苦，平。調經活血，清熱利水。

應用 用於產後腹痛，月經不調，急性腎炎，子宮出血。用量 9～15g。

文獻 《內蒙古植物誌》五，208；《滙編》下，200。

4324 蛇尾草

來源 唇形科植物水珍珠菜 Pogoste-mon auricularius (L.) Hassk. 的全株。

形態 一年生草本。莖具四稜，被平展長硬毛。單葉對生，長圓形或卵狀長圓形，邊緣有鋸齒，兩面被黃色糙硬毛。輪傘花序再組成穗狀花序，頂生，長達 18cm，花淡紫色，萼長約 1mm，花冠二唇形，雄蕊 4，花絲中部被髯毛，花藥球形，1 室，孔裂。小堅果卵球形。

分佈 生於水溝邊或濕地上。分佈於華南及雲南、福建、江西、台灣。

採製 夏、秋季採，鮮用或曬乾。

性能 辛、微苦，平。清熱化濕，消腫止痛。

應用 用於感冒發熱。外用於濕疹。用量 9～15g，外用適量。

文獻 《滙編》下，839。

4325 盔狀黃芩

來源 唇形科植物盔狀黃芩 Scutellaria galericulata L. 的帶根全草。

形態 多年生草本,高 10～30cm。根莖細長,黃白色。莖直立,中部以上多分枝。單葉對生,葉片矩圓狀披針形,先端鈍或稍尖,基部淺心形,邊緣具圓鋸齒。花單生於莖中部以上葉腋內一側間;紫色、紫藍至藍色,外密被短柔毛,上唇半圓形,盔狀,內凹,下唇中裂片三角狀卵圓形,兩側裂片矩圓形,靠攏上唇;花萼鐘狀;雄蕊 4,2 強;子房 4 裂片等大。小堅果黃色,三稜狀卵圓形,具小瘤突。

分佈 生於河灘、草甸及溝谷潮濕處。分佈於內蒙古、甘肅、陝西、新疆。

採製 夏、秋季採挖,曬乾。

性能 苦,寒。止血。

應用 用於吐血,衄血。據國外資料用治瘧疾。

文獻 《內蒙古藥材資源普查選編》一,120;《內蒙古植物誌》五,179。

4326 唇香草

來源 唇形科植物風輪新塔花 Ziziphora clinopodioides Lam. 的地上部分。

形態 多年生草本,具薄荷香氣,高 15～40cm。根木質化。莖斜向或近直立,四稜,多分枝;葉對生,廣披針形或長卵形,全緣,具油點。輪傘花序頂生,密集成頭狀;苞片葉狀;花萼筒狀,被短柔毛,花冠二唇形,紫紅色;雄蕊4個,僅前對發育,伸出冠外;雌蕊柱頭二裂。小堅果卵圓形。

分佈 生於低山坡草地和礫石質乾旱坡地上。分佈於新疆天山北坡一帶。

採製 6～7 月割取地上部分,陰乾。

成分 含揮發油。油中主要爲胡薄荷酮(pulegone)、薄荷醇(menthol)、異薄荷酮(isomenthone)及檸檬烯(limonene)等,另含有生物鹼及黃酮類。

性能 辛、涼,微甘。消炎解毒,安神除濕。

應用 用於感冒,心悸失眠;外洗瘡毒。用量 3～9g。

文獻 《新疆藥植誌》一,140。

4327　鴛鴦茉莉

來源　茄科植物鴛鴦茉莉 Bruns-
felsia acuminata (Pohl) Benth. 的
葉。

形態　灌木。葉互生，矩圓形或橢
圓狀矩圓形。花單生或數朵排成聚
傘花序；花紫色或白色；花萼管
狀；花冠高腳碟狀，5 裂；雄蕊
4，兩兩成對，着生於冠管上，內
藏；子房 2 室。果爲蒴果或漿果
狀。

分佈　中國南方各省區有栽培。
採製　夏季採收，曬乾。
性能　甘，平。清熱消腫。
應用　用於水腫。用量 9～15g。
文獻　《廣東藥用植物手冊》，
579。

4328　蒙古蕊巴

來源　玄參科植物蒙古蕊巴 Cym-
baria monglica Maxim. 的帶根全
草。

形態　多年生草本，高 5～8cm，
全株密被毛。根莖垂直向下，上有
許多交互對生的鱗片，外面常片狀
剝落。莖數條叢生，基部被褐色鱗
片。單葉對生，短圓狀披針形至條
狀披針形。花少，每莖 1～4 朵，
生於葉腋，萼齒 5；花冠黃色，2
唇形，上唇 2 裂，下唇 3 裂；子房
卵形，花柱細長，於上唇下端彎曲
前方。蒴果革質，長卵形；種子扁
平，有密網眼。

分佈　生於沙質、沙礫質荒漠草
原、乾草原。分佈於內蒙古、河
北、山西、陝西、甘肅、青海。
採製　秋季採收，曬乾。
性能　微苦，涼。祛風濕，利尿，
止血。
應用　用於風濕性關節炎，月經過
多，吐血，衄血，便血，外傷出
血，腎炎水腫，黃水瘡。用量 2～
3g。外用適量。
文獻　《內蒙古中草藥》，374。

4329　五角苓

來源　玄參科植物圓葉母草 Lin-
dernia　　numularifolia　　(D.Don)
Wettst. 的全草。

形態　草本，高 5～15cm。莖四方
形。葉片圓形或卵圓形，長 5～
20mm，邊緣具圓齒。傘形花序頂
生或腋生，僅頂生者有總花梗，無
梗者早結實；萼 5 裂，被毛；花冠
紫色，少有藍色或白色，長約
7mm，2 唇形，上唇直立，卵形，
下唇開展，3 裂；雄蕊 4，2 強，
全育，花絲附屬物齒狀。蒴果長橢
圓形，漸尖，長 0.7～1cm。

分佈　生於溝邊及濕潤路旁草地。
分佈於西南、華中、浙江及甘肅、
陝西。
採製　夏、秋季採，鮮用或曬乾。
性能　辛，溫。解毒生肌，消炎止
痢。
應用　用於瘋狗咬傷，小兒腸炎，
耳鳴。用量 6～15g。
文獻　《萬縣中草藥》，1141；《四
川省宜賓中草藥植物名錄》，320。

4330　毛返顧馬先蒿

來源　玄參科植物毛返顧馬先蒿 Pedicularis resupinata L. var. pubescens Nakai 的全草。

形態　多年生草本，乾後不變黑色。鬚根多數，細長。莖高 30～70cm，粗壯，中空，帶深紫色，密被白柔毛。莖生葉互生，披針形，邊緣具鈍圓的羽狀缺刻狀的重齒，兩面密被白色柔毛。花冠淡紫紅色，花管部向右扭曲而使盔與下唇反向，指向側方。

分佈　生於山地闊葉林下、林緣草甸及河、湖岸草甸。分佈於內蒙古東部；朝鮮、日本也有。

採製　夏季割取地上全草，曬乾。

性能　清熱，解毒。

應用　治急性胃腸炎。用量 15～30g。

文獻　《內蒙古中蒙藥誌》。

附註　蒙藥名"浩尼－額布日－其其格"。

4331　穗花馬先蒿

來源　玄參科植物穗花馬先蒿 Pedicularis spicata Pall. 的全草。

形態　一年生草本，乾時不變黑色或微變黑色。根木質化，多分枝。莖有時單一，有時從基部抽出多條，中空，被白色柔毛。莖生葉常 4 枚輪生，柄短，葉片矩圓狀披針形，長約 7cm，寬約 1.5cm，上面疏被短白毛，下面脈上有較長柔毛，先端尖，邊緣羽狀淺裂至深裂，小裂片多帶三角形。穗狀花序頂生，花萼不膨大，鐘形；花冠紫紅色，下唇長於盔約 2 倍。蒴果狹卵形，長約 0.6cm。

分佈　生於林緣草甸、河灘草甸。分佈於東北、華北、陝西、甘肅。

採製　秋季挖採，陰乾。

性能　甘、微苦，溫。助陽，生津，安神。

應用　用於病久體虛，氣血虛損，虛勞多汗。用量 10～15g，水煎服。

文獻　《大辭典》下，5615。

4332　野甘草

來源　玄參科植物野甘草 Scoparia dulcis Linn. 的全株。

形態　亞灌木，枝具縱稜。葉對生及輪生，邊緣中部以上有鋸齒。花白色，單朵或成對生於葉腋，萼卵狀長圓形；花冠輪狀，4 裂；雄蕊 4，花藥箭形。蒴果卵形至球形。

分佈　生於荒地、村邊、路旁等處。分佈於中國南部各省區。

採製　夏、秋季採，曬乾。

性能　甘，涼。清熱利濕，疏風止癢。

應用　用於感冒發熱，肺熱咳嗽，腸炎，細菌性痢疾，小便不利；外用治痱子，皮膚濕疹。用量 15～30g；外用適量，鮮品搗爛取汁外塗。

文獻　《滙編》下，219。

4333　白婆婆納

來源　玄參科植物白婆婆納 Veronica incana L. 的帶根全草。

形態　多年生草本，高 10～40cm，全株密被白色氈狀綿毛呈灰白色。根狀莖細長，斜走，具鬚根。莖單一或自基部抽出數條叢生，上部不分枝。單葉對生，上部互生；下部葉較密集，葉片橢圓形。總狀花序；苞片條狀披針形，花萼 4 深裂；裂片披針形，花冠藍色，少白色，4 裂，喉部有毛，後方一枚較大，卵圓形，其餘 3 枚較小，卵形；雄蕊 2，伸出花冠；花柱細長，柱頭頭狀。蒴果卵球形，頂端凹。種子卵圓形，扁平，棕褐色。

分佈　生於草原帶的山地、固定沙地。分佈於東北、華北。

採製　秋季採收，曬乾。

性能　苦，涼。消腫止血。

應用　用於癰癤紅腫。外用適量。

文獻　《滙編》下，833；《內蒙古植物誌》五，263。

4334　滇川角蒿

來源　紫葳科植物滇川角蒿 Incarvillea mairei (Lévl.) Grierson 的根。

形態　無莖草本，根狀莖肉質，芽的苞片長達 2cm，通常宿存。葉基生，羽狀；側生小葉 0～7 對，邊緣有鋸齒或圓齒；頂生小葉大。花 1 至數朵；花莛高 3～25cm，單一或分枝；萼鐘狀，基部有少量黑點，齒三角形；花冠紫紅色，花冠筒裹面黃色、白色或灰色，裂片圓形或扁圓形，頂圓或凹入，被腺體；雄蕊 4，退化雄蕊短而彎。蒴果多少木質，有黑斑，長 5～9cm，直立或新月形。

分佈　生於山坡或草叢中。分佈於四川、雲南。

採製　7～9 月挖取，洗淨，曬乾。

性能　甘、淡，溫。滋補。

應用　用於久病體虛，貧血。用量 3～9g。

文獻　《涼山州中草藥普查名錄》，156。

4335 肉蓯蓉

來源 列當科植物蓯蓉 Cistanche deserticola Y.C. Ma 的肉質莖。

形態 多年生寄生草本，高可達 1m。莖肉質肥厚，圓柱形，黃色，不分枝，被多數肉質鱗片狀葉。葉黃色至褐色，呈披針形或線狀披針形，先端漸尖。大苞片線狀披針形，近於光滑，小苞片披針形或線狀披針形，稍長於花萼；花萼鐘形，5 淺裂，光滑無毛，裂片邊緣有細圓齒；花冠管狀鐘形，5 淺裂；子房上位，花柱細尖。蒴果橢圓形，2 裂。種子多數。

分佈 生於湖邊、沙地、瑣瑣林中，寄生在瑣瑣的根上。分佈於內蒙古。

採製 多於春季苗剛出土時採挖，除去花序，曬乾。

性能 甘、鹹，溫。補腎陽，益精血，潤腸通便。

應用 用於陽痿，不孕，腰膝酸軟，筋骨無力，腸燥便秘。用量 6～9g。

文獻 《藥典》(1985 年版)，106；《大辭典》上，1792。

4336 山白菜

來源 苦苣苔科植物半蒴苣苔 Hemiboea henryi Clarke 的全草。

形態 草本，高 20～60cm。莖不分枝。葉菱狀卵形、菱狀橢圓形或長橢圓形，長 5～17cm，有時上面生疏短柔毛，鐘乳體狹條形；柄有翅，基部合生成船形。花序腋生，具梗；苞片圓卵形，寬約 1.8cm；花密集；花萼長約 1.4cm，5 深裂至距基部約 2mm 處，裂片披針狀條形；花冠白色或帶粉紅色，長約 4cm，二唇形，上唇 2 淺裂，下唇 3 淺裂；能育雄蕊 2，分生，退化雄蕊 3，小；子房近條形，比花柱短。蒴果長約 2cm，近鐮刀形。

分佈 生於山地林下或溝邊。分佈於四川、貴州、湖北、湖南、廣西、江西、福建、浙江、江蘇、陝西、甘肅。

採製 秋後採集，曬乾。

性能 微苦、澀，涼。有毒。清熱利濕。

應用 用於濕熱黃疸。用量 15g，拌紅糖。

文獻 《滙編》下，834。

4337 水蓑衣

來源 爵床科植物水蓑衣 Hygrophila salicifolia (Vahl) Nees 的全草。

形態 草本，莖稍四稜形，下部的節常生不定根。葉對生，近無柄，兩面均有針狀結晶的小線條。花無柄，常二至多朵聚生於葉腋；花萼管狀，5 裂，被粗毛；花冠二唇形；雄蕊 4，兩兩成對。蒴果二瓣開裂；種子被白毛。

分佈 生於山谷、溪邊、水溝等潮濕處。分佈於中國南部各省區。

採製 全年可採，曬乾或鮮用。

性能 甘、微苦，涼。清熱解毒，化瘀止痛。

應用 用於咽喉炎，乳腺炎，吐血，衄血，百日咳；外用治骨折，跌打損傷，毒蛇咬傷。用量 15～30g；外用適量，鮮品搗爛敷患處。

文獻 《滙編》下，138。

4338 鹽生車前

來源 車前科植物鹽生車前 Plantago maritima L. var. salsa (Pall.) Pilger 的種子。

形態 多年生草本，高5～30cm。根粗壯，深入地下，灰褐色或黑棕色，根頸處通常有分枝，並有殘餘葉片和葉鞘。葉基生，多數，葉片條形或狹條形，先端漸尖，基部具寬三角形葉鞘，全緣，無葉柄。花葶少數；穗狀花序圓柱形，有花多數，上部較密，下部較疏；苞片卵形或三角形；花小，兩性，着生於苞片腋部；花萼裂片4，橢圓形，邊緣膜質，有睫毛，龍骨狀凸起較寬；花冠裂片4，卵形或矩圓形，中央及基部呈黃褐色，邊緣膜質，白色；雄蕊4；子房上位。蒴果圓錐形。種子2，黑棕色。

分佈 生於鹽化草甸、鹽湖邊緣及鹽化、鹼化濕地。分佈於內蒙古、河北、陝西、新疆。

採製 秋季採收，曬乾，除去雜質。

性能 清熱解毒，止咳化痰，明目止瀉。用量9～15g。

文獻 《新疆中藥資源名錄》，101；《內蒙古植物誌》五，323。

4339 咖啡

來源 茜草科植物咖啡 Coffea arabica Linn. 的果。

形態 灌木或小喬木，高4～7m。枝對生，稀3枝輪生。葉矩圓形或披針形，長6～14cm，邊緣波狀或淺波狀；托葉寬三角形。聚傘花序數個簇生於葉腋；苞片基部合生；花芳香；萼檐截平或5淺裂；花冠白色，長度因品種而異，裂片4～6，長於花冠筒；花藥伸出；柱頭2裂。漿果橢圓形，長12～16mm。

分佈 華南、西南有引種栽培。

採製 夏季採，曬乾或焙至棕黃色後磨碎。

性能 芳香、苦、澀，平。有助消化，興奮，利尿。

應用 用於頭痛目昏，多睡好眠，食積油膩，小便不通。用量3g。

文獻 《廣西中藥誌》一，286。

4340 中果咖啡（咖啡）

來源 茜草科植物中果咖啡 Coffea canephora pierre ex Froehn. 的種子。

形態 灌木或小喬木，高4～8m。側枝長，下垂。葉對生，紙質，寬橢圓形或披針形，長15～30cm，先端急尖，邊緣波狀；托葉三角形。聚傘花序1～3個簇生於葉腋；苞片基部合生，有2枚寬三角形，長和寬近相等，另2枚披針形，長為寬的3倍，葉狀，花後增大；萼檐截平或有微小齒狀；花冠白色或微紅，裂片比筒短。漿果近球形，直徑10～12mm。

分佈 原產非洲。中國廣東、海南、雲南有引種栽培。

採製 夏、秋季果熟時採，取種子炒後碾碎。

成分 含咖啡因。

性能 苦，溫。興奮，利尿。

應用 作飲料，用於興奮，利尿。

文獻 《廣西植物名錄》二，577。

附注 本植物種子和小果咖啡 C. arabica 同樣用途。

4341 黃花龍船花

來源 茜草科植物黃花龍船花 Ixora coccinea Linn. var. lutea Correr 的全株。

形態 灌木，葉對生；托葉長6～8mm。傘房花序式頂生；萼管卵形，萼檐裂片齒狀；花冠高腳碟狀，黃色；雄蕊與花冠裂片同數，着生於花冠筒喉部。漿果近球形。

分佈 廣東有引種栽培。

採製 全年可採，曬乾。

性能 甘，涼。清熱涼血，消腫止痛，續筋接骨。

應用 用於咯血，胃痛，瘡瘍，跌打，風濕，月經不調，閉經，高血壓。用量9～15g。

文獻 《廣東藥用植物手冊》，512。

4342 天星木

來源 茜草科植物六月雪 Serissa foetida Comm. 的全株。

形態 小灌木，多分枝，嫩枝被微毛。葉對生或叢生於短枝上，細小，倒卵形、橢圓形或倒披針形，下面有灰白色柔毛。花白色，無柄；萼5裂；花冠漏斗狀，裂片5；雄蕊5，着生於管口；花柱白色，子房下位，2室。核果小，球形。

分佈 多生於林緣、灌叢、路旁、草坡、溪邊。分佈於長江下游，南至廣東、廣西。

採製 全年可採，鮮用或曬乾。

成分 根含皂甙約 0.2%。

性能 淡、微辛，涼。疏風解表，清熱利濕，舒筋活絡。

應用 用於感冒，咳嗽，牙痛，急性扁桃體炎，咽喉炎，急、慢性肝炎，腸炎，痢疾，小兒疳積，高血壓頭痛，偏頭痛，風濕性關節炎，白帶；莖燒灰點眼治目翳。用量 25～50g。

文獻 《滙編》上，138。

4343　大葉鈎藤（鈎藤）

來源　茜草科植物大葉鈎藤 Uncaria macrophylla Wall. 的帶鈎莖枝。

形態　木質攀援灌木，常以鈎狀的花序柄攀於其他植物上。嫩枝近四稜形，被短疏毛。單葉對生，革質，闊橢圓形，邊緣全緣，上面無毛或沿中脈被短毛，下面被疏毛，托葉 2 深裂，裂片長圓狀披針形，兩面被毛。頭狀花序球形，腋生和頂生，直徑（不連花柱）4～4.5cm，總花梗長 3.5～6.5cm，花淺紅色或白色，5 數。蒴果紡錘形，被毛。種子有翅。

分佈　生於山地疏林中或林緣。分佈於華南及雲南。

採製　秋、冬季採，去葉，切段曬乾。

成分　含鈎藤碱（rhynchophylline）等。

性能　甘，涼。清熱平肝，熄風定驚。

應用　用於頭痛眩暈，感冒夾驚，驚癎抽搐，妊娠子癎，高血壓症。用量 3～12g。

文獻　《藥典》（1985年版）220；《中草藥通訊》（1978：8）17。

4344　柳葉忍冬

來源　忍冬科植物柳葉忍冬 Lonicera lanceolata Wall. 的花。

形態　灌木，高達 4m。幼枝具微腺毛。葉卵形至卵狀披針形，長 3～8cm，通常兩面具微腺毛。花腋生，總花梗長約 1cm，相鄰兩花的小苞片合生，長為花冠筒之半或稍短；萼齒三角形；花冠淡紫色，長約 12mm，唇形，花冠筒約為唇瓣的½，基部具囊，內具柔毛，唇瓣反轉，露出雄蕊和花柱。漿果黑色，徑 6～7mm，種子顆粒狀，粗糙。

分佈　生於林下。分佈於西藏、雲南、四川。

採製　夏初日出前採花蕾，曬乾或微火烘乾。

性能　甘，寒。清熱解毒。

應用　用於流行性感冒，上呼吸道感染，各種炎症，癰癤膿腫，用量 9～60g。

文獻　《滙編》上，576。

4345　土銀花

來源　忍冬科植物盤葉忍冬 Lonicera tragophylla Hemsl. 的花。

形態　藤本，葉具短柄，矩圓形或橢圓形，長 5～12cm，先端銳尖至鈍，基部楔形，下面粉綠色，有毛，花序下的一對葉片基部合生成盤狀。3 花的聚傘花序集合成頭狀，生分枝頂端，共有花 9～18 朵；萼小；花冠黃色至橙黃色，上部外面略帶紅色，長 7～8cm，筒部 2～3 倍於裂片，裂片唇形，上唇直立而略反轉；雄蕊 5，伸出花冠之外；花柱等長至稍長於雄蕊。漿果紅色，近球形，徑約 1cm。

分佈　生於林下或灌叢中。分佈於四川、山西、陝西、甘肅、湖北、安徽、浙江。

採製　5～6 月採收花蕾，當天曬乾，陰天可晾乾或微火烘乾，注意不宜翻動及沾水。

性能　甘，寒。清熱解毒。

應用　用於流行性感冒，上呼吸道感染，扁桃體炎，急性乳腺炎，急性結膜炎，大葉肺炎，肺膿瘍，細菌性痢疾，癰癤膿腫，丹毒。用量 9～60g。

文獻　《滙編》上，576。

4346　波葉忍冬

來源　忍冬科植物波葉忍冬 Lonicera vesicaria Kom. 的花。

形態　落葉灌木，高 2m 餘。幼枝常具刺剛毛，老枝莖皮成條狀剝落。葉卵形至矩圓狀披針形，質地較厚，長 5～10cm，寬 2～5cm，邊緣具睫毛，通常兩面疏生剛伏毛。花成對腋生；苞片卵形；花冠二唇形，黃色，長 1.5～2.5cm。漿果球形，熟時暗褐色。

分佈　生於山地陽坡。分佈於東北長白山區。

採製　花期採收，陰乾。

性能　甘，寒。清熱解毒。

應用　用於上呼吸道感染，流行性感冒，扁桃體炎，細菌性痢疾，癰瘡腫毒等症。用量 12～30g。

附註　調查資料。

4347　寬葉接骨木

來源　忍冬科植物寬葉接骨木 Sambucus latipinna Nakai 的莖枝。

形態　落葉灌木，高 2～3m。樹皮淡褐色；小枝具細縱條紋，老枝黃褐色或紫褐色，有凸起的皮孔，髓褐色；冬芽卵形，褐色。單數羽狀複葉，對生，小葉 3～5 枚，葉片橢圓狀卵形或橢圓形，先端突漸尖或長漸尖，基部偏斜楔形或寬楔形，稀圓形，邊緣具鋸齒；總葉柄略被毛。花由聚傘花序組成的頂生圓錐花序，開展；花萼 5 裂，裂片小；花冠輻狀，黃綠色，裂片 5；雄蕊 5，花藥黃色，花絲短；子房下位，花柱短，紫色。果爲漿果狀核果，橙紅色。有 3～5 單種子的小核；種子有皺紋。

分佈　生於河岸、草甸及雜木林中。分佈於東北、內蒙古。

採製　全年可採，鮮用或曬乾。

性能　活血。

應用　用於跌打損傷。用量 9～15g。

文獻　《內蒙古藥材資源普查選編》一，122，235；《內蒙古植物誌》五，353。

4348　木繡球莖

來源　忍冬科植物木繡球 Viburnum macrocephalum Forture 的莖。

形態　灌木或小喬木，高約 4m。幼枝被星狀毛。葉對生，卵形至卵狀長橢圓形，長 5～8cm，寬 2.5～4cm，先端鈍，基部圓，邊緣有細齒，上面疏生星狀毛，下面及葉柄密生星狀柔毛。聚傘花序呈球狀，直徑 10～15cm，全部爲不孕花；花冠白色或綠白色。

分佈　江蘇、浙江、湖南、湖北、四川、河南、福建等地有栽培。

採製　夏季採收，切斷曬乾。

性能　祛風濕，殺蟲，止癢。

應用　用於風濕疥癬，濕爛癢痛。外用適量。煎水熏洗。

文獻　《大辭典》上，0745；《中國高等植物圖鑒》四，312。

4349　巖敗醬

來源　敗醬科植物巖敗醬 Patrinia rupestris Juss. 的全草。

形態　多年生草本，高 30～60cm。根莖粗壯，分歧，稍斜生或垂直，有濃烈的臭醬氣味。莖直立，常數個叢生，圓柱形，帶紫色，密被糙毛，下部稍彎曲。基生葉叢生，具明顯的葉柄，花期枯萎；莖生葉對生，具短柄或無柄，葉片羽狀深裂至全裂，裂片披針形至線狀披針形，全緣或再成齒牙狀缺刻，無毛。複傘房花序，頂生；小苞腺形，對生；花小，兩性；花萼小，開花時不顯著，有時在果期裂片呈羽毛狀；花冠黃色，漏斗狀，基部成短細筒，裂片 5；雄蕊 4；子房下位。瘦果小，具翅狀苞。

分佈　生於乾燥山坡、山溝、丘陵。分佈於華北。

採製　夏、秋季採收，曬乾。

成分　全草和根含揮發油。

性能　苦，寒。清熱解毒，活血排膿。

應用　用於腸炎，痢疾，闌尾炎，肝炎。用量 6～15g。

文獻　《大辭典》上，2785；《滙編》下，813。

4350 白花刺參

來源 川續斷科植物白花刺參 Morina alba H. -M. 的根。

形態 草本，高 20～70cm。主根粗長，黑褐色。不育葉成叢，條形或窄披針形，長 5～18cm，全緣，有刺毛。花枝從葉叢旁抽出，具 3～4 對葉，每對葉基部合生抱莖。聚傘花序頭狀，頂生及近頂腋生，苞片小苞片卵形，邊緣及背脈有長硬刺；花萼筒狀，斜裂，上唇長，3 齒裂，下唇 2 齒，齒端有細刺；花冠白色，筒細而彎，長 2～3cm，5 淺裂；雄蕊 4；子房下位。瘦果包於宿存萼內。

分佈 生於山谷草坡、林下或溝邊石堆中。分佈於甘肅、四川、雲南。

性能 甘、微苦，溫。補氣血。

應用 用於貧血，肺虛咳嗽，消化不良，白帶過多。用量 15～30g。

文獻 《川生科枝》四，58。

4351 叉指葉栝樓

來源 葫蘆科植物叉指葉栝樓 Trichosanthes pedata Merr. et Chun 的塊根。

形態 草質藤本。莖無毛，捲鬚常分 2 叉。葉為鳥足狀，3～5 小葉；中間小葉卵狀披針形，兩側小葉近半菱形或不等側狹卵形，兩面有顆粒狀小凸點。雌雄異株；雄花生於總狀花序上；苞片倒卵形或菱狀卵形，前半部撕裂或有銳齒；萼管長 2～4cm，裂片矩圓形；花冠裂片流蘇狀；雄蕊 3。果實球形，直徑約 5cm，平滑；種子卵形或倒卵形。

分佈 生於山谷疏林中。分佈於廣東、海南、廣西和雲南。

採製 秋季採挖，切段曬乾。

性能 清熱解毒。

應用 用於咽喉腫痛，瘡癤。用量 5～9g。

文獻 《廣西藥用植物名錄》，149。

4352　柳葉沙參

來源　桔梗科植物柳葉沙參 Adeno-phora gmelinii (Spreng.) Fisch. var. co-ronopifolia (Fisch.) Y.Z. Zhao 的根。

形態　多年生草本，高 30～60cm。根肥壯，肉質，圓錐形，下部偶有分枝，有皺紋。莖常單一或自基部抽出數條。單葉，互生，葉片多爲條形至狹披針形，邊緣具長而略向內彎的銳尖齒。花序總狀或單生，通常 2～8朵，下垂；花萼鐘狀，裂片 5，多爲披針形或三角狀披針形；花冠藍紫色，寬鐘狀；雄蕊5，花絲密被白色柔毛；花盤短筒狀；雌蕊 1，花柱內藏，短於花冠。蒴果橢圓形。種子多數，橢圓形，黃褐色，有一條翅狀稜。

分佈　生於林緣、山地草原及草甸草原。分佈於東北、華北、甘肅。

採製　秋季採挖，洗淨，曬乾。

性能　養陰清肺，祛痰止咳。

應用　用於急、慢性氣管炎，咳嗽。用量9～15g。

文獻　《內蒙古藥材資源普查選編》一，60；《內蒙古植物誌》五，397。

4353　紫沙參

來源　桔梗科植物紫沙參 Adenophora paniculata Nannf. 的根。

形態　多年生草本，高 60～120cm。主根粗壯，長圓錐形，黃褐色，略粗糙，具橫紋，頂端有蘆頭。莖單一，不分枝。基生葉心形；莖生葉互生，條形或披針狀條形。圓錐花序頂生，多分枝；花梗纖細，常彎曲；花萼鐘狀，裂片5，絲狀鑽形或近絲形；花冠口部收縊，筒狀壇形，藍紫色、淡藍紫色或白色，5 淺裂；雄蕊 5，略露出花冠；花盤圓筒狀，花杜伸出花冠外。蒴果卵形至卵狀矩圓形。種子橢圓形。

分佈　生於山地林緣、灌叢、溝谷草甸。分佈於東北、華北、山東、河南、陝西。

採製　秋季採挖，刮去粗皮，曬乾。

性能　甘，涼。清熱養陰，潤肺止咳。

應用　用於氣管炎，百日咳，肺熱咳嗽，咯痰黃稠。用量 6～12g。不宜與藜蘆同用。

文獻　《滙編》上，398；《中藥誌》一，319。

4354 葉下花

來源 菊科植物葉下花 Ainsliaea pertyoides Fr. var. albo-tomentosa Beauv. 的全草。

形態 草本，高約 60cm。根莖粗短，多鬚根。莖帶木質，被毛。葉互生，卵圓形或長卵形，長 3～6cm，全緣，基部淺心形，下面密被白絨毛，兩面沿脈及邊緣具棕色毛。頭狀花序單個腋生或排成總狀；總苞矩圓形；總苞片數層，外層先端常有毛；花 3 個，白色，長約 2cm；花軸自葉腋扭向葉背，瘦果被絹毛，冠毛羽狀，污白色。

分佈 生於疏林下。分佈於四川、雲南。

採製 全年可採，洗淨切段，曬乾。

成分 含揮發油。

性能 苦、澀，溫。有小毒。行氣活血，除濕止痛，接筋骨。

應用 用於風濕關節痛，跌打損傷，骨折，閉經，過敏性皮炎。用量 6～15g。

文獻 《大辭典》上，1331；《雲南中草藥》。

4355 灰蓮蒿

來源 菊科植物灰蓮蒿 Artemisia Sacrorum Ledeb. var. incana (Bess.) Y.R. Line 的全草。

形態 多年生草本，半灌木狀，高 30～70cm。莖直立，基部木質化，具縱條稜，被白色氈毛。莖下部葉在花期枯萎；莖中部葉有柄，葉卵形或矩圓狀，二回羽狀全裂，小裂片條形；葉兩面密被灰白色綿毛。頭狀花序球形。下垂。邊緣花雌性。瘦果卵狀矩圓形。

分佈 生於乾燥山坡、林緣草地。分佈於內蒙古錫林郭勒盟、大青山、大興安嶺、黑龍江。

採製 夏季採收，曬乾。

性能 清利濕熱，利尿，殺蟲。

應用 治肝膽濕熱，下焦濕熱。用量 9～15g。

附註 蒙藥名"普日納克"。調查資料。

4356 柳蒿

來源 菊科植物柳蒿 Artemisia integrifolia L. 的全草。

形態 多年生草本，高 30～70cm。根狀莖細長，橫走。莖直立，單一，稍具條稜，常帶紅紫色。基生葉花期枯萎，下部葉及中部葉矩圓形、披針形或條狀披針形，上部葉較小。頭狀花序鐘形，多數在莖頂排列成密集而狹窄的圓錐狀；總苞片 3～4 層，邊緣寬膜質；邊緣小花雌性，約 14 枚；花冠狹管狀，中央小花兩性，27～30 枚，花冠鐘形。瘦果矩圓形，黃褐色。

分佈 生於草甸、林緣、路旁、村落附近。分佈於東北和北部地區。

採製 秋季採收，曬乾。

性能 苦，寒。清熱解毒。

應用 用於癰疽瘡腫。用量 3～15g。

文獻 《滙編》下，815；《內蒙古植物誌》六，129。

4357 白山蒿

來源 菊科植物白山蒿 Artemisia lagocephala (Fisch. ex Bess.) DC. 的全草。

形態 半灌木，高 30～60cm。根粗壯，扭曲狀。莖直立。基部木質，下部多分枝，密被絹狀柔毛。葉質厚，倒三角狀楔形，先端三淺裂，長 2.5～6cm，寬 0.6～1.8cm，下面密被灰白色絹毛。頭狀花序扁球形；總苞片 3 層，密被白色蛛絲狀毛；花二性；瘦果矩圓形。

分佈 生於山地針葉林帶和相近的森林草原帶中，石質山丘及巖石裸露處，形成小羣落。分佈於東北、內蒙古東部。

採製 夏季割取地上部分，曬乾。

性能 清熱利濕，止血殺蟲。

應用 治肝膽濕熱，便血，瘡瘍。用量 9～15g。

文獻 《大興安嶺藥用植物》，459。

附註 蒙藥名"旱巴"。

4358 高山紫菀

來源 菊科植物高山紫菀 Aster alpinus L. 的帶根全草。

形態 多年生草本，高 10～35cm，具叢生的莖和蓮座狀葉叢。莖直立，單一，不分枝，具縱條，被疏或密的毛。基生葉匙狀矩圓形或條狀矩圓形；中部葉及上部葉漸變狹小。頭狀花序單生於莖頂；總苞半球形，總苞片 2～3 層，披針形或條形；舌狀花紫色、藍色或淡紅色；管狀花黃色，上端有 5 相等的裂片。瘦果倒卵形，稍扁平，具邊肋，密被絹毛；冠毛糙毛狀，白色。

分佈 生於山坡、山地草原、路旁。分佈於中國北部和中部。

採製 初秋採挖，曬乾。

性能 潤肺止咳，化痰平喘。用量 9～15g。

文獻 《新疆中藥資源名錄》，107；《內蒙古植物誌》六，22。

附註 本種廣佈歐、亞及北美洲，植物體多變異，曾被分為一些變種或亞種。作者同意採用廣義種，不再細分。

4359 圓苞紫菀

來源 菊科植物圓苞紫菀 Aster maackii Regel 的花。

形態 多年生草本，植株高 40～80cm，莖直立，單一，紫紅色，具條稜，疏被短硬毛。葉長橢圓狀披針形，邊緣具淺鋸齒，有離基三出脈。頭狀花序較大，總苞矩圓形，3 層，紫堇色；舌狀花紫紅色。瘦果長 0.2cm。

分佈 生於草坡。分佈於東北、內蒙古東部。

採製 秋季採摘，陰乾。

性能 清熱解毒，止咳祛痰。

應用 用於風熱感冒，咽喉腫痛，肺熱咳嗽。用量 5～15g。

文獻 《內蒙古中蒙藥誌》。

附註 蒙藥名"敖純－其其格"。

4360　金盞銀盤

來源　菊科植物金盞銀盤 Bidens biter-nata (Lour.) Merr. et Sherff. 的全草。

形態　草本，高 30～90cm。葉一至二回羽狀分裂，小裂片卵形至卵狀披針形，先端短漸尖或急尖，邊緣有鋸齒或有時半羽裂，兩面疏被毛；有葉柄。頭狀花序徑約 5～8mm，具長梗；總苞片基部有柔毛，2 層，外層條形；舌狀花3 或無，不育，舌片白色；筒狀花黃色，多數。瘦果條形，4 稜，被糙伏毛；先端具 3～4 芒狀冠毛。

分佈　生於林下、溝邊。分佈於中國南部。

採製　夏、秋季採收，曬乾。

性能　苦，微寒。疏表清熱，解毒，散瘀。

應用　用於流感，乙腦，咽喉腫痛，腸炎，痢疾，黃疸，腸癰，小兒驚風，疳積，瘡瘍疥痔。用量 9～30g；外用適量。

文獻　《大辭典》上，2919。

4361　大風艾

來源　菊科植物冰片艾 Blumea balsami-fera (Linn.) DC. 的根、嫩枝及葉。

形態　亞灌木，枝及葉密被黃白色絨毛。單葉互生，基部常橫展羽狀全裂，上面被短柔毛，下面密被灰白色絨毛。由多個頭狀花序排列成傘房狀；總苞片披針形，數輪；花黃色；雄蕊 5，伸出管外；柱頭 2 裂。瘦果有 10 稜，被絨毛，頂端有淡白色冠毛 1 輪。

分佈　生於園邊、路旁或山坡。分佈於廣西、廣東、貴州及雲南。

採製　夏、秋季採，陰乾。

成分　莖、葉含揮發油，油的主要成分爲左旋龍腦（ℓ-borneol），並含少量的桉油精（cineole）、左旋樟腦、倍半萜醇等。

性能　辛、微苦，微溫。祛風消腫，活血散瘀。

應用　用於感冒，風濕性關節炎，產後風痛，痛經；外用治跌打損傷，瘡癤癰腫，濕疹，皮炎。用量 25～50g；外用適量。

文獻　《滙編》上，49。

4362　蓮座薊

來源　菊科植物蓮座薊 Cirsium esculentum (Sievers) C.A. Mey. 的全草。

形態　多年生草本，根狀莖短，粗壯，具多數褐色鬚根。無莖或具短莖。基生葉長圓狀倒披針形，呈蓮座狀，具羽狀缺刻，裂片鈍頭，邊緣有黃色開展的長刺及短刺。頭狀花序數個密集於蓮座狀的莖叢中；總苞片 6 層；花直徑 3～4cm，管狀花紅紫色或紫色，檐形，5 深裂。瘦果長圓形，羽狀冠毛，白色下部帶淡褐色，與花冠略等長。

分佈　生於濕草地、湖邊濕地、沼澤性草甸。分佈於東北、內蒙古、新疆。

採製　夏、秋季花盛開時或初果期採收，陰乾。

成分　含黃酮類。

性能　甘、涼。散瘀消腫，排膿托毒，止血。

應用　用於肺膿腫，瘡癰腫毒，皮膚病，肝熱，各種出血。用量 3～9g；外用適量。

文獻　《大辭典》下，3697；《滙編》下，817。

4363　葵花大薊

來源　菊科植物聚頭薊 Cirsium souliei (Franch.) Mattf. 的全草。

形態　草本。根狀莖粗，無莖。葉狹披針形或長橢圓狀披針形，長 15～30 cm，羽狀淺裂或深裂，裂片長卵形，基部雜有小裂片，先端和邊緣具小刺，兩面被白色疏長柔毛。頭狀花序數個集生於蓮座狀葉叢中；總苞片披針形，長 2～3cm，先端長刺尖，邊緣自中部或自基部起有小刺，最內層的先端軟。花冠紫紅色，長 23mm，下部狹筒狀，先端 5 齒。瘦果長橢圓形；冠毛羽狀，與花冠近等長。

分佈　生於山坡、草地。分佈於甘肅、青海、四川、西藏。

採製　夏季採挖，曬乾。

性能　甘、苦，涼。涼血，散瘀消腫。

應用　用於吐血，鼻出血，尿血，子宮出血，黃疸，瘡癰。用量 3～9g。

文獻　《滙編》下，817。

4364　大刺兒菜

來源　菊科植物大刺兒菜 Cirsium setosum (Willd.) MB. 的全草。

形態　多年生草本，高 50～100 cm。根狀莖長，側根較多。莖直立，具縱溝稜。基生葉花期枯萎；下部葉及中部葉矩圓形或長橢圓狀披針形；上部葉漸變小，矩圓形或披針形。雌雄異株，頭狀花序多數集生於莖的上部，排列成疏鬆的傘房狀；總苞鐘形，棕黃色，總苞片 8 層；雄株頭狀花序較小；雌株頭狀花序較大；雌花花冠紫紅色，狹管部長爲檐部的 4～5 倍。瘦果倒卵形或矩圓形，淺褐色；冠毛白色或基部帶褐色。

分佈　生於溝岸、路旁、田間、荒丘、農田附近。分佈於東北、華北。

採製　夏季花初開採割，曬乾或鮮用。

性能　甘，涼。涼血，祛瘀，止血。

應用　用於吐血，衄血，尿血，血淋，便血，血崩，急性傳染性肝炎，創傷出血，疔瘡，癰毒。用量 4～9g(鮮品加倍)；外用適量。

文獻　《大辭典》上，0479；《滙編》上，97。

4365　香絲草

來源　菊科植物香絲草 Conyza bonariensis (Linn.) Cronq. 的全草。

形態　直立草本。莖被擴展柔毛。基生葉長圓形，具柄，常有粗齒或近羽狀分裂，莖生葉無柄，線形，兩面均被柔毛。頭狀花序排成狹圓錐花序式；總苞片 2～3 層，密被柔毛；雌花纖細，花冠管狀；兩性花管狀。瘦果扁壓，冠毛橙紅色。

分佈　生於荒地或曠野。分佈於中國中部、南部、西南部。

採製　夏、秋季採，曬乾。

成分　含甾醇、膽碱、槲皮素及揮發油。

性能　苦，寒。清熱祛濕，行氣止痛。

應用　用於感冒，瘧疾，急性風濕關節炎；外用治小面積創傷出血。用量 9～12g；外用適量，搗爛敷患處。

文獻　《滙編》下，817。

4366　秋英

來源　菊科植物秋英 Cosmos bipinnatus Cav. 的全草。

形態　一年生草本，莖直立，高 0.6～1.5m。葉互生，二回羽狀分裂稀疏，裂片呈線形，全緣。頭狀花序單生，自葉腋抽出；花徑約 5cm，兩性；舌狀花有紅、白、粉、紫等顏色；管狀花黃色。瘦果線形，熟時黑色。花期 7～10 月。

分佈　全國各地園林、庭院普遍栽培。

採製　7～8 月間採收，曬乾，切段。

性能　苦，寒。清熱解毒，明目，消腫。

應用　用於目赤腫痛。用量 9～15g。外用治癰瘡腫毒。鮮品搗爛敷患處或乾品適量，用香油調敷。

文獻　《花卉園藝》，139。

4367 紫花野菊

來源 菊科植物紫花野菊 Dendranthema zawadskii (Herb.) Tzvel. 的頭狀花序。

形態 多年生草本，高 10～30cm；全株被皺曲單毛或分叉柔毛。根狀莖橫走。莖多單一。基生葉二回羽狀深裂，裂片三角形，上部葉羽狀淺裂。頭狀花序，外層總苞片邊緣寬膜質，不具齒裂；舌狀花白色至粉紅色。瘦果矩圓形，無冠毛。

分佈 生於山地林緣、林下或山頂。分佈於內蒙古、東北、山西、陝西。

採製 夏、秋季採摘，陰乾。

性能 清熱降火，解毒。

應用 用於溫熱病，眩暈，目赤，瘡腫。用量 9～15g。

文獻 《藥材資源普查選編》第一輯；"內蒙古錫林郭勒盟野生藥用植物考察報告"。

附註 蒙藥名"魯格米克"。

4368 山野菊

來源 菊科植物山野菊 Dendranthema zawadskii (Herb.) Tzvel. var. latiloba (Maxim.) H.C. Fu. 的頭狀花序。

形態 多年生草本，高 20～40cm。葉寬卵形、卵形、腎形以至近圓形，基部截形、近心形、楔形或寬楔形，具長柄或短柄，羽狀或近掌狀淺裂或半裂，裂片矩圓形以至寬卵形，邊緣具不規則鋸齒。舌狀花白色至粉紅色。

分佈 生於山地林緣、灌叢、草原。分佈於東北、華北、西北。

採製 夏、秋季採摘，陰乾。

性能 清熱，解毒。

應用 溫熱病，目赤腫痛。用量 9～15g。

文獻 《藥材資源普查選編》第一輯；《大興安嶺藥用植物》，483。

附註 蒙藥名"魯格米克"。

4369 菜木香

來源 菊科植物菜木香 Dolomiaea edulis (Franch.) Shin. 的莖。

形態 草本，根粗壯。莖極短。葉薄革質，倒卵狀或倒卵狀橢圓形，長 9～14cm，羽狀淺裂，兩面有糙伏毛或僅脈上有毛；葉柄長 2～8cm。頭狀花序單生；總苞片革質，邊緣紫色，膜質；筒狀花紫色，上部 5 裂；雄蕊 5，聚藥；花柱先端 2 叉。瘦果褐色有稜；冠毛約 3 層，剛毛狀，有短羽毛，污黃色。

分佈 生於海拔 2900～4000m 處山坡草地。分佈於雲南、四川。

採製 秋季至第二年春初採挖，切段，曬乾。

性能 辛、苦，溫。行氣止痛，溫中和胃。

應用 用於胸腹脹痛，嘔吐，泄瀉，痢疾裏急後重。用量 1.5～9g。

文獻 《滙編》上，873；《大辭典》上，2497。

4370 多鬚公

來源 菊科植物華澤蘭 Eupatorium chinense L. 的根、葉或全株。

形態 多年生草本。莖被短柔毛，有褐色斑點。單葉對生，卵形，邊緣有鋸齒，下面常有腺點。頭狀花序排成傘房花序式，頂生，總苞圓柱形，花白色，5 數，全爲管狀花。瘦果具 5 稜，被微毛，冠毛刺毛狀。

分佈 生於山坡、路旁。分佈於華南、華東及雲南。

採製 夏、秋季採，鮮用或曬乾。

成分 根含黃酮貳、酚類，地上部分含香豆精、棕櫚酸等。

性能 辛、苦，涼。祛風消腫，清熱解毒，利咽化痰。

應用 根用於白喉，咽喉腫痛，麻疹，肺炎。葉外用於毒蛇咬傷。全株用於浮腫，月經過多，咽喉痛，發高燒。用量 15～30g；外用適量。

文獻 《大辭典》上，235；《廣西民族藥簡編》，240；《中草藥》(1983：3)4。

4371 貝加爾鼠麴草

來源 菊科植物貝加爾鼠麴草 Gnaphalium baicalense Kirp. 的全草。

形態 一年生草本，高 12～15cm。莖直立，不分枝或有弧曲的短分枝，基部常變紅色，上部被開展的叢捲毛。基生葉花期凋萎；莖生葉條狀披針形，先端銳尖，中部向下漸狹，無葉柄。頭狀花序，在莖和枝頂密集成團傘狀或成球狀；總苞片 2～3 層；頭狀花序有極多的雌花；雌花花冠絲狀，黃褐色，有不明顯的腺點，兩性花少數，花冠細管狀，黃褐色。瘦果紡錘形或卵狀橢圓形，有稜角；冠毛白色。

分佈 生於河灘草甸及山地溝谷。分佈於東北、內蒙古。

採製 夏季採收，曬乾。

性能 化痰，止咳，解毒，化痞。

應用 用於痞症，胃瘀痛，支氣管炎。用量 9～15g。

文獻 《內蒙古植物誌》六，50。

附註 蒙藥名"白嘎里－乾達巴達拉"。

4372 田基黃

來源 菊科植物荔枝草 Grangea maderaspatana (Linn.) Poir. 的葉。

形態 草本，莖被白色長柔毛或花期無毛。葉倒卵形、倒披針形或匙形，豎琴狀半裂或大頭羽狀分裂，兩面被短柔毛及黃色腺點。頭狀花序頂生，球形；花托凸起，半球形；花冠筒狀，黃色。瘦果扁，邊緣加厚。

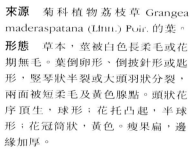

分佈 生於河灘或潮濕曠野草地上。分佈於海南、廣東、廣西、雲南及台灣。

採製 夏、秋季採，曬乾。

性能 健脾，調經，止咳。

應用 用於食慾不振，便溏，月經不調，傷風咳嗽。用量 9～15g。

文獻 《海南植物誌》三，382。

4373　線葉旋覆花

來源　菊科植物線葉旋覆花 Inula linariaefolia Regel 的頭狀花序。

形態　多年生草本，高 30～60cm，全株近無毛或被疏柔毛。莖單一或 2～3 個簇生，具縱溝稜。葉互生，葉片線狀披針形或線形，先端尖，基部稍抱莖，邊緣反捲。頭狀花序，頂生，分枝多，呈傘房狀排列；總苞半圓形，總苞片 4 層；舌狀花 1 層，黃色，花冠先端 3 裂，下部連合成管狀；管狀花黃色，裂片 5。瘦果橢圓形，頂端截形，具稜，冠毛 1 層，白色。

分佈　生於山坡、路旁、田邊。分佈於東北、華北、華東。

採製　夏、秋季採摘即將開放的花序，曬乾。

性能　鹹，溫。消痰，下氣，軟堅，行水。

應用　用於胸中痰結，脅下脹滿，咳嗽，呃逆，唾如膠漆，心下痞鞕，噫氣不除，大腹水腫，除五臟中寒熱，補中，膀胱宿水。用量 5～9g。

文獻　《大辭典》下，4608；《內蒙古植物誌》六，55。

4374　狹葉山苦菜

來源　菊科植物狹葉山苦菜 Ixeris chinensis (Thunb.) Nakai var. intermedia (Kitag.) Kitag. 的全草。

形態　多年生草本，高 10～30cm，全株無毛。莖多數簇生，直立或斜升。基生葉蓮座狀，葉片狹矩圓形或狹條形，先端尖或鈍，基部漸狹成柄，柄基擴大，邊緣通常具倒向羽狀或羽狀狹裂片或尖齒；莖生葉 1～3，與基生葉相似，但無柄。頭狀花序多數，排列成稀疏的傘房狀，梗細；總苞圓筒狀或長卵形；總苞片外層 6～8，短小，三角形或寬卵狀，內層 7～8，較長，條狀披針形；花兩性，均爲舌狀，花冠黃色、白色或變淡紫色。瘦果狹披針形，略扁，紅棕色，冠毛白色。

分佈　生於草原、山坡。分佈於東北、內蒙古。

採製　夏季採割，曬乾。

性能　清熱解毒。

文獻　《內蒙古藥材資源普查選編》一，84，125；《內蒙古植物誌》六，320。

4375 剪花火絨草

來源 菊科植物剪花火絨草 Leontopodium conglobatum (Turcz.) Hand. -Mazz. 的地上部分。

形態 多年生草本，高 15～30cm。根狀莖分枝粗短。有單生的或 2～3 簇生與少數蓮座狀葉叢簇生的莖。花莖直立或稍彎曲。基生葉或蓮座狀葉狹倒披針狀條形，中部葉稍直立或展開，披針形或披針狀條形，上部葉較小。頭狀花序，5～30 個密集成團球狀傘房狀；小花異形，中央的頭狀花序雄性，外圍的雌性；雄花花冠上部漏斗形，雌花花冠絲狀。瘦果橢圓形，有乳頭狀毛；冠毛白色，基部稍黃色。

分佈 生於草原、草甸草原、河地灌叢、山地灌叢中。分佈於東北、內蒙古。

採製 夏末、秋初採收，曬乾。

性能 微苦，寒。清熱涼血，消炎利水。

應用 用於急慢性腎炎，尿道炎。用量 9～12g。

文獻 《內蒙古中草藥》518；《內蒙古植物誌》六，45。

4376 西伯利亞橐吾

來源 菊科植物西伯利亞橐吾 Ligularia sibirica (L.) Cass. 的根。

形態 多年生草本，高 30～90cm。根狀莖短縮，簇生多數鬚狀根，細長，外皮灰褐色或棕褐色。莖直立，單一，常帶紫紅色，基部爲枯葉纖維所包裹。基生葉 2～3，多爲心形；莖生葉 2～3，漸小，多爲三角形；上部葉漸變成爲卵形的苞葉。頭狀花序在莖頂排列成總狀；花黃色；舌狀花 6～10，舌片矩圓形；管狀花 20 餘個。瘦果褐色，圓柱形，有縱溝；冠毛污白色。

分佈 生於林緣草甸、河灘柳灌叢、沼澤。分佈於東北北部。

採製 秋季採挖，洗淨，曬乾。

性能 苦，溫。潤肺，化痰，止咳。

應用 用於支氣管炎，咳喘，肺結核，咯血。用量 6～9g。

文獻 《滙編》上，850；《內蒙古植物誌》六，174。

附註 肺部有實熱者不宜。

4377 闊苞菊

來源 菊科植物闊苞菊 Pluchea indica Less. 的葉。

形態 灌木，幼枝微被柔毛。葉互生，倒卵形或楔狀倒卵形，邊緣常有少數尖齒，葉脈微被柔毛。頭狀花序頂生，排成傘房狀；總苞數層，外層被微毛；花異性，全部筒狀。瘦果有稜；冠毛一層，白色。

分佈 生於近潮水的地方。分佈於廣東及海南。

採製 全年可採，鮮葉適量搗爛和米粉及糖製成粢粑，稱"欒樨餅"，備用。

應用 小孩食之有暖胃去積之效。用量 9～15g。

文獻 《中國高等植物圖鑒》四，457。

4378　白毛雪兔子

來源　菊科植物白毛雪兔子 Saussurea leucoma Diels 的全草。

形態　草本，高達 30cm。莖被白色或淡黃色綿毛。基部有褐色枯存葉柄。葉條形，連柄長 10～14cm，邊緣具齒，基部漸狹成柄，幼時有毛；最上部葉苞葉狀，線狀披針形，兩面密被白色綿毛，常下反。頭狀花序多數，密集於莖端；總苞寬筒形，長約 1cm，總苞片卵狀披針形，被毛；筒狀花紫紅色，先端5 裂，冠毛淡褐色。瘦果。

分佈　生於高山流石灘。分佈於雲南、西藏。

採製　夏季採挖，曬乾。

性能　涼血，補血。

應用　用於夜盲症，月經不調，血崩，肺結核，跌打損傷。用量 9～15g。

文獻　《滙編》下，822。

4379　烏蘇里風毛菊

來源　菊科植物烏蘇里風毛菊 Saussurea ussuriensis Maxim. 的根。

形態　多年生草本，高 30～70cm。根狀莖橫走，具多數褐色不定根。莖直立，具縱溝稜，上部有分枝。基生葉與下部葉卵形、矩圓狀卵形以至寬卵形，具長柄；中部葉與上部葉漸變小，矩圓狀卵形或披針形至條形，近無柄。頭狀花序多數，頂生，排列成傘房狀，苞葉條形，總苞筒狀鐘形；花冠紫紅色，狹管部與檐部等長 5～6mm，檐部 5 裂。瘦果，圓柱形，具 4 稜，冠毛白色，外層糙毛狀，內層羽毛狀。

分佈　生於林下、林緣、灌叢、河岸、草甸。分佈於東北、華北、陝西、甘肅、青海。

採製　夏、秋季採挖，洗淨，曬乾。

性能　辛，溫。祛寒，散瘀，鎮痛。

應用　用於感冒頭痛，關節痛，勞傷。用量 9～15g。

文獻　《滙編》下，822；《內蒙古植物誌》六，253。

4380　鴉葱

來源　菊科植物鴉葱 Scorzonera austriaca Willd. 的根。

形態　多年生草本，高 5～35cm，具乳汁。根粗壯，圓柱形，棕褐色，根頸部被稠密而厚實的纖維狀殘葉，黑褐色。莖單一或 3～4 個聚生。基生葉披針形或寬披針形；莖生葉 2～4，窄小，披針形，作鱗片狀。頭狀花序單生於莖頂；總苞片 4～5 層，苞片披針形；全爲舌狀花，黃色，乾後紫紅色，舌片先端截形，具 5 齒。瘦果圓柱形，黃褐色，具多數縱肋；冠毛羽毛狀污白色至淡褐色。

分佈　生於山坡、路旁、草地。分佈於東北、華北。

採製　春、夏、秋季均可採挖，曬乾或鮮用。

性能　苦，寒。清熱解毒，活血消腫。

應用　外用治疔瘡，癰疽，毒蛇咬傷，蚊蟲叮咬，乳腺炎。外用適量。

文獻　《滙編》下，437；《內蒙古植物誌》六，284。

4381　狹葉鴉葱

來源　菊科植物狹葉鴉葱 Scorzonera radiata Fisch. 的根。

形態　多年生草本，高 10～30cm。根粗壯，圓柱形，深褐色，垂直或斜伸，主根發達或分出側根；根頸部被覆黑褐色或褐色膜質鱗片狀殘葉。莖具縱溝稜，不分枝。基生葉條形、條狀披針形；莖生葉 1～3，條形或披針形，較基生葉短而狹，頂部葉鱗片狀，頭狀花序單生莖頂；總苞筒狀；總苞片 5 層；舌狀花黃色，舌片先端具 5 齒。瘦果圓柱形，黃褐色，無毛；冠毛污白色羽毛狀。

分佈　生於向陽山坡草叢中。分佈於東北、內蒙古、新疆。

採製　春、夏、秋季均可採挖，曬乾或鮮用。

性能　苦，寒。清熱解毒，活血消腫，止喘。

應用　用於五癆七傷，疔瘡癰腫，乳房腫脹。用量 9～15g；外用適量。

文獻　《大辭典》下，3386；《新疆中藥資源名錄》，115；《內蒙古藥材資源普查選編》一，21，66。

4382 桃葉鴉葱

來源 菊科植物桃葉鴉葱 Scorzonera sinensis Lipsch. et Krasch. 的根。

形態 多年生草本,高 5～10cm。根粗壯,圓柱形,深褐色;根頸部被稠密而厚實的纖維狀殘葉,黑褐色。莖單一或3～4 個聚生,具縱溝稜,有白粉。基生葉常呈鐮狀彎曲,披針形或寬披針形,先端鈍或漸尖,基部漸狹成翅的葉柄而擴大成鞘狀抱莖,邊緣顯著波狀皺曲;莖生葉小,鱗片狀,半抱莖。頭狀花序單生於莖頂;總苞筒形;總苞片 4～5層;小花冠舌狀,黃色,外面玫瑰色,舌片先端截形,具 5 淺齒。瘦果圓柱狀,暗黃色或白色,稍彎曲;冠毛多層,白色,羽毛狀。

分佈 生於山坡、路旁、丘陵與溝谷中。分佈於東北、內蒙古、河北、山西。

採製 春、秋季採挖,洗淨,曬乾。

性能 甘、苦,寒。清熱解毒,消炎,通乳。

應用 用於疔毒惡瘡,乳癰,外感風熱。用量 9～15g;外用適量。

文獻 《內蒙古中草藥》170;《內蒙古植物誌》六,282。

4383 毛果一枝黃花

來源 菊科植物毛果一枝黃花 Solidago virgaurea L. 的全草。

形態 多年生草本,高 30～80cm。莖直立,單一,有細稜或條紋,下部光滑,上部有柔毛。單葉互生;莖下部葉大,有長柄;莖上部葉小,有短柄並具翅;葉片橢圓狀披針形,邊緣有鋸齒,兩面沿脈有毛。頭狀花序腋生於枝頂,排列成總狀;總苞片 3～4 層,狹披針形,邊緣膜質;花序外圍爲舌狀花,雌性,黃色;中央爲管狀花,兩性,5裂,冠毛白色。瘦果近圓柱形,冠毛宿存。

分佈 生於山區草坡、灌木林間空地、河灘濕地。分佈於新疆北部和東北部。

採製 6～8 月採收,曬乾或陰乾。

成分 含揮發油、黃酮類、皂甙、鞣質等。葉含蘆丁(rutin)和檞皮素(quercitrin)。

性能 苦,寒。清熱解毒,消腫止痛。

應用 用於感冒頭痛,咽喉腫痛,慢性腎炎,膽結石,腸炎等。用量 10～15g。

文獻 《新疆藥植誌》二,152。

4384　東方婆羅門參

來源　菊科植物東方婆羅門參 Tragopo-
gon orientalis L. 的全草。

形態　二年生草本，高 30～70cm。全
株無毛。根圓柱形，有白色乳汁，褐
色。莖直立，具縱條紋，單一或分枝，
灰綠色。葉條形或條狀披針形，基部擴
大而抱莖，莖上部葉漸短小。總苞矩圓
狀圓柱形，苞片條狀披針形；舌狀花黃
色。瘦果長紡錘形。

分佈　生於林下及山地草甸。分佈於內
蒙古。

採製　夏季挖採全草，去泥土，曬乾或
鮮用。

性能　清熱解毒，消腫止痛。

應用　治大腸濕熱，乳癰，惡瘡。用量
8～15g；外用適量搗敷。

附註　本植物爲蒙醫用藥。蒙藥名"己
倒拉"。調查資料。

4385　狗仔花

來源　菊科植物鹹蝦花 Vernonia patula
(Ait.) Merr. 的全草。

形態　一年生草本，莖密被灰色柔毛。
葉互生，下面被灰色柔毛。頭狀花序卵
形，散生或成對，或數個排成聚傘花序
狀。總苞片綠色；花兩性，均爲管狀。
瘦果短，有 4～5 稜；冠毛白色。

分佈　生於村邊、田埂、路旁的草地
上。分佈於福建、廣東、廣西及貴州。

採製　全年可採，曬乾。

性能　辛、微苦，平。清熱利濕，散瘀
消腫。

應用　用於感冒發熱，頭痛，乳腺炎，
急性胃腸炎，痢疾；外用治瘡癤，濕
疹，蕁麻疹，跌打損傷。用量 25～
50g；外用適量，鮮草搗爛敷患處。

文獻　《滙編》上，556。

4386 滷地菊

來源 菊科植物滷地菊 Wedelia prostra-ta (Hook. et Arn.) Hemsl. 的全草。

形態 匍匐草本，莖基部各節生根，莖、葉密被粗糙毛。葉對生，邊緣兩側各有 1～3 個齒刻。頭狀花序生於小枝頂端；總苞片 2 層；舌狀花 1 層，黃色；管狀花近鐘狀，黃色。瘦果倒卵形，有 3 稜，頂端有極短柔毛。

分佈 生於海邊曠地或沙地上。分佈於浙江、海南、廣東、廣西、福建及台灣。

採製 夏、秋季採，鮮用或曬乾。

性能 甘、微酸，涼。清熱解毒，化痰止咳，涼血平肝。

應用 用於預防麻疹，治感冒發熱，白喉，咽喉炎，扁桃體炎，支氣管炎，肺炎，百日咳，咯血，高血壓；外用治疗瘡癰腫。用量 15～30g；外用適量，鮮品搗爛敷患處。

文獻 《滙編》上，932。

4387 蒙古蒼耳

來源 菊科植物蒙古蒼耳 Xanthium mongolicum Kitag. 的帶總苞果實。

形態 一年生草本，高 80～100cm。根粗壯，具多數纖維狀根。莖直立，圓柱形，被硬毛及腺點。葉互生，三角狀卵形或心形，頭狀花序單生；花雌雄同株，雄頭狀花序在枝頂密集，球形，具多數不結實的兩性花；總苞片 1～2 層；花冠管狀，雌頭狀花序生於葉腋，卵形，無花冠，有 2 個結實小花。成熟的具瘦果的總苞變堅硬，橢圓，綠色或黃褐色，連同喙部長 1.8～2cm，外面具較疏的總苞刺，刺長約 5mm，基部增厚。瘦果，灰黑色。

分佈 生於山地、丘陵的礫石質坡地、沙地和田野。分佈於東北、內蒙古、河北。

採製 夏、秋季果實成熟時採收，曬乾。

性能 辛、苦，溫。有小毒。散風袪濕，通鼻竅，止痛，止癢。

應用 用於風寒頭痛，鼻竇炎，風濕痹痛，皮膚濕疹，瘙癢。用量 4～9g。

文獻 《內蒙古植物誌》六，59，61。

4388 鹼黃鵪

來源 菊科植物 鹼黃鵪菜 Youngia stenoma (Turcz.) Ledeb. 的帶根全草。

形態 多年生草本，高 10～40cm。根粗壯伸長，近木質，暗褐色，根頸部被有枯葉柄。莖直立，具縱溝稜，不分枝，有時基部淡紅紫色。基生葉及莖下部葉線形；中部葉及上部葉較小，條形，或狹條形，全緣，具短柄或無柄。頭狀花序，具 8～12 小花，排列成總狀或狹圓錐狀；總苞圓筒狀，頂端雞冠狀，背面近頂端有角狀突起，外層 5～6 片，短小，先端尖，內層 8 片，較長，先端鈍；全爲舌狀花，黃色，舌片齒紫色。瘦果紡錘形，暗褐色，具縱肋，冠毛白色。

分佈 生於鹽鹼性的低濕地或鹽湖邊。分佈於東北、內蒙古。

採製 夏、秋季採收，洗淨，曬乾。

性能 微苦，寒。清熱解毒；消腫止痛。

應用 用於瘡腫疔毒。外用適量。

文獻 《內蒙古中草藥》，168；《內蒙古植物誌》六，320。

4389 蒙古香蒲

來源 香蒲科植物蒙古香蒲 Typha davidiana (Kronf.) Hand. -Mazz. 的全草。

形態 多年生草本，高 80～100 cm。根狀莖褐色，橫走泥中，鬚根多數，纖細，圓柱形，上黃色。莖直立，不分枝。葉狹條形，長 30～50cm，基部具長寬的鞘，兩邊膜質。穗狀花序，雌雄花序通常不連接，中間相距 1～2cm；雄花序長圓柱形，雄花具 2～3 個雄蕊；雌花序圓柱形，雌花無小苞片，不育雌蕊倒卵形，先端圓形，褐色，子房條形，無柄，花柱較細，柱頭菱狀披針形，棕色，向一側彎曲，基部具乳白色的長毛，比柱頭短。果實狹橢圓形，褐色，具細長的柄。種子含有肉質的胚乳。

分佈 生於水塘、水溝、河岸邊等的淺水中。分佈於東北、內蒙古、河北。

採製 夏季採收，曬乾。

應用 用於小便不利，乳癰。用量 3～9g；外用適量。

文獻 《大辭典》下，3448；《內蒙古植物誌》七，5。

4390 小露兜

來源 露兜樹科植物小露兜 Pandanus gressitii B.C. Stonc 的果實。

形態 草本，高不到 1m。葉條形，邊緣和下面中脈有刺。雄花序由數個穗狀花序組成；苞片葉狀，僅頂端有細小的刺；雄蕊 9～15。聚花果橢圓形；小核果棍棒狀，宿存柱頭尖刺狀。

分佈 生於山地林中水邊。分佈於廣東南部及海南。

採製 秋季採摘，曬乾。

應用 治小腸疝氣。用量 9～15g。

文獻 《中國高等植物圖鑒》五，4。

4391 酸水草

來源 眼子菜科植物穿菜眼子菜 Potamogeton perfoliatus L. 的全草。

形態 多年生草本,根狀莖橫生水下土中,淡黃色,節部生出不定根。莖多分枝,稍扁,長 30～100cm。葉全部沉水,互生,花序梗基部葉對生,質薄,寬卵形,長 1.5～5cm,基部心形且抱莖,全緣且有波狀皺褶,中脈下面明顯突出。穗狀花序密生多花。

分佈 沉水草本,生於湖泊、水溝或池沼中。分佈於東北、內蒙古、青海、陝西、河北、山東、河南、湖南。

採製 夏、秋季撈取,陰乾。

性能 淡,涼。滲濕解表。

應用 用於濕疹,皮膚瘙癢。用量 6g。

文獻 《大辭典》下,5290。

4392 藎草

來源 禾本科植物藎草 Arthraxon hispidus (Thunb.) Makino 的莖、葉、花。

形態 一年生草本,高 25～55cm。具多數鬚根,淺黃色。稈細弱,具多節,常分枝,基部傾斜,其節處着土後易生根。葉鞘具短硬疣毛;葉舌膜質,邊緣具纖毛;葉片卵狀披針形至披針形,基部心形抱莖。總狀花序細弱,2～5 枚呈指狀排列;有柄小穗退化僅剩短柄,無柄小穗卵狀披針形;第一穎草質,邊緣帶膜質,第二穎較薄,近於膜質,因背部具脊而呈舟形;第一外稃短圓形,先端尖,第二外稃基部較硬、膝曲,下部扭轉,色較深,雄蕊 2。

分佈 生於山坡草地、水邊濕地、河灘溝谷草甸、山地灌叢、沙地、田野。分佈於全國各地。

採製 夏季採收,曬乾或鮮用。

性能 苦,平。降逆,止咳平喘,解毒,祛風濕。

應用 用於久咳氣喘,疥癬,皮膚瘙癢。用量 15～30g;外用適量。

文獻 《內蒙古中草藥》752;《內蒙古植物誌》七,252。

4393 燕麥

來源 禾本科植物燕麥 Avena sativa L. 的苗葉。

形態 一年生草本，稈直立，高 70～150cm。葉鞘無毛；葉舌膜質；葉片長 7～20cm，寬 0.5～1cm。圓錐花序頂生，開展，長達 25cm，寬 10～15cm，小穗長 1.5～2.2cm，含 1～2 小花，小穗軸不易脫節；穎質薄，卵狀披針形，長 2～2.3cm；外稃質堅硬，無毛，具 5～7 脈，第一外稃長約 1.3cm，背部芒長 2～4cm，第二外稃無芒；內稃與外稃近等長。穎果長圓柱形，長約 1cm，黃褐色。

分佈 多為栽培。分佈於東北、華北、西北。

採製 夏季採割，曬乾。

應用 用於腹中死胎，胎衣不下。用量 9～15g。

文獻 《新疆中藥資源名錄》，124；《內蒙古植物誌》七，156。

4394 竹節草

來源 禾本科植物竹節草 Chrysopogon aciculatus (Retz.) Trin. 的全草。

形態 多年生草本，有根狀莖及匍匐莖。葉片先端鈍，兩面無毛或基部疏生柔毛。圓錐花序穗狀直立；分枝細弱，每枝有 3 小穗，中央小穗無梗，兩性；兩側小穗有細長梗，雄性；無梗小穗具被鏽色短柔毛之基盤，先端漸尖常成短芒，第一外稃短於穎，第二外稃與穎等長，頂端具直芒，雄蕊 3，子房具 2 枝花柱；有梗小穗的穎具 3 脈，雄蕊 3，花藥較兩性小穗者短。

分佈 生於山坡或曠野草地上。分佈於台灣、廣西、廣東、海南及雲南。

採製 全年可採，曬乾。

性能 甘、微苦，涼。清熱利濕。

應用 用於上呼吸道感染，急性胃腸炎，暑熱小便短赤。用量 9～15g。

文獻 《滙編》下，324。

4395 鋪地黍

來源 禾本科植物鋪地黍 Panicum repens Linn. 的根莖。

形態 多年生草本，具粗壯的根狀莖。葉片條狀披針形。圓錐花序頂生；小穗長約 3mm；第一穎有不明顯 3 脈，第二穎具 7～9 脈；第二外稃薄革質，邊緣捲抱內稃；第一小花為雄性，雄蕊 3；第二小花結實，長圓形，平滑光亮，頂端尖。

分佈 生於海邊沙地、田邊等濕地上。分佈於中國東南部。

採製 全年可採，曬乾或鮮用。

性能 甘，平。活血散瘀，拔毒生肌。

應用 用於尿路感染，肋間神經痛，黃疸型肝炎，骨鯁喉，用鮮根莖 15～60g；跌打損傷，彈片入肉不出，用鮮根莖適量搗爛調洗米水外敷；毒蛇咬傷，瘡癤，用鮮品搗爛或水煎外洗；外傷出血，用根莖研粉撒敷。

文獻 《廣西本草選編》上，1342。

4396　玉米鬚

來源　禾本科植物玉蜀黍 Zea mays L. 的花柱。

形態　一年生高大草本，高 1～4m。稈近圓柱形，節明顯而稍膨大。葉為 2 列式互生，劍形或線狀披針形。花單性同株，雄花序為頂生圓錐花序，雌花序生於葉腋內，由 8～16 列或更多列的小穗生於圓柱狀穗軸上組成，由多數葉狀總苞所包藏，花柱長絲狀，長伸出總苞外，雄小穗有小花 2 朵。穎果近球形，成熟後伸出穎片之外，呈白色、黃色、紅色或紫藍色。

分佈　為人類主要糧食作物之一，各地有栽培。

採製　夏、秋季採，鮮用或曬乾。

性能　甘，平。清血熱，利小便。

應用　用於黃疸型肝炎，尿路感染，發熱，膽囊炎，膽結石。用量 15～24g。

文獻　《大辭典》上，556；《廣西民族藥簡編》，334。

附註　本種的種子(燒存性)用於木薯中毒和食物中毒昏迷，搗碎冲開水服，用量 15g。

4397　十字苔草

來源　莎草科植物十字苔草 Carex cruciata Wahlenb. 的種子。

形態　草本，高 40～90cm。根匍匐。莖粗壯，具 3 稜，基部有暗褐色舊葉鞘。葉長於稈，寬 4～13cm。圓錐花序複出，長 20～40cm，具多數側生枝花序，苞片葉狀，長於花序；小穗極多數，雄雌順序，橢圓形，近直角展開；雌花鱗片寬卵形，膜質，密生鏽點線，3 脈，頂具芒尖。果囊矩圓形，上部邊緣生短粗毛，先端急尖成喙，喙口 2 齒。小堅果卵狀矩圓形。

分佈　生於山坡草地、林下。分佈於西南、華南、浙江、江西、台灣。

採製　秋季採收，曬乾。

成分　含澱粉。

性能　甘，微寒。解表止咳，補中利水。

應用　用於百日咳，脫肛。

文獻　《縉雲山植物誌》。

4398　單穗水蜈蚣

來源　莎草科植物單穗水蜈蚣 Kyllinga cororata (Linn.) Druce 的全草。

形態　多年生草本，具匍匐根狀莖。稈扁銳三稜狀。葉短於稈；葉鞘褐色，具紫色斑，最下面一枚頂端無葉片。葉狀苞片 3～4。穗狀花序單一，近球形；小穗極多數，有 1 朵兩性花；鱗片舟狀，具鏽色斑，背面的龍骨狀凸起具翅；雄蕊 3；柱頭 2。小堅果頂端具短尖，扁，具密細點。

分佈　生於田邊、水旁等潮濕地上。分佈於海南、廣東、廣西及雲南。

採製　全年可採，曬乾或鮮用。

性能　微甘、微苦，平。清熱化痰，活血消炎。

應用　用於百日咳，瘧疾；外用治跌打損傷，蛇咬傷。用量 15～30g。外用適量，鮮品搗爛敷患處。孕婦忌服。

文獻　《滙編》上，4。

4399 刺子莞

來源 莎草科植物刺子莞 Rhynchospo-
ra rubra (Lour.) Makino 的全草。

形態 草本。稈直立叢生,圓柱狀。葉
基生,細條形。苞片 4～10 枚,葉狀,
長短不等;頭狀花序頂生,球形;小穗
鑽狀披針形;花單性,雌花,柱頭 2 ,
有時 1。小堅果倒卵形,雙凸狀,上部
被短柔毛,表面具細點。

分佈 生於山坡貧瘠的草地上。分佈於
長江流域以南各省區。

採製 夏、秋季採,曬乾。

性能 甘、鹹,平。清熱利濕。

應用 用於淋濁。用量 15g。

文獻 《滙編》下,854。

4400 扁稈藨草

來源 莎草科植物扁稈藨草 Scirpus
planiculmis Fr. Schmidt 的塊莖。

形態 多年生草本,高 10～85cm。根
狀莖匍匐,頂端增粗成球狀或倒卵狀的
塊莖,黑褐色。稈單一,三稜形。葉基
生和稈生,葉片長條形,扁平。苞片葉
狀 1～3,長於花序。長側枝聚傘花序短
縮成頭狀,或具輻射枝,其上有 1～6
個小穗;小穗卵形或矩圓狀卵形,長
1～1.5cm,黃褐色或深棕褐色,具多數
花;鱗片卵狀披針形或矩圓形,深棕
色,具 1 脈,頂端延伸成外反曲的短
芒,雄蕊 3。小堅果倒卵形,有光澤。

分佈 生於河邊沼澤、鹽化草甸。分佈
於東北、華北、甘肅、青海、新疆、華
中、華東、雲南。

採製 春、秋季採挖。鮮用或醋炒。

性能 苦,平。破血通經,行氣止痛,
消積。

應用 用於食積腹脹,血瘀經閉,肝脾
腫大。用量 3～9g。

文獻 《新疆中草藥》183;《內蒙古植物
誌》七,2。

4401 魚尾葵

來源 棕櫚科植物魚尾葵 Caryota ochlandra Hance 的葉鞘纖維、根。

形態 喬木,莖單生,有環狀葉痕,髓心發達。葉大,二回羽狀全裂,裂片質厚而硬,頂端一片扇形,側面的半菱形,狀如魚尾,有不整齊的嚙蝕狀齒。花序長約 3m,分枝懸垂,總苞和花序無鱗秕,花單性,黃色,3 朵聚生,雌花介於 2 雄花之間,雄花萼片 3,花瓣 3,雄蕊多數,雌花具 3 枚退化雄蕊。果球形,直徑約 1.8~2cm。

分佈 生於山林中或栽培。分佈於華南、西南及福建。

採製 全年可採,葉鞘纖維煅炭,根曬乾。

性能 微甘、澀,平。收斂止血,強筋骨。

應用 纖維炭用於吐血,咳血,便血,血崩。根用於肝腎虛筋骨痿軟。用量 9~15g。

文獻 《廣西本草選編》上,1290。

附註 果實有毒。莖髓心含大量澱粉,可做桄榔粉的代用品。

4402 尖尾芋

來源 天南星科植物尖尾芋 Alocasia cucullata (Lour.) Schott ex Engl. 的莖。

形態 粗壯草本,莖肉質。葉闊卵狀心形,稍盾狀,先端漸尖呈尾狀;葉綠色。花序柄近單生,圓柱形;佛燄苞肉質,上部狹舟形,邊包旋;肉穗花序短於佛燄苞,附屬體短。

分佈 生於村邊或曠野及水溝邊。分佈於廣東、廣西。

採製 全年可採,剝去外皮,曬乾。

成分 根狀莖含皂甙、草酸鈣等。

性能 辛、微苦,寒。有大毒。清熱解毒,消腫止痛。

應用 用於鈎端螺旋體病,腸傷寒,肺結核,支氣管炎;外用治毒蛇咬傷,毒蜂螫傷,蜂窩組織炎。用量 3~9g;外用適量,鮮品搗爛敷患處。

文獻 《滙編》上,356。

4403　白苞花燭

來源　天南星科植物白苞花燭 Anthurium andraenum Linn. 的根莖。

形態　多年生草本，莖短，直立。葉互生，色翠綠，基部擴大成鞘狀，葉片長卵形，先端漸尖，基部心形，側脈翼狀平行。秋季開花，肉穗狀花序腋生，黃色，指狀，短於佛燄苞。佛燄苞卵狀橢圓形，白色。色形奇麗，經久不凋。

分佈　喜高溫、濕潤地方。原產熱帶美洲，現廣東有栽培。

採製　四季可採，多鮮用。

性能　辛、微苦，寒。有小毒。清熱解毒，消腫止痛。

應用　用於咽喉腫痛，肺熱咳嗽。用量3～6g。

文獻　《華南植物園名錄》，260。

4404　麒麟尾

來源　天南星科植物麒麟尾 Epipremnum pinnatum (Linn.) Engl. 的全株。

形態　攀援藤本，莖粗厚，節上生根。葉互生，矩圓形，羽狀深裂幾達中脈；葉柄頂端膝狀膨大。總花梗基部具撕裂成纖維狀的芽苞葉鞘的殘餘部分；佛燄苞外面綠色，內面黃色；肉穗花序無柄，圓柱形；花兩性，無花被；雄蕊4；子房頂平截，呈6角形。果緊密靠合；種子腎形。

分佈　生於林中，攀援於樹上或石上。分佈於廣東、海南，台灣，廣西及雲南。

採製　全年可採，鮮用或曬乾。

性能　苦、微辛，平。清熱解毒，活血散瘀。

應用　用於感冒，小兒疳積，鼻衄，結膜炎，風濕痹痛，跌打損傷，乳腺炎，癰腫，骨折，外傷出血。用量15～30g；外用根適量研粉撒敷患處或浸酒外搽。

文獻　《廣西本草選編》上，1254。

4405 水浮蓮

來源 天南星科植物大藻 Pistia stratiotes Linn. 的葉。

形態 浮水草本,根稍密,長而懸垂;主莖短縮,具蔓生莖。葉聚生呈蓮座狀,葉片倒卵狀楔形,基部有柔毛,兩面有微毛。花序葉腋生。有短的總花梗;肉穗花序稍短於佛燄苞,雄花具 2～8 輪生的雄蕊;雌花僅有 1 雌蕊。

分佈 生於池塘、稻田、水溝等處。分佈於長江流域以南。

採製 夏、秋季採,曬乾。

性能 辛,涼。袪風發汗,利尿解毒。

應用 用於感冒,水腫,小便不利,風濕痛,皮膚瘙癢,蕁麻疹;外用治汗斑,濕疹。用量 9～15g;外用適量,鮮品搗汁塗或煎水洗患處。孕婦忌服。

文獻 《滙編》下,49。

4406 匙鞘萬年青

來源 天南星科植物匙鞘萬年青 Spathiphyllum cocheeri spathum. 的根莖。

形態 多年生草本,莖直立,不分枝,節明顯。葉互生,基部擴大成鞘狀,葉片長橢圓形,基部近圓或楔形。肉穗花序腋生,深黃色;佛燄苞卵狀橢圓形,白色,與穗等長。

分佈 生於石山密林濕地上,多有栽培。分佈於南方地區。

採製 全年可採,多鮮用。

性能 辛、微苦,寒。有小毒。清熱解毒,消腫止痛。

應用 用於咽喉腫痛,肺熱咳嗽。外用治癧瘡腫毒。用量 3～6g;外用適量。

文獻 《華南植物園名錄》,262。

4407 華南穀精草

來源 穀精草科植物華南穀精草 Eriocaulon sexangulare Linn. 的全草。

形態 草本,莖很短。葉基生,寬條形或條狀披針形。花葶高 10～50cm,有 4～5 棱。頭狀花序半球形或矩圓狀球形;總苞片寬卵形;花苞片背面有粉狀微毛;雄花:外輪花被片的二側裂片具寬翅,內輪花被片下部合生成管狀,雄蕊 6;雌花:外輪花被片的二側裂片呈舟形;脊有寬翼,中央 1 枚小,條形,內輪花被片 3,離生,頂端有毛,無腺體。種子卵形,有 10 多條被細毛的縱稜。

分佈 生於水田、沼澤等濕地上。分佈於廣東、廣西、福建及台灣。

採製 全年可採,曬乾。

性能 甘,平。散風熱,明目退翳。

應用 用於目赤腫痛,小兒疳積。用量 9～15g。

文獻 《廣西藥用植物名錄》,524。

4408 四孔草

來源 鴨跖草科植物雞冠藍耳草 Cyanotis cristata Roem. et Schult. f. 的全草。

形態 匍匐草本，幼時莖上被一列長柔毛。葉卵形或卵狀長圓形，邊緣通常被緣毛，腹面有時被硬毛。聚傘花序通常頂生；苞片近葉狀；小苞片二列，有緣毛；萼片披針形，分離；花瓣分離，藍色；花藥長圓形。花絲上部有毛；子房頂端有疏毛。蒴果近球形；種子有皺紋及 4 個小窩孔。

分佈 生於曠野潮濕處或溪邊。分佈於中國南部及西南部。

採製 全年可採，鮮用。

性能 清熱解毒，消腫。

應用 用於癰瘡腫毒。外用適量。

文獻 《廣西藥用植物名錄》，521。

4409 水竹葉

來源 鴨跖草科植物水竹葉 Murdannia triquetra (Wall.) Brückn. 的全草。

形態 多年生水生或沼生草本，根紡錘狀，具鬚根。莖多分枝，基部匍匐，節處生鬚狀根。葉互生，葉片線狀披針形，先端漸尖，基部鞘狀包莖；葉鞘邊緣有白色柔毛。花小，單生於分枝頂端的葉腋內，苞片總狀；萼片 3，膜質；花瓣 3，藍紫色，倒卵形；發育雄蕊 3，退化雄蕊 3；雌蕊 1；子房無柄，3室。蒴果矩圓狀三稜形，兩端較鈍，3瓣裂，種子扁平，表面有溝紋。

分佈 生於陰濕地、水稻田中或水邊。分佈於華東、中南、西南。

採製 夏、秋季採收，曬乾或鮮用。

性能 甘，平。清熱利尿，消腫解毒。

應用 用於肺熱喘咳，赤白下痢，小便不利，咽喉腫痛，癰癤疔腫。用量 9～15g；鮮品 30～60g；外用適量。

文獻 《大辭典》上，1075；《江蘇植物誌》上，336。

4410 田葱

來源 田葱科植物田葱 Philydrum lanu-ginosum Banks et Sol. ex Gaertn. 的全株。

形態 草本，基生葉2列，劍形，海綿質，莖生葉條狀披針形。穗狀花序頂生，分枝或不分枝，密被白色綿毛；苞片卵形，頂端尾狀漸尖；花被片黃色；雄蕊1，花絲扁平；子房密被白色綿毛。蒴果長圓形，被綿毛；種子多數，種皮有螺旋狀條紋。

分佈 生於池塘、水田或沼澤地上。分佈於福建、台灣、廣東、廣西及海南。

採製 全年可採。常鮮用。

應用 用於疥癬。外用適量。

文獻 《廣西藥用植物名錄》，569；《大辭典》上，1339。

4411 細燈心草

來源 燈心草科植物細燈心草 Juncus gracillimus Krecz. et Gon. 的地上全草。

形態 多年生草本，高30～50cm。根狀莖橫走，密被褐色鱗片。莖叢生，直立，綠色，直徑約0.1～0.2cm。葉片狹條形，葉鞘抱莖鬆弛。花被片卵狀披針形，長約0.2cm，先端鈍圓，雄蕊6。蒴果明顯超出花被。

分佈 生於河邊、湖邊、沼澤草甸。分佈於長江以北各省區，內蒙古、東北均有。

採製 夏、秋季採割，曬乾。

性能 除濕熱，消水腫。

應用 用於熱淋，水腫。用量9～15g。

文獻 《藥材資源普查選編》一；《大興安嶺藥用植物》，562。

4412 興安天門冬

來源 百合科植物興安天門冬 Asparagus dauricus Fisch. ex Link 的根。

形態 多年生草本，高 20～70cm。根狀莖粗壯，橫走，具多數稍肉質似繩索狀的鬚根，粗約 2mm。莖直立，與分枝均具條紋和軟骨質齒。枝狀葉 1～6簇生，長短不一，鱗片狀，葉基部有極短的距，無刺。花單性，每 2 朵腋生。雌雄異株；花被片 6，黃綠色；雄花的花梗長 3～5mm，與花被近等長，關節位於中部；花絲大部貼生於花被片上；雌花極小，花被長約 1.5mm；短於花梗，花梗的關節位於上部。漿果球形，紅色或黑色，有種子 2～6 粒。

分佈 生於草原、草甸化草原、乾燥的石質山坡、沙地。分佈於東北、華北、陝西、山東、江蘇。

採製 春、秋季採挖，洗淨，曬乾。

性能 利尿，清熱化痰。

應用 用於咳嗽痰多氣逆，潮熱咯血。用量 9～15g。

文獻 《內蒙古藥材資源普查選編》一，71，127；《內蒙古植物誌》八，231。

4413 獨尾草

來源 百合科植物獨尾草 Eremurus chinensis O. Fedtsch. 的根。

形態 草本，根多數，粗壯，肉質。莖基部被殘存的纖維狀葉鞘。葉基生，條形，長 25～40cm，寬 0.8～1.5cm。花葶圓柱形，高 70～130cm，果期有時可達 160cm；總狀花序較疏散；苞片狹三角形；花梗纖細，開展，果期頂端上彎，近頂部具關節；花被片 6，白色，倒披針形，具 1 條深色中脈，長 13～19mm，向兩端收狹；花絲錐形，花藥條形；子房球形。蒴果球形。種子黑褐色，具 3 稜，稜上有狹翅。

分佈 生於山巖上和石縫中。分佈於雲南、四川、甘肅、西藏。

採製 夏、秋季採挖，洗淨，曬乾。

性能 補虛。

應用 用於虛熱，中耳炎，民間用根燉豬心肺吃補心。

文獻 《涼山州中草藥資源普查名錄》，187。

4414 額敏貝母

來源 百合科植物額敏貝母 Fritillaria meleagroides Patrin ex Schult. 的鱗莖。

形態 多年生草本，高 18～22cm。鱗莖球形白色，直徑 5mm。單葉，通常 3～7 枚，散生。花單生，罕有 2 朵，外面黑紫色，內面具黃綠色條斑；葉狀苞片 1 枚，先端不捲；花被長 2cm，寬 0.5～1 cm；柱頭 3 裂，裂片長 4～8mm。蒴果無翅，種子多數，淡褐色，內具成熟的線形胚。

分佈 生於高山草甸，沿着草地、河岸、窪地，有時也在鹽鹼地帶和沼澤地的淺水中。分佈於歐洲和亞洲的裏海沿岸、阿爾泰山和哈薩克斯坦；中國新疆也有分佈。

採製 夏季採挖，曬乾。

性能 甘、苦，微寒。清熱，潤肺，止咳，化痰，解毒。

應用 用於支氣管炎，肺結核，胃、十二指腸潰瘍，咳喘，痰喘。用量 3～9g。

文獻 《植物分類學報》(1987：1) 58。

4415 華西貝母

來源 百合科植物華西貝母 Fritillaria sichuanica S. C. Chen 的鱗莖。

形態 草本，高 20～50cm。鱗莖直徑 6～12mm，由 2 鱗瓣組成。莖生葉 4～8，最下面的 2 枚對生，上面的對生或兼互生，條狀披針形或條形，長 3.5～11cm。花1～2 朵，鐘狀，黃綠色，花被片6，長 2.5～3.5cm，外輪長圓形，有或無淺紫色斑塊，內輪倒卵形或長圓狀橢圓形，多少具紫色斑點及方格斑；蜜腺長約 2mm；雄蕊長爲花被片的 ½～⅗；柱頭 3 裂。蒴果長 1.2～1.8cm，寬 1～1.5cm。

分佈 生於高山灌叢或草地上。分佈於四川。

採製 夏、秋二季或積雪融化時採挖，曬乾或微火烘乾。

性能 苦、甘，涼。清熱潤肺，化痰止咳。

應用 治肺燥咳嗽，久咳痰喘，咳嗽咯血，肺炎，急、慢性支氣管炎。用量 3～6g。

附註 調查資料。

4416 托里黃花貝母

來源 百合科植物托里貝母黃花變種 Fritillaria tortifolia X. Z. Duan et X. J. Zheng var. citrina X. Z. Duan et Z. J. Zheng 的鱗莖。

形態 多年生草本，高 20～50cm。鱗莖卵狀球形，直徑 1～4(8) cm，鱗片 2～3 枚，白色，肉質。植株黃綠色，莖基部綠色。葉披針形，扭轉，最下面的對生或 3 葉輪生，先端不捲，其餘的輪生和對生，先端捲曲。花多爲單朵，下垂，鐘形，檸檬黃色；葉狀苞片 3 枚，比葉小，先端鬈曲；花被片 2 輪，內面無方格斑。蒴果具 6 翅；種子多數，片狀，近三角狀倒卵形。

分佈 生於山坡灌叢下和高山草地上。分佈於新疆。

採製 夏末秋初採挖，曬乾。

性能 甘、苦，微寒。清熱，潤肺，止咳，化痰，解毒。

應用 用於支氣管炎，肺結核，胃、十二指腸潰瘍，咳喘，痰喘。用量 3～9g。

文獻 《植物分類學報》(1987：1) 60。

4417　輪葉貝母(貝母)

來源　百合科植物輪葉貝母 Fritillaria
verticillata Willd. 的鱗莖。

形態　多年生草本，高 20～40cm。鱗
莖由 2 枚廣圓形或寬三角形的鱗瓣組
成，外被膜質片，淡褐色或白色，基部
著生鬚根。莖直立，光滑，不分枝，下
部具暗紫紅色斑點。葉在莖下部者對
生，寬披針形，先端尖，基部半抱莖，
中部葉 4～6 個輪生，狹披針形或線
形，先端漸尖成螺旋狀彎曲，無柄。花
單一或數個頂生，下垂，鐘狀，橘紅
色，脈紋暗褐色；花被 2 層，3 片外花
被長圓狀橢圓形；3 片內花被稍寬，長
圓狀倒卵形；雄蕊 6；柱頭 3 裂。蒴果
長圓形，6 稜，具寬翅，稜和翅近相
等，頂端微凹。種子多數，褐色。

分佈　生於山地草原帶及礫石質山坡
上。分佈於新疆，有野生及栽培。

採製　夏季採挖，曬乾。

成分　含多種生物鹼。

性能　甘、苦，微寒。清熱，潤肺，止
咳，化痰，解毒。

應用　用於支氣管炎，肺結核，胃、十
二指腸潰瘍，咳喘，痰喘，黃疸，癰
腫，瘡毒。用量 3～9g。

文獻　《新疆藥用植物誌》一，196。

4418　黃花菜

來源　百合科植物黃花菜 Hemerocallis
citrina Baroni 的根。

形態　多年生草本。具很短的根狀莖，
鬚根多數，近肉質，中下部常膨大呈約
錘狀塊根。葉基生，排成兩列，帶狀，
背面呈龍骨狀突起。花葶長短不一，有
分枝，具花 3～5 朵或更多；苞片披針
形；花被裂片 6，淡黃色；雄蕊 6。蒴
果鈍三稜狀橢圓形。種子黑色。

分佈　生於林緣及谷地。分佈於秦嶺以
南各省以及內蒙古、河北、山西、陝
西、甘肅、山東、江蘇及北方省區有栽
培。

採製　秋季採挖，洗淨，曬乾。

成分　含大黃酚(chrysophanol)、大黃
酸(rhein)、美決明子素(obtusifolin)美
決明子素甲醚等。

性能　甘，涼。利水，涼血。

應用　用於水腫，小便不利，淋濁，帶
下，黃疸，衄血，便血，崩漏，乳癰。
用量 6～9g；外用適量。

文獻　《大辭典》下，4823。《內蒙古植
物誌》八，168。

4419 滇百合

來源 百合科植物滇百合 Lilium bakerianum Collett et Hemsl. 的鱗莖。

形態 草本，鱗莖卵狀球形，徑 2.5cm。葉條形，長 4～8cm，寬 5～13cm；邊緣及葉脈有小突起，近無柄。花1～4朵，鐘形，黃色或白色；外輪花被片 3，披針形，長 6～8cm，寬 1.5～2cm，稍彎，下部具紫紅色斑點；內輪花被片 3，較寬；雄蕊向中心鑷合，比雌蕊短；子房圓柱形，長 2cm；花柱長 2.8cm。

分佈 生於陰濕山坡。分佈於雲南、四川。

採製 秋季採收，洗淨，用開水燙或蒸 5～10 分鐘，至鱗片邊緣柔軟或背面有極小裂紋時，迅速撈出，清水洗去黏液，曬乾。

性能 甘，平。潤肺止咳，寧心安神。

應用 用於肺結核咳嗽，痰中帶血，神經衰弱，心煩不安。用量 6～15g。

文獻 《涼山州中草藥資源普查名錄》，187。

4420 川百合

來源 百合科植物川百合 Lilium davidii Duchastre 的鱗莖。

形態 草本，高約 1.5m。鱗莖球形，徑 2～4cm，白色。莖具小突起及稀疏綿毛。葉散生，中部密集，條形，長 6～10cm，寬 2～3mm，葉腋處有白色綿毛。花多達 20 朵，總狀排列，下垂，橙黃色；花梗長 3～6cm；苞片葉狀；花被片 6，矩圓形，長 4～6cm，具紫斑，外面具稀綿毛，蜜腺兩邊具毛和乳突；花絲長 4cm；花藥矩圓形；子房綠色，花柱長為子房 2 倍。蒴果長橢圓形。

分佈 生於山坡及峽谷中。分佈於河南、山西、陝西、甘肅、雲南、四川、西藏。

採製 秋季採收。開水燙或蒸 5～10 分鐘，撈出，清水洗去黏液，曬乾。

性能 甘，平。潤肺止咳，寧心安神。

應用 用於肺結核咳嗽，痰中帶血，神經衰弱，心煩不安。用量 6～15g。

文獻 《滙編》上，342；《大辭典》上，1728。

4421　寶興百合

來源　百合科植物寶興百合 Lilium du-chartrei Franch. 的鱗莖。

形態　草本，高約 1m。鱗莖卵球形，徑約 4cm。莖常淡紫褐色。葉披針形至矩圓狀披針形，長 3～9.5cm，葉腋間有白色綿毛。花 1～12 朵，下垂，芳香；花被片 6，披針形或矩圓狀披針形，長 5～6cm，寬 0.9～1.2cm，白色反捲，具深紫色斑點，內輪花被片先端鈍、圓或微尖。蜜腺兩邊具乳頭；花絲長約 4cm，花藥橢圓形；子房圓柱形，長 1.5 cm，花柱爲子房的 2 倍或更長。蒴果橢圓形，種子具翅。

分佈　生於高山草甸、林緣及沼澤地。分佈於西藏、四川、甘肅。

採製　秋季採收，加工同川百合。

性能　甘，平。潤肺止咳，寧心安神，利尿。

應用　治勞嗽咳血，虛煩驚悸，熱病後精神不安，乳腫，小便不利。用量 6～12g。

文獻　《臥龍植被及資源植物》，287。

4422　金線重樓（重樓）

來源　百合科植物金線重樓 Paris chinensis Franch. 的根莖。

形態　草本，高約 50cm。根莖橫生，節明顯。莖單一，圓柱形，基部帶紫色。葉 5～11 片，通常 7 片，輪生於莖頂，長圓形或倒披針形，長 7～15cm，寬 3～5cm。花單生於莖頂，有長梗；外輪花被 4～6 枚，卵狀披針形，內輪花被與外輪花被同數，較外輪花被長；雄蕊與花被同數；花柱 4～5，子房 8～10 室。漿果狀蒴果球形。

分佈　生於山區林下陰濕處。分佈於雲南、廣東、湖北、四川、陝西、安徽和江蘇。

採製　全年可採，挖取根莖，洗淨，除去鬚根，曬乾或烘乾。

成分　含蚤休甙和蚤休士寧甙。

性能　苦、辛，寒。有毒。清熱解毒，平喘止咳，熄風定驚。

應用　用於癰腫，疔瘡，瘰癧，喉痹，小兒驚風抽搐，蛇蟲咬傷。用量 3～9g。

文獻　《大辭典》下，3593。

4423 菝葜

來源　百合科植物菝葜 Smilax china Linn. 的根狀莖及葉。

形態　攀援灌木，根狀莖橫生於土中，膨大部分呈不規則的菱角狀，木質，棕色。莖枝有散生倒刺。單葉互生；葉柄近中部有捲鬚 2，下半部具鞘；葉片革質，有光澤。傘形花序腋生；花單性，雌雄異株；雄花萼片 3；花瓣 3；雄蕊 6；雌花花被 3；子房上位，3 室；柱頭 3 裂。漿果球形。

分佈　生於山坡林邊或丘陵灌木叢中。分佈於華東、西南及華南。

採製　全年可採，曬乾或用鹽水浸泡數小時後蒸熟，曬乾；夏季採葉，曬乾。

成分　根狀莖含多種甾體皂甙。

性能　甘、酸，平。祛風利濕，解毒消腫。

應用　根狀莖用於風濕關節痛，跌打損傷，胃腸炎，痢疾，消化不良，糖尿病，乳糜尿，白帶，癌症；葉外用於癰癤疔瘡，燙傷。用量根狀莖 30～60g；葉外用適量，研末調外敷。

文獻　《滙編》上，752。

4424 無刺菝葜

來源　百合科植物無刺菝葜 Smilax mairei Levl. 的塊莖和根。

形態　攀援灌木，長約 1m，無刺，葉薄革質，卵形、長圓狀卵形或三角狀披針形，長 3.5～10cm，全緣，基部淺心形，下面蒼白色，葉柄長 0.5～2cm，全長的 ½～⅓ 具狹鞘，脫落點位於近頂端，一般有捲鬚。傘形花序多花，總梗扁、粗，稍短於葉柄；花序托膨大，連同多數宿存的小苞片多少呈蓮座狀；花淺綠色或紅褐色，花被片 6，2 輪，雄花被片長 2～2.5cm，內花被片稍小；雌花似雄花，具 6 枚退化雄蕊。漿果熟時藍黑色，徑 6mm。

分佈　生於林下或灌叢中。分佈於西藏、四川、貴州、雲南等省區。

採製　全年可採，切片，曬乾。

成分　含多種皂甙體、帕利林皂甙、菝葜皂甙等。

性能　淡，平。祛風除濕，利水消炎。

應用　用於風濕痛，泌尿系感染，慢性胃炎，月經不調，瘰癧。用量 9～15g。

文獻　《大辭典》上，2035；《雲南中草藥選》。

4425 翅柄菝葜

來源　百合科植物穿鞘菝葜 Smilax perfoliata Lour. 的根狀莖。

形態　攀援灌木，莖及分枝具刺。葉闊卵形、橢圓形或卵狀長圓形等各式，大小不等；掌狀脈 3～7條；葉鞘增大成近卵形的闊翅而抱莖。傘形花序腋生；雄花：雄蕊 10，花絲細長；雌花：柱頭 3，退化雄蕊 3。漿果圓球形。

分佈　生於疏林中。分佈於雲南、廣西、廣東、海南及台灣。

採製　全年可採，曬乾。

性能　淡，平。健脾益胃，強筋壯骨。

應用　用於風濕腰痛。用量 9～15g。

文獻　《滙編》下，846。

4426 紅果菝葜

來源 百合科植物紅果菝葜 Smilax polycolea Warb. 的根狀莖。

形態 落葉攀援灌木。枝條多少具縱稜，疏生刺或近無刺。葉草質，橢圓形、矩圓形至卵形，先端漸尖，基部楔形或近截形，下面蒼白色；葉柄基部至中部具寬 1～2mm 的鞘，部分有捲鬚，脫落點位於近中部。傘形花序生於葉尚幼嫩的小枝上；花序托常稍膨大，有時延長，有幾枚宿存小苞片；花黃綠色；雄花外花被片寬約 2mm，內花被片寬約 1.2mm；雌花與雄花大小相似，有 6 枚退化雄蕊。漿果。

分佈 生於林下、灌叢中或山坡蔭處。分佈於湖北、四川、貴州、廣西。

採製 全年可採集，曬乾。

性能 甘，平。清熱，除風毒。

應用 治崩帶，血淋，瘰病及跌打損傷。嫩葉治臁瘡。用量 15～30g。

附註 調查資料。

4427 算盤七

來源 百合科植物腋花扭柄花 Streptopus simplex D. Don 的根。

形態 草本，根狀莖橫走，密生鬚根。莖單生或中部以上分枝，光滑。葉互生，7～9 枚，披針形或卵狀披針形，長 2.5～8cm，全緣，基部心形，無柄。花大。單生於葉腋，徑達 12mm，花梗長 2.5～4.5cm，無關節；花被片 6，離生，卵狀矩圓形，長 8.5～10mm，粉紅色或白色帶紫色斑點；雄蕊 6，花絲向基部變寬；花柱細長，子房近球形，柱頭 3 裂。漿果。

分佈 生於竹叢中或灌木叢中。分佈於雲南、西藏、陝西。

採製 夏、秋季採挖，洗淨，曬乾。

性能 甘、淡，寒。清肺止咳，健脾和胃。

應用 用於肺熱咳嗽，脾胃不和，心慌，氣短，筋骨疼痛。用量 6～12g。

文獻 《滙編》下，846；《大辭典》上，1817。

4428 紅酸七

來源 百合科植物油點草 Tricyrtis macropoda Miq. 的根。

形態 草本，高 40～70cm。根狀莖近節部粗短塊狀，下端生多數肉質，白色鬚根。莖單一，被毛。葉無柄，卵圓形或橢圓形，長 8～13cm，先端短漸尖，基部圓形或稍心形，兩面被疏毛。疏花圓錐花序頂生或近頂腋生；花被片 6，白色，具紫斑，矩圓形，長 1.5～2cm，外輪的基部具囊；雄蕊 6，花絲稍長於花被，基部管狀，上部外曲下垂；子房有稜，花柱中部以上 3 分枝，外捲，先端 2 深裂。蒴果矩圓形，長 1.5～3cm。

分佈 生於林下陰濕處。分佈於華東、華南、陝西、四川。

採製 夏、秋季採挖，曬乾。

性能 甘，溫。補虛止咳。

應用 用於肺結核咳嗽。用量 9～15g。

文獻 《滙編》下，1483。

4429　橙花開口箭

來源　百合科植物橙花開口箭 Tupistra aurantiaca Wall. et Baker 的根狀莖。

形態　草本，根狀莖粗。葉基生，4～6枚，披針形或條形，長 18～60cm，中部以下漸狹。穗狀花序直立，長 2.5～4cm；苞片披針形，邊緣有細齒，長 1.5～3cm；花近鐘狀，花被片 6，下部合生成筒，裂片三角狀卵形，邊緣有不規則細齒，肉質，黃色或橙色；雄蕊6，花絲橙色，貼於花被筒上，中部以下兩側擴大，邊緣有齒；子房卵形，柱頭 3 裂。

分佈　生於溝邊林中或山坡。分佈於四川、雲南、西藏。

採製　夏、秋季採挖，曬乾或鮮用。

成分　含強心甙。

性能　甘、微苦，涼。有毒。清熱解毒，散瘀止痛。

應用　用於白喉，風濕關節痛，腰腿痛，跌打損傷，狂犬、毒蛇咬傷。用量 1～3g；外用鮮品適量。

文獻　《滙編》上，160。

4430　藜蘆

來源　百合科植物藜蘆 Veratrum nigrum L. 的根及根莖。

形態　多年生草本，高 60～100cm。根短，圓柱形，鬚根細柱狀，肉質，外皮黃色。莖短，直立，圓柱形，粗壯，基部被有黑褐色棕毛狀的葉柄殘基。葉互生，葉片橢圓形或卵狀披針形。圓錐花序，通常疏生較短的側生花序，具雄花；頂生總狀花序較側生花序長 2 倍以上，幾乎全部着生兩性花；總軸和分枝軸被白色綿毛，花被裂片 6，黑紫色，短圓形，全緣。蒴果卵狀三角形。

分佈　生於山坡林下、林緣、草甸。分佈於東北、內蒙古、河北、山西、陝西、甘肅、湖北、山東、河南、四川、貴州。

採製　春、夏季採挖，洗淨曬乾，或用沸水浸燙後曬乾。

成分　含多種生物鹼。

性能　苦、辛，寒。有毒。去風痰，殺蟲毒。

應用　用於中風痰壅，風癇癲疾，黃疸，久瘧，泄痢，頭痛，喉痹，鼻瘜，疥癬，惡瘡。用量 0.3～0.6g；外用適量。

文獻　《大辭典》下，5652。

4431 晚香玉

來源 石蒜科植物晚香玉 Polianthes tuberosa L. 的根。

形態 多年生草本，高可達 1m。具塊狀根莖。莖直立，不分枝。基生葉 6～9 枚簇生，線形，長 40～60cm，寬約 1cm，頂端尖；在花莖上的葉散生，向上漸小呈苞片狀。穗狀花序頂生，每苞片內常有 2 花，苞片綠色；花乳白色，濃香。蒴果卵球形。種子多數。

分佈 各地庭園常見栽培。

採製 秋季挖取根莖，洗淨，曬乾。

成分 含皂甙元達 1.8% 左右，主要爲替告皂甙元、海柯皂甙元和 9 一去氫海柯皂甙元。

性能 甘、淡，涼。清熱消腫。

應用 外用治癰瘡腫毒。研末香油調，敷於患處或鮮品搗爛敷患處。外用適量。

文獻 《新華本草綱要》一，508。

4432 老君扇

來源 鳶尾科植物老君扇 Iris laevigata Fisch. 的全株。

形態 多年生草本，高約 30cm。根狀莖粗短，節多。單葉互生，基部抱莖，二行排列如扇狀；葉片質堅，劍形，長約 30cm，寬約 2cm，先端漸尖，有平行脈多條。花生於葉型花軸的邊緣、紫藍色；裂片成花瓣狀。雄蕊 3，雌蕊 1。

分佈 常成片野生於灌木林邊緣。分佈在南方各省。

採製 全年可採，曬乾。

性能 苦、辛，平。活血祛瘀，消腫止痛。

應用 用於跌打，蛇傷，牙痛。用量 9～15g。

文獻 《華南植物園名錄》，266。

4433 細葉鳶尾

來源 鳶尾科植物細葉鳶尾 Iris tenuifolia Pall. 的種子、根。

形態 多年生草本，高 20～40cm，形成稠密草叢。根狀莖匍匐，鬚根細繩狀，黑褐色。植株基部被稠密的宿存葉鞘，絲狀或薄片狀，棕褐色，堅韌。基部葉絲狀條形，縱捲，極堅韌。花葶長約 10cm，苞葉 3～4，披針形，鞘狀膨大呈紡錘形，內有花 1～2 朵；花淡藍色或藍紫色，花被管細長，外輪花被 3，裂片倒卵狀披針形，內輪花被 3，裂片倒披針形；雄蕊 3；花柱狹條形。蒴果卵球形，具三稜。

分佈 生於草原、沙地、石質坡地。分佈於東北、華北、西北。

採製 秋季採收，曬乾。

性能 根：微苦，涼。安胎養血。種子：甘，平。涼血止血，清熱利濕。

應用 根用於胎動不安，血崩。用量 30～60g。種子用於吐血，衄血，功能性子宮出血，急性黃疸型肝炎，骨結核，小便不利，疝痛。用量 3～9g。外用於癰腫，外傷出血。用量適量。

文獻 《滙編》下，848；《內蒙古植物誌》八，240。

附註 花及種子亦入蒙藥。

4434　粗根鳶尾

來源　鳶尾科植物粗根鳶尾 Iris tigridia Bunge 的根。

形態　多年生草本，植株高 10～30cm。根狀莖短粗，鬚根多數，粗壯，稍肉質，直徑 0.3cm，黃褐色。基生葉條形，光滑，兩面葉脈突出。花葶高 7～10cm，短於基生葉；花淡紫紅色，具深紫色脈紋，外輪花被中部具髯毛；花柱裂片狹披針形，頂端 2 裂。蒴果橢圓形，兩端尖銳，具喙。

分佈　生於丘陵坡地，山地草原。分佈於內蒙古、東北、華北、青海。

採製　春、夏季挖採，曬乾。

性能　清熱解毒，止血，利尿。

應用　咽喉腫痛，衄血，熱淋，癰瘡。用量 9～15g。

文獻　《內蒙古中蒙藥誌》；《大興安嶺藥用植物》。

4435　北陵鳶尾

來源　鳶尾科植物北陵鳶尾 Iris typhifolia Kitag. 的根莖。

形態　多年生草本，植株高 50～90cm。莖直立，光滑，基生葉狹條形，花期明顯短於莖，具明顯突出的中脈。總苞 2～4，光滑，近膜質；花 2～3 朵，花被管短於花被裂片；外輪花被片倒卵形，長 3～5cm，藍紫色，中部黃褐色。蒴果橢圓形，種子黃綠色。

分佈　生於河灘草甸。分佈於內蒙古東部、東北。

採製　夏季採收，洗淨，曬乾。

性能　清熱降火，解毒。

應用　搗泥外敷治癰腫瘡毒。外用適量。

文獻　《內蒙古中蒙藥誌》。

4436　紅花蕉

來源　芭蕉科植物指天蕉 Musa coccinea Andr. 的根狀莖。

形態　草本，高 1.5～2.4m，汁液乳白色。葉卵狀矩圓形，長約 2m，頂端鈍，基部歪斜。穗狀花序直立或上舉，長 40 cm，序軸無毛；苞片披針形，紅色，內具花一列，每列有花5～6朵，分離花被與合生花被近等長。果序直立，有果 6～9 輪；果圓柱狀，長 7cm，稍彎，頂端截形。

分佈　生於陰濕溝谷底。分佈在南方地區。

採製　全年可採，曬乾。

性能　甘、淡，平。有毒。補虛弱。

應用　用於虛弱頭暈，虛腫血崩，白帶。用量30g。

文獻　《滙編》下，843。

附註　花止鼻血。果實有毒，不可食。

4437　大蕉

來源　芭蕉科植物芭蕉 Musa paradisiaca Linn. 的全株。

形態　大型草本，高 3～7m。莖厚而粗重。葉巨大，兩面亮綠色。穗狀花序下垂；苞片紫紅色；雄花早落；萼黃白色；花瓣卵形。果序由 7～8 段或更多的果束組成；果成熟時黃色，矩圓形，稍具 3 稜。

分佈　生於濕潤、肥沃的壤土。廣西、廣東、海南、台灣、福建及雲南有栽培。

採製　全午可採，一般爲鮮用。

性能　甘、澀，寒。清熱解毒，利尿消腫，安胎。

應用　全株：用於流行性乙型腦炎，白帶，胎動不安；外用治癰癤腫毒，丹毒，中耳炎；果皮及果柄：治高血壓。用量鮮根 30～120g；外用適量，鮮根搗爛敷或搗汁搽患處。治中耳炎，取莖汁滴入耳內。

文獻　《滙編》下，467。

4438　密苞山薑

來源　薑科植物密苞山薑 Alpinia densi-bractiata T.L. Wu et Senjen. 的根莖。

形態　高 1～1.5m。葉片橢圓狀披針形，頂端漸尖，並有細尾尖，基部漸狹，邊緣及先端密被絨毛。穗狀花序頂生，總花梗近於無；基部具一線形的總苞片；苞片披針形，密集；每一苞片有 3 枚小苞片和 3 朵花；花芳香。果球形，直徑約 1cm，頂端有宿萼。

分佈　生於山谷中密林蔭處。分佈於廣東、廣西、貴州、雲南、江西等省區。

採製　全年可採，曬乾。

性能　辛，溫。溫中行氣，消腫止痛。

應用　用於腹痛泄瀉，胃痛，風濕跌打。用量 3～6g。

文獻　《華南植物園名錄》，2420。

4439　多花山薑

來源　薑科植物多花山薑 Alpinia poly-antha D. Fang 的根狀莖。

形態　莖高達 4.6m。根莖粗。葉片披針形至橢圓形，頂端漸尖，基部楔形，葉面無毛，葉背被茸毛，葉舌長 1～2cm，質厚，密被茸毛。圓錐花序直立，分枝上的花 5～8 朵；分枝和花梗密被茸毛，花萼紅色，花冠管與花萼等長。蒴果球形，被毛，頂端具宿存花被管。

分佈　生於山坡林中。分佈於廣東、廣西。

採製　全年可採、曬乾。

性能　辛，溫。溫中行氣，除寒燥濕。

應用　用於胸腹滿悶，反胃嘔吐，宿食不消，咳嗽。用量 3～6g。

文獻　《廣西藥用植物名錄》，243。

4440　花葉山薑

來源　薑科植物花葉山薑 Alpinia san-
derae Sand. 的根狀莖。

形態　根狀莖平臥。葉片橢圓形、長圓
形或長圓狀披針形，葉面綠色，葉脈處
顏色較深，葉背淺綠；葉舌短，葉鞘紅
褐色。總狀花序；花成對生於長圓形苞
片內，花萼管狀紫紅色；花冠白色，有
紅色脈紋。果球形，頂端有花被殘跡。

分佈　生於山谷陰濕之處。分佈於雲
南、廣東、廣西、湖南。

採製　全年可採，曬乾。

性能　辛，溫。溫中暖胃，燥濕祛寒。

應用　用於胸腹滿悶，反胃嘔吐，宿食
不消。用量 3～6g。

文獻　《華南植物園名錄》，78。

4441　象牙參

來源　薑科植物象牙參 Roscoea pur-
purea Smith 的根。

形態　草本，高 15～45cm。根簇生，
膨大成紡錘狀。莖基有 2 枚鱗片狀鞘。
葉 3～6 片，披針形或長圓形，長 8～
25cm，無葉柄。花序頂生，近頭狀，有
花 2～4 朵，半隱於頂葉的基部；苞片
數枚，長圓形，包藏住花被管；花藍紫
色或紫色；花萼長 3.5cm，上部一側開
裂，花冠管較萼管長或等長，裂片披針
形，後方的一枚寬度爲二側的 2 倍；側
牛退化雄蕊倒卵形；唇瓣深 2 裂；花藥
室線形，稍彎。朔果。

分佈　生於松林下或草叢中。分佈於西
藏、雲南。

採製　夏秋挖採，曬乾。

性能　辛，溫。溫中散寒，止痛消食。

應用　用於脾胃虛寒疼痛，食積。用量
9～15g。

文獻　《中國植物誌》16(2)：49。

4442 黃花美人蕉

來源 美人蕉科植物黃花美人蕉 Canna flaccida Salisb. 的根莖。

形態 草本，高 1.3～2m。有塊狀的地下莖。葉矩圓狀披針形。總狀花序頂生；苞片極小；花黃色，大而美麗，不對稱；萼片綠色；花冠管明顯，花瓣外反；外輪的退化雄蕊 3；子房下位，3室。蒴果近球形，被軟刺。

分佈 長江南北各地有栽培。

採製 四季可採，曬乾或鮮用。

性能 苦，寒。清熱利濕，舒筋活絡。

應用 用於黃疸肝炎，風濕麻木，外傷出血，跌打，子宮下垂，心氣痛。用量 3～9g。外用適量。

文獻 《廣東藥用植物手冊》，671。

附註 花為止血藥。

4443 多花脆蘭

來源 蘭科植物多花脆蘭 Acampe multiflora (Lindl.) Lindl. 的葉。

形態 附生蘭，具粗壯的氣生根。莖為交互套疊的葉鞘所被覆。葉二列，帶狀長圓形，頂端為不等長的 2 圓裂，基部有關節及鞘。花序有時具 1～2 個短的側分枝，花苞片三角形；中萼片和側萼近相等；花瓣較狹，唇瓣朝上，中裂片上面密被乳突狀毛，側裂片內壁被長毛；花粉塊 4。蒴果長紡錘形或短圓形。

分佈 生於疏林的樹上或溪邊叢林的巖石上。分佈於雲南、廣西、廣東及海南。

採製 全年可採，鮮用。

應用 用於跌打損傷，骨折。外用適量。

文獻 《廣西藥用植物名錄》，570。

4444　三褶蝦脊蘭

來源　蘭科植物三褶蝦脊蘭 Calan-
the triplicata (Willem.) Ames 的
根。

形態　陸生蘭，莖短。葉片橢圓
形，兩面略生柔毛。花葶自葉叢中
抽出；總狀花序被毛；花苞片略外
彎；花白色；中萼片橢圓狀倒卵
形；側萼片橢圓形；花瓣倒披針
形；唇瓣 3 裂，中裂片深 2 裂，裂
片叉開，凹缺處具短尖；距纖細，
長約 2cm。

分佈　生於山谷溪邊或林下。分佈
於海南、台灣、廣東、雲南、貴州
及西藏。

採製　全年可採，曬乾。

性能　辛、甘，溫。舒筋活絡，祛
風止痛。

應用　用於風濕性關節炎，腰肌勞
損，跌打損傷，胃痛。用量 6～
9g。孕婦忌服。

文獻　《滙編》下，248。

4445　龍舌箭

來源　蘭科植物綠花杓蘭 Cypri-
pedium henryi Rolfe. 的根。

形態　草本，高 30～60cm。根莖
短，着生多數鬚根。莖被毛，具
4～5 葉。葉橢圓形或卵狀披針
形，長 10～18cm，寬 6～8cm。
具緣毛。總狀花序具 2～3 花，每
花具一葉狀苞片；花綠黃色，徑約
7cm；中萼片長 3.5～4.5cm；合萼
片常較短，先端 2 裂；花瓣條狀披
針形，幾與萼片等長，背面中脈被
毛；唇瓣長約 6cm，具紫色條紋，
囊內基部具長柔毛；退化雄蕊近圓
形，基部收狹成柄，下面具龍骨狀
突起；子房條形，密被白色短柔
毛。

分佈　生於林下或林緣。分佈於湖
北、陝西、甘肅、四川、雲南、貴
州等省。

採製　秋季挖根，洗淨，曬乾。

性能　苦，溫。理氣行血，消腫止
痛。

應用　用於胃寒腹痛，腰腿疼痛，
跌打損傷。用量 6～9g。

文獻　《大辭典》上，1288。

4446　鐵皮石斛（石斛）

來源　蘭科植物黑及草 Dendro-
bium candidum Wall. ex Lindl. 的
莖。

形態　草本，高達 35cm。莖叢生，
圓柱形，徑 2～4cm，乾後青灰
色。葉紙質，矩圓狀披針形，長
4～7cm，脈淡紫色；葉鞘具紫
斑。總狀花序，常生於無葉的莖上
端，長 2～4cm，多為 3 花；苞片
乾膜質，淡白色；花被片黃綠色，
長約 1.8cm，中萼片和花瓣相似，
矩圓狀披針形，側萼片鐮狀三角
形，反折，比萼片短，不裂或不明
顯 3 裂，基部邊緣內捲有 1 胼脈
體，唇盤被毛及紫紅色斑點。

分佈　附生於樹上。分佈於江西、
四川、貴州、雲南、廣西。

採製　全年可採，鮮用或剪去根，
用火烘軟或開水煮透，搓去外表粗
皮，曬乾或烘乾。

性能　甘、淡，微寒。養陰益胃，
生津止渴。

應用　用於熱病傷津，口乾煩渴，
病後虛熱。用量 6～12g。

文獻　《中藥誌》四，230。

4447 流蘇石斛

來源 蘭科植物流蘇石斛 Dendrobium fimbriatum Hook. 的莖

形態 草本，莖直立，圓柱形，長可達150cm，綠色，具縱槽紋，有的節爲紫紅色。葉薄革質，2列，長橢圓形或橢圓狀披針形，長 9～12cm，寬 2～4cm。總狀花序生於莖先端，下垂，有花 2～8 朵，金黃色，花瓣與萼片同形，但較寬，邊緣嚙蝕狀，唇瓣近圓形，具短爪，近基部有 1 腎形深紫色斑塊，兩面均有絨毛，邊緣具複流蘇。

分佈 附生於樹上或山谷巖石縫。分佈於廣東、廣西、貴州、雲南。

採製 秋季採挖，除去根及泥沙曬乾。

成分 主要爲石斛鹼(dendrobine $C_{16}H_{25}O_2N$)，石斛次鹼（nobilonine, nobiline $C_{17}H_{27}O_3N$)。

性能 甘、淡，微寒。滋陰養胃，清熱生津。

應用 用於熱病傷津，口乾煩渴，病後虛熱，陰傷目暗。用量 10～20g。

文獻 《中藥誌》四，230。

4448 雞背石斛

來源 蘭科植物聚石斛 Dendrobium jenkinsii Wall. ex Lindl. 的全株。

形態 附生蘭，莖膨大成假鱗莖，近四稜形，有 3～4 節，頂生 1 葉，外被乾膜質鞘。葉狹橢圓形或長圓形，頂端凹缺。總狀花序生於近頂端的節上；花黃色；中萼片狹卵形，側萼片斜卵狀披針形，下面合生爲淺的萼囊；花瓣闊卵形；唇瓣近扁圓形，中間橙紅色，具短爪，唇盤上有毛；蕊柱黃色。

分佈 附生於樹上或巖石上。分佈於中國南部和西南部。

採製 全年可採，以鮮爲佳。

性能 甘、淡，涼。潤肺化痰，止咳平喘。

應用 用於肺熱咳嗽，哮喘。用量鮮品30～60g，乾品減半。

文獻 《滙編》下，105。

4449　短距手參

來源　蘭科植物短距手參 Gymnadenia crassinervis Finet. 的塊莖。

形態　草本，高 23～55cm。塊莖橢圓形，下部掌狀分裂。莖粗壯，具 3～5 枚葉，基部具 1～3 枚筒狀鞘。葉互生，橢圓狀長圓形，長 4.5～10cm，基部鞘狀抱莖。總狀花序頂生，花密集；苞片披針形，較子房長；萼片直立，舟狀；花瓣卵形，緣具齒；唇瓣寬倒卵形，被毛，前部 3 裂，中裂片三角形，稍長；距長爲子房的½；子房紡錘形，扭曲。

分佈　生於林下。分佈於四川、雲南、西藏。

採製　春、秋季採挖，曬乾或開水燙後曬乾。

性能　甘，平。補益氣血，生津止渴。

應用　用於肺虛咳喘，虛勞消瘦，神經衰弱，久瀉，失血，帶下，乳少，慢性肝炎，用量 9～30g。

文獻　《大辭典》上，0880。

4450　西南手參

來源　蘭科植物西南手參 Gymnadenia orchidis Lindl. 的塊莖。

形態　草本，高 17～49cm。塊莖卵橢圓形，掌狀分裂。莖粗壯，具 3～5 枚葉。葉片橢圓形至近披針形，急尖或鈍，基部鞘狀抱莖，長 7～12 cm。總狀花序頂生，具多數密或疏的小花；苞片披針形，最下面的明顯超過花；花紫紅、粉紅或白色；側萼片反折；花瓣闊卵狀三角形，邊緣具波狀齒；唇瓣闊倒卵形，2～5mm，前部 3 裂；距絲狀，內彎，常長於子房。

分佈　生於高山林下或草地。分佈於湖北、陝西、甘肅、青海、四川、雲南、西藏。

採製　春、秋季採挖，洗淨曬乾或開水燙後曬乾。

性能　甘，平。補益氣血，生津止渴。

應用　用於肺虛咳喘，虛勞消瘦，神經衰弱，久瀉，失血，帶下，乳少，慢性肝炎。用量 9～30g。

文獻　《大辭典》上，880；《西藏植物誌》五，716。

4451　蛇尾草

來源　蘭科植物叉唇角盤蘭 Her-minium lanceum (Thunb.) Vuijk 的根。

形態　陸生蘭，高 10～75cm。塊根近圓球形，小，肉質。葉 3～4 枚，條狀披針形。總狀花序長 5～20cm；花密集，苞片披針形，短於子房；花小，綠色，萼片卵狀矩圓形，1 脈；唇瓣近矩圓形，基部凹陷，無距，兩側擴大，上面具乳突，3 脈，中部 3 裂，中裂片長 1mm，側裂片稍叉開，長 3～8mm，末端捲曲；退化雄蕊 2，側生，頂端膨大，2 深裂，似具柄；子房棒狀，稍被毛。

分佈　生於山坡草地。廣佈於中國大多數省區。

採製　秋季採挖，曬乾或鮮用。

性能　甘，平。潤肺抗癆，補腎強筋。

應用　用於肺結核，跌打筋骨損傷，刀傷出血。用量 9～15g，外用適量。

文獻　《滙編》下，852。

4452　角盤蘭

來源　蘭科植物角盤蘭 Hermi-nium monorchis (L.) R. Br. 的塊莖。

形態　多年生草本，高 9～40cm。塊莖球形，頸部生數條細長根。莖直立，基部具棕色葉鞘，下部具葉 2～3，互生，上部具 1～2 苞片狀小葉。葉片披針形、矩圓形、橢圓形，總狀花序圓柱狀，具多花，花小，黃綠色；萼片離生；花瓣條狀披針形，先端鈍，唇瓣肉質增厚，與花瓣近等長，基部凹陷，近中部 3 裂，無距；退化雄蕊 2，顯著，柱頭 2，隆起。蒴果矩圓形。

分佈　生於谷地、濕草地、林下。分佈於黑龍江、吉林、河北、山東、河南、陝西、寧夏、甘肅、青海、四川西部、雲南西北部。

採製　夏、秋季採挖，洗淨，曬乾。

性能　強心補腎，生津止渴，調經活血。

文獻　《內蒙古植物誌》八，268；《新疆中藥資源名錄》，136。

4453　百步還陽丹

來源　蘭科植物兜被蘭 Neottian-the cucullata (L.) Schltr. 的帶根全草。

形態　多年生草本，高 10～15cm。塊莖球狀，頸部生數條細長根。莖纖細。基生葉 2 枚，對生；葉片寬披針形或卵狀披針形，莖生葉細小，呈苞片狀。穗狀花序，花淡紅紫色；除唇瓣以外的花被片皆互相靠合成盔瓣狀，唇瓣 3 深裂。蒴果三稜狀圓柱形。種子極多，微小。

分佈　生於林下、林緣。分佈於東北、內蒙古、陝西、山西、甘肅、青海、新疆、河南、湖北及西南。

採製　夏、秋季採挖，洗淨，曬乾或鮮用。

性能　甘，平。強心興奮，活血散瘀，接骨生肌。

應用　用於外傷性昏迷，跌打損傷，骨折。用量 1.5～3g。

文獻　《大辭典》上，1745；《滙編》下，239。

4454 鶴頂蘭

來源 蘭科植物鶴頂蘭 Phaius tankervil-liae (Ait.) Bl. 的球莖。

形態 陸生草本，假鱗莖圓錐形。葉片矩圓狀披針形，基部收窄成長柄。花葶側生於假球莖之上或生於葉腋；花苞片舟形；萼片和花瓣矩圓形，外面白色，內面暗赭色；唇瓣頂端 3 淺裂；蕊柱細長，無毛，花粉塊 8。蒴果棒狀長圓形。

分佈 生於山谷、林下潮濕處。分佈於海南、台灣、廣東及雲南。

採製 春、夏季採，鮮用或曬乾。

性能 微辛，溫。有小毒。祛痰止咳，活血止血。

應用 用於咳嗽多痰，咳血，跌打腫痛，乳腺炎，外傷出血。用量 3～6g；外用研粉撒傷處。孕婦慎服。

文獻 《廣西本草選編》下，1996。

4455 半春蓮

來源 蘭科植物小花蜻蜓蘭 Tulotis us-suriensis (Reg. et Macck) Hara 的根。

形態 陸生蘭，高 20～55cm。根莖短，根肉質，呈指狀。莖纖細，下部具 2～3 葉，中上部生苞片狀小葉。葉匙形或狹橢圓形，長 6～10cm。總狀花序長 5～10cm，具 10～20 朵花較疏散；花苞片狹披針形，稍長於子房；花小淡黃綠色，中萼片寬卵形，長約 3mm，側萼片狹橢圓形；花瓣狹矩圓形，先端渾圓；唇瓣條形，基部兩側各具 1 枚半圓形小裂片；距纖細，黏盤長橢圓形。

分佈 生於山坡林下。分佈於新疆、吉林、陝西、湖南、四川、江西、浙江。

採製 春、夏季採收，曬乾。

性能 辛、苦，涼。解毒消腫。

應用 用於鵝口瘡。外用於癰癤腫毒，跌打損傷。用量 9～15g；外用適量。

文獻 《滙編》下，1281。

4456 擬棗貝(白貝齒)

來源 寶貝科動物擬棗貝 Erronea errones (L.) 的貝殼。

形態 貝殼小型，殼長約 2.1cm，寬約 1.3cm，高約 1cm。貝殼呈長橢圓形，殼面光滑，有光澤。貝殼周緣及底部為黃色；背部為藍灰色，有 3 條不大明顯的暗藍色的寬帶橫過背部，並有褐色的斑點不規則散佈着，在中部褐色斑點集中處殼口狹長，後端寬於前端，內外兩唇周緣各有 12 個細長的齒。

分佈 棲息在低潮線附近巖礁間。分佈於海南島、西沙羣島等。

採製 5～7 月間撈取，除去肉，洗淨曬乾。

成分 含碳酸鈣等。

性能 鹹，平。清心安神，平肝明目。

應用 用於驚悸心煩不眠，小兒斑疹，目赤翳膜等。用量 6～12g。

文獻 《中藥誌》(1961 年版) 四，39。

4457 香螺

來源 蛾螺科動物香螺 Neptunea cumingi Gosse 的肉。

形態 貝殼大，邊緣輪廓近菱形，兩端較小，中部膨脹。殼質堅厚，螺旋部短，呈錐形，約佔殼高的 $\frac{1}{3}$～$\frac{2}{5}$。殼頂光滑，呈乳頭狀。螺層約 7 層。生長線粗糙，明顯；體螺層上面有時形成褶襞狀或棘。殼表面黃褐或棕色，有寬窄不勻和距離不等的褐色帶，表面粗糙，具有細密的螺脅。殼口大，卵圓形，內面為灰白色，外唇較厚，邊緣完整，內唇薄，貼附於體螺層上。無臍孔，前溝較長，略向上曲，形成前端 1 個突起。

分佈 生活於深海約 20～78m 巖礁間或沙泥質海底。分佈於黃海、渤海。

採製 春至秋季捕捉，捕後用沸水燙死，取肉用。

性能 甘，冷。

應用 用於心腹熱痛。內服：煮食或煎湯，用量 30～60g。外用：取汁合藥點眼。

文獻 《中國經濟動物誌》，58。

附註 據《中藥大辭典》下，3977 記載其他海產螺類的肉亦供藥用。

4458　巨斧螳螂(桑螵蛸)

來源　螳螂科動物巨斧螳螂 Hierodula patellifera Serville 的乾燥卵鞘。

形態　雌蟲體長 5.5～7.5cm，雄蟲體長 4.5～5.5cm。全體綠色。頭部較大，前額後兩側暗色，近上方有不明顯縱形隆起 2 個。前胸背粗短呈菱形。前翅淡綠色，後翅色淡。前翅中部較寬，末端漸狹，翅紋部偏後左右各有 1 橢圓形的白色眼狀斑。

分佈　棲於樹枝上、高草叢中。成蟲獵食多昆蟲。廣佈於華北、華中等地。

採製　秋至翌春採收，置蒸籠蒸 30～40 分鐘，撈出曬乾或烘乾。

成分　含蛋白質及脂肪等。

性能　甘、鹹，平。益腎，澀精，縮小便。

應用　用於遺精，老人小便頻數，帶下，腎虛腰痛，小兒夜尿等。用量 5～9g。

文獻　《中藥誌》(1961 年版)四，187。

4459　小螳螂(桑螵蛸)

來源　螳螂科動物小螳螂 Statilia maculata Thunb. 的乾燥卵鞘。

形態　體形中等大，長 4.8～6.5cm，灰褐至暗褐色。有黑褐色不規則的點散佈其間。頭部稍大，三角形。前胸背細長，腹部與胸部幾乎等長，前翅細長，末端鈍圓，黃色或黃褐色，有污黃色斑，後翅翅脈暗褐色。肢體細長，前胸足腿節內側基部及脛節內側中部各有一大形黑色斑紋。

分佈　棲於草叢及樹枝上。捕食小蟲。秋季產卵於草莖或樹枝間。分佈幾遍全國各地。

採製　秋季至翌春採收，蒸 30～40 分鐘，曬乾或烘乾。

成分　含蛋白質、脂肪、粗纖維。並有鐵、鈣及蘿蔔素樣色素。

性能　甘、鹹，平。益腎，澀精，縮小便。

應用　用於遺精，帶下，老人小便頻數，小兒夜尿等。用量 3～9g。禁忌：有實熱者不宜。

文獻　《滙編》上，680。

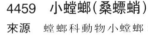

4460　棺頭蟋蟀

來源　蟋蟀科動物棺頭蟋蟀 Loxoblem-mus doenitzi Stein 的乾燥成蟲。

形態　體長 1.8～2.0cm，褐色至黑褐色。雄蟲頭部強烈變形，顏面極爲扁平而後傾，頂端及兩側呈尖角狀凸出，顏面呈三角形，前胸後板橫形，前緣中央微凹陷，後緣呈直線，背面有圓形不規則的黃色斑紋。前翅達尾翅，後翅細長呈尾狀。足上有不規則的黑褐色斑點。

分佈　棲於田埂雜草叢中或牆角磚石堆下。以植物嫩芽及幼嫩根部爲食。分佈於華北、華東及廣東、廣西、四川。

採製　秋季在潮濕處及柴草堆下捕捉。用沸水燙死，曬乾或烘乾。

性能　辛、鹹，溫。利尿消腫，清熱解毒。

應用　用於水腫，小便不利。外用於紅腫瘡毒。用量 3～5 隻，烘乾研粉用；外用適量。

文獻　《中國藥用動物誌》一，76。

4461　茴香蟲

來源　鳳蝶科動物黃鳳蝶 Papilio ma-chaon L. 的乾燥幼蟲。

形態　大型蝴蝶。成蟲體色鮮艷，頭部有半球形複眼 1 對，複眼內側有細長球棒狀觸角 2 條。腹部背面有深黑色寬縱紋 1 條。翅色鮮黃，外緣及翅脈兩側深黑色，後翅黑色，第 3 翅脈向外延伸，形成 1 黑色尾突。雌蝶體型稍大，翅面黑紋較寬，腹部肥短。終幼蟲齡體表面光滑無毛，淺黃綠色，每節中部有寬闊的黑色環狀條紋，間有 6 個金黃色圓點。

分佈　幼蟲寄生於茴香、胡蘿蔔、芹菜等傘形科植物。以葉、花蕾及嫩梢爲食。分佈幾遍全國。

採製　夏季捕捉，以酒醉死，焙乾研粉用。

成分　幼蟲體中含精油，其成分有：對甲氧基桂皮醛、對甲氧基桂皮酸、對甲氧基苯甲醛，對氧基苯甲酸。

性能　甘、辛，溫。理氣，止痛，止呃。

應用　用於胃痛，小腸疝氣，噎膈。用量每次 2～3 條。

文獻　《中國藥用動物誌》一，92；《大辭典》下，3307。

4462　金魚

來源　鯉科動物金魚 Carassius auratus L. var. Goldfish. 的全體。

形態　爲鯽魚的變種。品種較多，形態各異。有長身和短身二型。體色有灰、橙紅、黑、白、紫、藍、五花等色。頭部變化大，有平頭、獅頭、鵝頭和絨球等種。眼球凸出而膨大，有龍眼、朝天眼、水泡眼等。鱗也複雜，有透明鱗和珠鱗。鰭大，背鰭或有或無。臀鰭有單鰭和雙鰭，尾鰭多分爲 3 葉或 4 葉而披散。

分佈　生活在人工製造的水族箱、魚池、魚缸中。全國各地均有飼養。

採製　去內臟，鮮用或焙乾。

成分　肌肉含類胡蘿蔔素，以玉米黃質(zeaxanthin)及葉黃素(lutein)等爲主。

性能　苦，微鹹。有小毒。清熱，利水，解毒。

應用　用於水腫，黃疸，咳嗽等。用量 1～2 條。

文獻　《中國藥用動物誌》二，191。

4463　鯇魚

來源　鯉科動物草魚 Ctenopharyngodon idellus (Cuvier et Valenciemes) 的肉。

形態　體長達 90cm，呈圓筒形。尾部側扁，腹圓無稜，口端成弧形，無鬚。上頜稍長於下頜。眼小，眼徑小於吻長。下咽齒 2 行，扁平，呈梳形，鱗片中等大小。背鰭條 3、7，臀鰭 3、8，均無硬刺。體呈茶黃色，背部青灰色，腹部灰白色，各鰭淺灰色。

分佈　生活於江河、湖泊的中下層和近岸多水草處。以草類爲食。分佈於全國各地。

採製　全年可捕，去鱗及內臟，洗淨鮮用。膽汁有毒，應遵醫囑，慎用。

成分　含蛋白質、脂肪、灰分、鈣、磷、鐵、硫胺素、核黃素、尼克酸。

性能　甘，溫。平肝，祛風，暖胃和中。

應用　用於虛勞，肝風頭痛，久瘧等。用量 100～200g。

文獻　《大辭典》下，5508。

4464　鰱魚

來源　鯉科動物鰱魚 Hypophthalmichthys molilu ix (Cuv. et. val.) 的肉。

形態　體側扁，呈紡錘形，腹部狹窄，由胸部至肛門之間，有發達的腹稜。頭大，約爲身長的¼。吻短鈍而圓，口寬，眼小。下咽齒 1 行，扁平，成杓形。鰓耙特化，有螺旋形鰓上器。鱗細小，側線鱗呈廣弧形下彎。背鰭 III，7，無硬刺，臀鰭中等長。尾鰭叉狀。背和頭上部灰綠色，體側和腹面銀白色。各鰭淡灰色。

分佈　生活於江河、湖泊的中、上層水域。以藻類和植物的碎屑爲食。分佈於黑龍江、長江、黃河、珠江等水域。是中國養殖魚類之一。

採製　常年可捕，去鱗剖腹，去內臟，洗淨鮮用。

性能　甘，溫。溫中益氣，利水。

應用　用於病後體虛，水腫等。用量 250g。

文獻　《大辭典》下，5494。

4465 梭鯔

來源　鯔科動物梭鯔 Mugil soiuy Basi-leusky 的肉。

形態　體細長約 22.7～34.7cm，梭形，稍側扁。眼小，脂眼瞼不發達。口小，上脣發達，下脣銳薄。兩頜無牙。鰓孔寬大，鰓耙發達。鰓蓋膜分離。肛門位於臀鰭前方。鱗大而圓。除第一背鰭外各鰭被細小的鱗。背鰭IV，18。臀鰭III，9。尾鰭後緣微凹。頭部及體側背方灰青色，體側下方及腹面銀白色。

分佈　棲於沿海及鹹淡水區。以浮游生物及底棲生物為食。分佈於中國沿海一帶。

採製　捕後去鱗和內臟，洗淨入藥。

性能　健脾益氣，消食導滯。

應用　用於脾虛泄瀉，消化不良，小兒疳積，貧血等。用量 100～200g。

文獻　《中國藥用動物誌》二，238。

4466 黃鯔

來源　鯔科動物黃鯔 Mugil vaigiensis Quoy et Gaimard 的肉。

形態　體長 20～22cm。體形略短粗。頭較小，扁平，較寬。脂眼瞼不發達。上頜發達，肉質較厚，下脣銳薄。鰓孔寬大。體被大型櫛鱗，較厚，後緣細弱絨毛狀。頭部被鱗。背鰭III～IV，18。臀鰭III，8。尾鰭截形。各鰭除第一背鰭外均被細小的鱗。體背暗灰色，頭背面黑灰色，體側下方及腹面銀白色。體側有黑色縱紋 6 條。

分佈　棲於近海淺灘鹹淡水交滙的河口中。以細小生物和有機質為食。分佈於南海。

採製　捕後去內臟及鱗，洗淨入藥。

成分　含蛋白質、脂肪、糖類、多種維生素、多種氨基酸及鈣、鎂、磷、鐵等。

性能　健脾益氣，消食導滯。

應用　用於脾虛泄瀉，消化不良，小兒疳積，貧血等。用量 100～200g。

文獻　《中國藥用動物誌》二，238。

4467　鮐魚

來源　鯖科動物鮐魚 Pneumato-phorus japonicus (Houttuyn) 的肉。

形態　體長約 21～26cm，呈紡錘形，稍側扁。尾柄短而細，尾鰭基部有 2 條隆起嵴。頭稍側扁，吻稍尖，眼大，有發達的脂眼膜。口大，上下頜各具 1 排細小齒，犁骨及腭骨有牙。鰓孔大，鰓耙細。體被細小圓鱗，側線波狀。背鰭 IX，III。臀鰭 I，III。尾鰭深叉形。體背部青綠色，腹部銀白色。胸鰭以上有深藍色不規則的斑紋。

分佈　爲遠洋洄游性魚類，每年夏季結成羣到近海生殖。以浮游甲殼類、魚類爲食。分佈於渤海、黃海、東海、南海。

採製　捕捉後去內臟，洗淨入藥。

成分　含蛋白質、脂肪、糖類、鈣、磷、鎂、鐵、維生素 B₁、維生素 B₂、菸酸等。

性能　滋補強壯。

應用　用於胃腸道疾病，肺癆虛損，神經衰弱。用量 100～200g。

文獻　《中國藥用動物誌》二，249。

4468　鱉甲

來源　鱉科動物中華鱉 Trionyx sinensis (Wiegmam) 的背甲。

形態　體呈橢圓形。頭尖，頸粗長，吻突出而長，吻端有一對鼻孔。眼小，瞳孔圓形。頸基無顆粒狀疣。背腹骨板小。背面橄欖綠色或黑棕色，表皮形成的小疣排列成縱行，邊緣柔軟。腹面黃白色，有淺綠色斑。背腹骨板間無緣板接連。前肢 5 指，內側 3 指有爪，後肢也同。指、趾間具蹼。

分佈　生活於湖泊、小河及池塘旁的泥沙裏。分佈幾遍全國各地。

採製　3～9 月捕捉，將鱉身放沸水內煮 1～2 小時，取出背甲，去淨殘肉曬乾。

成分　含動物膠、角蛋白、碘質、維生素 D 等。

性能　鹹，平。養陰清熱，平肝熄風，軟堅散結。

應用　用於勞熱骨蒸，陰虛風動，勞瘵瘕母，癥瘕痎癖，經閉經漏，小兒驚癇。用量：煎湯內服，10～15g。熬膏或入丸、散，外用研末調敷。脾胃陽衰，食減便溏或孕婦慎用。

文獻　《大辭典》下，5707。

附註　《大辭典》學名爲 Amyda sinensis (Wiegmann)。

4469　黿(鱉甲)

來源　鱉科動物黿 Pelochelys bibroni (Owen) 的背甲。

形態　體形大，體長 30～60cm。體形與鱉近似。體近圓形，較平扁，背面光滑，背後部有細小瘤狀突起。頭鈍圓，似蛙頭，吻短。體背部褐黃色或褐綠色，有黑色斑點和細紋，腹面灰白色和灰黃色。

分佈　多棲於大江河深水中，以螺、蜆、魚、蝦等爲食。分佈於江蘇、浙江、福建、廣東、海南、廣西、雲南。

採製　全年可捕捉，以夏季爲多。捕後用刀割頸放血處死，取其背甲，除淨肉，曬乾。

性能　甘，平。滋陰潛陽，除熱散結，益腎健骨。

應用　用於陰虛陽亢，目眩，頭暈腰膝痠軟，瘰癧惡瘡，痔瘻頑癬等症。用量 10～20g。

文獻　《中國藥用動物誌》二，300；《大辭典》下，4740。

4470　王錦蛇(蛇蛻)

來源　游蛇科動物王錦蛇 Elaphe carinata (Guenther) 的乾燥皮膜。

形態　全長可達 2m。頭比頸部稍大。吻鱗寬過於長約⅓。頭背鱗在前額部呈"王"字形，故名王錦蛇。額鱗盾形，上唇鱗 8 片，下唇鱗 10 片，前頦鱗比後頦鱗大，體鱗具明顯的稜，僅最外 1 行平滑。背部暗黃綠色，在頭上及背部的鱗片中央為黃綠色，部分背鱗邊緣出現青黑色，整體出現黑色網紋，僅背鱗中心為黃白色。腹部黃色，腹鱗後緣具有黑色斑紋。

分佈　生活於平原、丘陵及山地。以鼠、蛙、鳥為食。除東北及西北地區外，分佈於其他各省。

採製　全年可取，除淨泥沙，曬乾。

成分　含骨膠原。

性能　甘、鹹，平。袪風，解毒，殺蟲，明目。

應用　用於驚癇，喉痹，諸瘡癰腫，疥癬，目翳等。用量 5～10g。

文獻　《中國藥用動物誌》一，192。

4471　黑眉錦蛇(蛇蛻)

來源　游蛇科動物黑眉錦蛇 Elaphe taenius Cope 的乾燥皮膜。

形態　全長可達 1.8m 左右。頭長，頭部有成對的鱗片。吻鱗寬超過長，上唇鱗 9 片，眼前鱗 2～3 片，眼後鱗 2 片，前顳鱗 2 片，後顳鱗 3 片，體鱗微起稜。體背面石板灰或棕灰色，有橫形黑色的梯狀紋，體中部有 4 條長紋伸延至尾部。頭部褐黃色，眼後有兩條明顯的黑紋延向頸部，狀如黑眉。腹部淡黃色，有深色點和黑色帶。

分佈　生活於高山、平原、草地及村落。以鼠、鳥、蛙、昆蟲為食。分佈廣，除黑龍江、吉林、內蒙古、甘肅、新疆、青海外，均有分佈。

採製　四季捕取，抖淨泥沙，曬乾。

成分　含骨膠原。

性能　甘、鹹，平。袪風，定驚，退翳，消腫，殺蟲。

應用　用於諸瘡癰腫，疥癬，瘰癧，喉痹，目翳，小兒驚風等。用量 5～10g。

文獻　《中國動物藥》，325。

4472　虎斑游蛇

來源　游蛇科動物虎斑游蛇 Natrix tigrina lateralis (Berthord) 的全體。

形態　全長可達 1 m，雌蛇較長。頭扁平。吻鱗橫闊，露見於頭頂，鼻間鱗與前額鱗的長度相近而狹窄，前額鱗中線前端平整，後端內凹，額鱗盾形，顱頂鱗最大。鼻孔圓形，側開與兩枚鼻鱗間。頰鱗矮小，成不等四角形，眶前鱗 2 枚，眶後鱗 3 枚，上唇鱗 7 枚，下唇鱗 9 枚。上頜有細齒 2 枚，最後 1 對長大如鈎，但非毒牙。皮下有成對毒腺，為無導管的皮膚腺，是蛇類中獨有的腺體。體鱗起稜。背色暗綠，頸部有 1 對黑斑或相連成 1 大黑斑。從頸部之體兩側有紅、黑色斑點排成格狀斑紋。

分佈　棲於近水多草處。以蟾蜍、蛙為食。分佈於東北及河北、山西、山東、河南、陝西。

採製　春至秋捕捉，放罐內餓 3～4 天，處死，盡快乾燥，研粉。

性能　解毒，袪風濕，止痛。

應用　用於骨質增生，風濕等。用量 3～5g。

文獻　《中國藥用動物誌》一，201。

4473 黃梢蛇

來源 游蛇科動物灰鼠蛇 Ptyas korros (Sehlegel) 除去內臟的全體。

形態 全長 1.2～1.6m。頭長圓，眼大，瞳孔圓。頰鱗 3 片，體鱗光滑或僅後部中央幾行起棱。體背面暗灰色，各鱗片邊緣暗褐色，中間藍褐色，整體略呈網紋。上唇及腹面淡黃色，尾部灰黃色，腹鱗兩側藍灰色。

分佈 生活於海拔 1000m 以下平原及丘陵地帶，常營樹上生活。以鳥、蛙、鼠、蜥蜴爲食。分佈於浙江、江西、福建、台灣、湖南、廣東、廣西及雲南。

採製 秋季捕捉，剖腹去內臟，洗淨，鮮用或烘乾。

成分 肉含蛋白質、脂肪、多種氨基酸。蛇蛻含骨膠原（collagen）。腦含促卵泡激素（follicle stimulating hormone）、促黃體生成激素（luteinizing hormone）。

性能 甘、鹹，平。祛風除濕，止痛。

應用 用於風濕痺痛，肌膚麻木，半身不遂，小兒麻痺等。用量 5～10g。

文獻 《大辭典》下，4204。

4474 黃閨蛇

來源 游蛇科動物滑鼠蛇 Ptyas mucosus (L.) 的肉。

形態 體長可達 2m 以上。頰鱗 3 片，上唇鱗 8 片，眼前鱗 2，眼後鱗 2。前顳鱗 2，後顳鱗 2（3）。眼大而圓。背鱗僅中央的鱗列起棱，體後起鱗者增至 4～6 行。生活時體背面黃褐色，身體後部有不規則的黑色橫斑。頭部黑褐色。腹面黃白色，腹鱗後緣兩側呈黑色。

分佈 生活於山區及平原。性粗暴。以蟾蜍及蛙爲食，亦食蜥蜴、鳥及鼠類。分佈於湖北、浙江、湖南、福建、雲南、貴州、台灣、廣東、海南島、廣西及四川。

採製 清明至秋季捕捉，剝皮去內臟，擦淨血跡，鮮用或烘乾用。

成分 含蛋白質、脂肪、多種氨基酸。

性能 甘、鹹，溫。祛風濕，舒筋活絡。

應用 用於風濕性關節炎，麻痺，癱瘓等。用量 10～15g。

文獻 《中國藥用動物誌》二，323。

4475 烏梢蛇

來源 游蛇科動物烏梢蛇 Zaocys dhumnades Cantor 除去內臟的乾燥體。

形態 體長 1～1.3m，長者可達 2m 左右，一般雌蛇較雄蛇爲短。眼大，鼻孔大，橢圓形，位於兩鼻鱗間。體背呈青灰褐色，鱗緣黑褐色。額鱗前寬後窄，略呈五角形，眼上鱗寬大。上唇鱗 8 枚，下唇鱗 10 枚。背中央的 2 行鱗片黃色或黃褐色，其外側的 2 行鱗片呈黑色縱線。上唇及喉部淡黃色。腹鱗灰白色。從頸的後部起背中央有 2～4 行，鱗片起棱。

分佈 生活於丘陵及田野間，常見於路邊草叢或近水邊。主要以蛙爲食。分佈於中國大部分地區。

採製 夏、秋季捕殺，剖腹去內臟，捲成圓盤形，置柴火上燻乾，勿使燻焦。

成分 含蛋白質及脂肪。

性能 甘，平。祛風通絡，攻毒。

應用 用於風濕性關節疼痛，骨、關節結核，四肢麻木，皮疹瘙癢，頑癬。用量 9～12g。

文獻 《滙編》上，213；《藥典》一，57。

4476 扁頸蛇

來源 眼鏡蛇科動物眼鏡王蛇 Ophiophagus hannah (Cantor) 去內臟的全體。

形態 全體長可達 3.8m 以上，為毒蛇中體形最大的一種。頭部橢圓形，有前溝牙。頸部能膨扁，無眼鏡狀斑紋。頸背有"Λ"形斑，頂鱗後有 1 對大枕鱗，無頰鱗。體鱗光滑。體背面黑色或黑褐色，具有窄的白色橫紋斑。頭背面有 4 條淺色橫紋。腹面黃白色。有黑色或褐色橫斑。

分佈 生活於山區森林中，隱居於巖石洞隙或山區水旁。以蛙、蜥蜴、蛇和鳥為食。分佈於浙江、福建、湖南、廣東、海南、廣西、貴州、雲南。

採製 全年可捕，性兇猛。捕後剖腹去內臟，曬乾或鮮用。

成分 含蛇毒。

性能 甘、鹹，溫。有毒。祛風，活血，通經絡，強筋骨。

應用 用於風濕病，腳氣病。用量 3～9g。

文獻 《中國藥用動物誌》二，332。

4477 白唇竹葉青

來源 蝰科動物白唇竹葉青 Trimeresurus albolabris (Gray) 的全體。

形態 全長 50～80cm。頭呈三角形，有管牙。頭具細鱗，鼻間鱗大。眼與鼻鱗間有鱗片 2 枚。背鱗具起稜，肛鱗 1 枚，尾下鱗雙行，鮮綠色。腹部黃白色，最外側鱗片中央部有白斑，連起來形成白紋 1 條。上唇黃白色。

分佈 棲於有草或灌木叢的平原或丘陵、溪溝、水塘。以蜥蜴、鼠、蛙為食。分佈於福建、台灣、廣東、廣西、海南、雲南、貴州。

採製 夏、秋季捕捉，飼養數天後，洗淨擠壓糞便，浸酒服（常 1 條浸酒 1 斤）或去內臟曬乾或烘乾。

成分 膽汁含膽酸 (cholic caid)、脫氧膽酸 (deoxycholic acid)。皮含骨膠原 (collagen) 及多種氨基酸。蛇毒含 5 個以上二酯酸 (diesterase)。肉含蛋白質及多種氨基酸等。

性能 甘、鹹，微溫。祛風止痛，散瘡毒。

應用 用於風濕痹痛，惡瘡腫毒。用量 3～4.5g。酒劑適量。

文獻 《中國藥用動物誌》二，340。

4478 烙鐵頭

來源 蝰科動物烙鐵頭 Trimeresurus mucrosquamatus (Cantor) 的全體。

形態 全長可達 1m。頭較窄長，為寬的 1.5 倍以上，形似烙鐵。管牙較長。頭頂具細鱗，吻鱗呈三角形，鼻間鱗較小，有頰窩。背鱗稜強。背面棕褐色或灰褐色。背中央鑲有淺黃色邊的紫棕色斑塊，連成波狀紋，體兩側有較小的紫色圓斑。眼後至口角後有 1 黑褐色細縱紋。腹面黑褐色。

分佈 棲於高山灌木林、竹林、溪邊、住宅附近陰濕的環境中。以魚、蛙、蜥蜴、鳥、鼠為食。分佈於河南、甘肅、安徽、浙江、江西、湖南、福建、台灣、廣東、海南、廣西、四川、貴州。

採製 夏、秋季捕捉，飼養數天後，洗淨擠壓糞便，浸酒服（常 1 條浸酒 1 斤）或去內臟曬乾或烘乾。

成分 含蛇毒及多種酶。

性能 祛風止痛。

應用 用於風濕痹痛。用量 3～4.5g。酒劑適量。

文獻 《中國藥用動物誌》二，342。

4479 雁肉

來源 鴨科動物白額雁 Anser albifrons albifrons (Scopoli) 的肉。

形態 雄鳥體長約 70cm，雌鳥較雄鳥小。嘴扁平，被有軟皮，肉色或玫瑰色，尖端具角質甲嘴，灰或白色。嘴基前和額有白色橫紋。頭、頸、背、尾羽棕黑，羽緣白色。胸、腹部棕灰色，佈有不規則黑斑。腿和腳橙黃色，有 4 趾，前 3 趾間具蹼，淡黃色，後 1 小趾不着地，爪短而鈍，白色或灰色。

分佈 棲於沼澤地帶。常集成大羣遷徙。主食以植物爲主，間食昆蟲和蠕蟲。分佈於全國各地。

採製 秋、冬季獵捕，去羽毛及內臟，取肉鮮用。

性能 甘，平。無毒。祛風，壯筋骨。

應用 用於頑麻風痹。

文獻 《大辭典》下，4856。

4480 白腹錦雞

來源 雉科動物白腹錦雞 Chrysolophus amherstiae (Leadbeater) 的全體。

形態 雄鳥頭頂披以金黃綠色的短羽。枕冠狹長，呈紫紅色；後頸披以 1 片白色具藍和黑色邊緣的扇狀羽，翕和肩羽呈金屬翠綠色，圍以黑紋。下背呈鮮綠色，腰羽具朱紅羽緣，尾上覆羽白而綴以藍黑色斑。臉和喉黑，有金屬綠色閃點。腹和兩脅均白，下脅和肛周雜以褐斑，尾下覆羽黑色，先端綠色有黑緣。眼周裸出部淡灰藍色。嘴和腳灰藍色。

分佈 常棲於多巖石的山地。出沒於多刺灌木叢和竹間。單獨或成對活動。以野果、竹筍、嫩葉、穀物和昆蟲爲食。分佈於四川西部、貴州西部及雲南大部地區。

採製 全年可捕，燒存性，研末。

成分 肉含蛋白質、肽類、氨基酸、脂肪。

性能 甘，微溫。止血解毒。

應用 用於血痔，癰瘡腫毒等。用量 5～10g。

文獻 《中國藥用動物誌》二，371。

4481 鷩雉

來源 雉科動物紅腹錦雞 Chrysolophus pictus (L.) 的肉。

形態 雄鳥體長約 100cm。嘴短而堅，呈角黃色。眼褐色，瞼部裸出，呈肉黃色。雄鳥頭上具金黃色絲狀羽冠，覆蓋頸上。臉、頷和喉鏽紅色。後頸圍以橘紅色的扇狀羽，成披肩狀。上背濃綠，扇羽暗紅，下肩和腰爲濃金黃色，腰側轉深紅。中央尾羽黑褐，佈滿桂黃色點斑，尾羽較長，約爲體長的 7/10。下體自喉以下純深紅色，肛周淡栗色。腳短健，呈角黃色。雌鳥通體棕褐色。頭和後頸黑褐雜以淡棕色。下體腹部淡黃色。

分佈 常單獨或成雙棲於多巖的山地及巖坡，出沒於矮林和竹林間。以植物葉、幼芽和筍及昆蟲等爲食。分佈於青海、甘肅、陝西及湖南、廣西、貴州等地山區。

採製 四季可捕，捕後燒存性，研末。

性能 甘，溫。微毒。止血解毒。

應用 用於血痔，癰腫瘡毒。用量 5～10g。

文獻 《大辭典》下，5603。

4482 黑鷳

來源 雉科動物黑鷳 Lophura leucomelana (Latham) 的肉。

形態 雄鳥的頭和頸及頸側均紫黑色，頭上具有近直立的同色羽冠。背部藍黑色，初級飛羽的外翈及羽幹棕褐色。下背、腰及尾上覆羽深藍色，具有寬闊的白色羽端。尾羽藍黑色。下體羽多黑色，胸羽披針狀，呈白色而霑灰。雌鳥上體均紅色，下體相似，色較淡。臉部赤紅，稍有黑色纖羽。嘴黃褐色，基部稍黑。腳和爪均灰或鉛褐色。

分佈 棲於箭竹叢及林間草叢中。分佈於喜馬拉雅山脈地區、西藏及雲南西北部。是國家保護的珍稀動物。

採製 全年可捕，除去內臟及羽毛，取肉鮮用或焙乾。

成分 含蛋白質、肽類、脂類。

性能 補中益肺。

應用 用於虛勞發熱，咳嗽等。用量 50～100g。

文獻 《中國藥用動物誌》二，366。

4483 綠孔雀

來源 雉科動物綠孔雀 Pavo muticus (L.) 的肉和糞。

形態 雄鳥全體翠藍綠色。頭上聳立一簇翠綠藍色的羽冠。額部羽毛呈藍紫色。頸、上脅和胸呈金銅色。尾上覆羽延長為尾屏，近羽端有橢圓狀的眼斑圈，斑中央有暗紫色的腎狀或圓形小斑，外圍以藍綠色並被圍於銅色的圈內，覆以暗褐色和淺黃色。腹部和兩脅均呈暗藍綠色。嘴峯黑褐色，下嘴較淡。跗趾角黑色，眼頰上裸出部分鮮黃色。

分佈 棲於海拔 2000m 以下的針葉林或稀樹草坡。性雜食。僅產於雲南南部及西南部。

採製 剖腹後去內臟和羽毛，取鮮肉或焙乾。糞便去雜質，曬乾。

成分 肉含蛋白質、氨基酸、多種維生素、有機磷酸脂以肌醇五磷酸酯 (pentaphosphate) 等。糞便含甾類、尿素、尿酸等。

性能 肉：解毒。糞便：解毒利水。

應用 肉用於癰腫，食物及藥物中毒。用量 50～100g。糞便用於婦女帶下，小便不利，惡瘡等。用量 5～10g。

文獻 《中國藥用動物誌》二，372。

4484 鸐雉

來源 雉科動物白冠長尾雉 Syrmaticus reevesii (Gray) 的肉。

形態 體長約 1.5m。雄鳥頭和頸白色，自額至後頸圍 1 道黑圈。肛膜紅褐色，眼下有 1 白斑。嘴短而堅，基部帶綠色。上體棕黃，各羽具黑色狹緣，覆羽白色，有黑色和栗色羽緣。尾羽銀白色，具黑色和栗色相併的橫斑。喉與胸間橫亘黑帶，胸與脅羽白色雜以黑斑。腹部中央及尾下覆羽均黑色。腳短而健，趾及爪均角褐色。雌鳥羽色不如雄鳥艷麗，尾亦短，僅為雄鳥的 1/3。

分佈 棲於多林的高山中。以柏樹種籽為食。分佈於中國北部及中部山區。

採製 捕後剖腹，去內臟和羽毛，取肉鮮用或焙乾。

性能 甘，平。有小毒。補中益氣，平咳。

應用 用於久病虛損，咳喘。用量 100～200g。

文獻 《大辭典》下，5715。

4485 黑頭鶴骨

來源 鶴科動物黑頸鶴 Grus nigricollis (przevalski) 的骨。

形態 體型大，嘴粗健，長直而稍側扁。全身大都白色或灰色。頸、腳均長，脛半部裸出，趾蹠具網狀鱗。頭部皮膚裸露。額、眼先、頰、喉和頸大部爲黑褐色。次級飛羽和三級飛羽呈黑色，覆於白色尾羽之上，誤認爲黑色的尾巴。嘴爲角灰，端部帶綠。

分佈 常見於開闊的草原和沼澤地。多集體活動。以草籽、水草、嫩芽、魚類及昆蟲爲食。分佈於甘肅、青海、四川、雲南、貴州、西藏。

採製 夏、秋季捕捉，去羽毛及內臟，將骨和肉分開，骨燒存性，研末。

性能 解熱。

應用 用於發燒頭痛，骨蒸勞熱，小便不利等。用量 5～10g。

文獻 《中國動物藥》371。

4486 大杓鷸

來源 鷸科動物大杓鷸 Numenius madagascariensis (Linnaeus) 的肉。

形態 上體黑褐色，羽緣白色；頸色較淺，白色也較多。初級飛羽和初級覆羽灰黑色，初級飛羽羽幹淡黃色，尖端褐色，內側褐色越多，內䎃有許多白色橫斑，外䎃有白色大斑。次級飛羽和次級覆羽除尖端爲白色外，羽緣有白色斑。腰羽邊緣有紅褐色和淺黃色混合的斑。尾羽淺黃灰色，並雜有黑棕色橫斑。下體白色，有灰褐色羽幹紋，喉、胸部較多，脅和腋羽具灰褐色橫斑。嘴端部黑色，下嘴基部黑黃色，上嘴基部褐色。跗蹠和趾青灰色。

分佈 常見於海濱、河流、池塘、沼澤、草原、稻田等。以小爬行動物及植物種子、果實爲食。遷徙時，多見於中國東部。

採製 全年可捕，捕後剖腹去內臟和羽毛，取肉鮮用或焙乾研末。

性能 補虛。

應用 用於久病虛損。用量一隻。

文獻 《中國藥用動物誌》二，379。

4487 紅嘴鷗

來源 鷗科動物紅嘴鷗 Larus ridibundus (L.) 的肉。

形態 頭和頸的全部爲巧克力褐色，後部黑褐色。眼周有白色羽圈。下背、肩及腰兩翅內側覆羽和次級飛羽爲珠灰色，飛羽先端近白色。上背外側大覆羽和初級覆羽白色。尾上覆羽，尾羽白色，下體全白色。冬天頭部羽色變，頭頂和後頭淡灰色。前額、眼和耳羽具灰褐色粗斑。嘴赤紅色，先端黑色。腳和趾赤紅色。爪黑色。

分佈 棲於沿海、湖泊、河流及水田。以魚、蝦、軟體動物爲食。分佈於全國各地。

採製 捕後去毛，剖腹去內臟，取肉鮮用或烘乾。

成分 肉含蛋白、肽類、氨基酸、脂肪、糖類、腺苷三磷酸、2，3一二磷酸甘油酯、肌醇磷多酸 (inositol polyhosphate)。

性能 甘。滋陰潤燥。

應用 用於狂燥煩渴。用量 50～100g。

文獻 《中國藥用動物誌》二，382。

4488 鵰鴞

來源 鴟鴞科動物鵰鴞 Bubo bubo (L.) 的全體。

形態 體長 66cm。全體有斑雜的黑褐色花紋，具較長的耳羽。頭形寬大。眼金黃色。嘴短，側扁，先端曲成鈎狀。眼大向前，周圍羽毛排列成臉盤狀。頭的兩側有耳突，面形似貓，故稱"貓頭鷹"。眼的前緣密被白鬚，眼的上方有1大形黑斑，臉盤淡棕白色，直達喉部。腹部顏色較淡，有細斑紋。尾短圓。兩腳被羽，嘴及爪鉛色。

分佈 棲於山地林間，冬寒時常遷至平原樹叢中，晝伏夜出。以鼠、野兔、鳥、蜥蜴爲食。分佈遍及全國各地。

採製 全年可捕，去羽毛及內臟，燒存性。

性能 鹹、酸，平。袪風濕，解毒，定驚。

應用 用於淋巴結結核，癲癇，噎食。用量適量。

文獻 《中國動物藥》，386。

4489　大斑啄木鳥(啄木鳥)

來源　啄木鳥科動物大斑啄木鳥 Dendrocopos major (Linnaeus) 的全體。

形態　體長 20～30cm 左右，體重約 70g。嘴強直，黑灰色。前額、眼先、面頰呈微白色，耳羽部分雜有棕褐色，頭及上體爲黑色。肩和腰略有白斑。兩翼黑色，有白斑。下體自頦至腹淡棕色，兩肋較淡白，下腹中央到尾下覆羽呈深紅色。腳和趾暗紅褐色，腳較短，二趾向前，二趾向後，趾端有銳爪，攀登於樹木上。

分佈　生活於山地和平原的森林間，營巢於樹洞中。以各種昆蟲爲食，冬季亦食植物。除西藏和台灣外，遍佈於中國各地。

採製　四季獵捕，捕後去毛及內臟，烘乾，研末。

性能　甘、酸，平。補虛，開鬱，平肝。

應用　用於虛勞，小兒疳積，噎嗝，痔瘡等。用量 5～10g。

文獻　《中國藥用動物誌》一，235；《大辭典》下，4324。

4490　鴝鵒

來源　椋鳥科動物八哥 Acridotheres cristatellus (L.) 的肉。

形態　體長約 25cm。通體黑色，有光澤。嘴尖而直，呈橙黃色。額羽聳立於嘴基上，成冠狀。翅圓，覆羽和飛羽基部爲白色。尾短呈平尾狀，尾羽黑色，除中央 1 對外，均有白端，尾下覆羽的羽端白色。腳長而健，肛膜橙黃色。跗蹠和趾黃色，爪黑褐色。

分佈　棲於平原的村落和林邊。以昆蟲爲食。分佈於陝西及中南、華南、西南等地。

採製　捕後去羽毛和內臟，取肉鮮用或焙乾。

成分　含蛋白質、肽類、脂類等。

性能　甘，平。下氣，止血。

應用　用於久咳，呃逆，痔瘡出血。用量 1 隻。

文獻　《大辭典》下，3925。

4491　紅嘴山鴉

來源　鴉科動物紅嘴山鴉 Pyrrhocorax pyrrhocorax (Linnaeus) 的肉。

形態　嘴形細長，呈紅色。通體灰黑，頭頂、頭側、後頸和背部具藍色光澤，羽毛柔軟，基端呈寬闊的暗灰色軸紋，羽幹近白色。兩翼黑色顯金屬綠色光澤。初級飛羽的羽端較尖，次級飛羽端部較寬闊，各羽的長度很接近。尾羽 12 枚，閃金綠色光澤，羽尾寬闊。下體黑色。肛膜褐色，嘴、腳紅色，爪黑色。

分佈　在中國北部和西北部山地爲留鳥。常集結成羣飛翔在山谷間，也飛到山村附近莊稼地裏覓食。食性較雜，以植物果實、草籽、嫩芽

及多種昆蟲爲主。分佈於內蒙古、陝西、甘肅、四川、青海、新疆和西藏等山地。

採製　捕後，去羽毛和內臟，取肉鮮用或焙乾研末。

成分　含抗壞血酸、蛋白質、肽類、氨基酸、脂類。

性能　滋養補虛。

應用　用於虛勞發熱，咳嗽等。用量 1 隻。

文獻　《中國藥用動物誌》二，399。

4492 狼肉

來源 犬科動物狼 Camis lupus L. 的肉。

形態 體長 1～1.6m，尾長 35～50cm，雌者較小。外形與狗相似，但吻略尖，耳直立，尾較短，蓬鬆而不彎曲。體強壯，四肢有力。犬齒與臼齒發達。一般體色暗黃，頭部淺灰色，額頂和上唇暗灰色；背部毛色黑與棕相混雜；腹部及四肢內側純白色，腹部稍帶棕色，足部黃白或淡棕色；尾部與背色相同，尖端黑色。個體毛色有灰棕、淺黃或灰白色，也有的全白和全黑色的。

分佈 棲於山地、森林、丘陵、平原、荒漠、凍原等地。獨居或雌雄同棲，冬季常集羣夜間活動。以中、小型獸類為食。中國除台灣、海南島和雲南極南緣外，均有分佈。

採製 四季可捕，殺死，剖腹去內臟、皮毛及骨骼，取肉。

性能 鹹，溫。補五臟，厚腸胃。

應用 用於虛癆，袪冷積。內服適量：煮食。

文獻 《大辭典》下，3906。

4493 豺

來源 犬科動物豺 Cuon alpinus pallas 的肉和胃。

形態 體形似犬，身長 60cm 左右，尾較粗短。吻比狼短，顏面部較鈍，額低。耳較短圓。體色隨產地、季節、性別和年齡差異很大。通常全身為赤棕色、灰棕或棕褐色，並雜以黑色。背部略顯紅色，有的毛尖呈黑褐色。腹部色淡呈棕色或黃白色。四肢與背部顏色相同。稍帶黑色。尾毛長密，近似狐尾，顯得較粗大，顏色較體色深，背面有條黑紋，末端黑色。

分佈 棲於山地、丘陵、森林等處。耐熱、寒。羣居性。集體獵食，晨昏活動，兇猛。捕殺麂、麞、仔鹿、山羊等為食。分佈於黑龍江、吉林、河北、新疆、西藏、四川、雲南、廣西、江蘇及福建。

採製 獵捕後，殺死，部腹除去內臟及皮毛和骨骼，取肉和胃。

性能 肉：滋補行氣。胃：消食化積。

應用 肉用於寒氣引起的肌肉腫脹。用量 50～100g。胃用於積食。用量 30～50g。

文獻 《中國藥用動物誌》二，436。

4494　華南虎(虎骨)

來源　貓科動物華南虎 Panthera tigris amoyensis Hilzheimer 的骨骼。

形態　形似貓而大，身長約 1.6～2m，尾長約 0.9m，體重 139～200kg，雌者較小。頭圓而寬，頸短。眼圓。耳短小。口旁列生長鬚，犬齒粗大而銳利。四肢粗。毛色艷麗，橘黃，冬季稍變淺，有許多橫斑紋，上、下兩紋兩端相聯而出現菱形紋，眼上方有一白色區。胸、腹部、四肢內側乳白色，鼻部棕色無斑紋。

分佈　棲息於森林、灌叢，高山草莽中。獨居，無固定巢穴，晝伏夜出，尤以晨昏時最爲活躍。分佈於中國華南地區，現除江西、湖南尚殘存少量外，已瀕於絶滅。

採製　全年皆可捕捉，剝皮去肉取骨，留下腳爪上的皮毛和爪，陰乾。

性能　辛，溫。追風定痛，健骨，鎮驚。

應用　用於瘰癧風痛，四肢拘攣，腰腳不隨，驚悸癲癇，痔瘻脱肛。用量 9～15g。

文獻　《大辭典》上，2747。

附註　華南虎的肉、眼睛、牙齒、腳筋、爪甲、腎、膽、胃、脂肪亦供藥用。

4495　印度犀(犀角)

來源　犀科動物印度犀 Rhinoceros unicornis L. 的角。

形態　體粗壯龐大，身長 3.2～3.5 m。頭大，耳長，鼻孔大，眼小。皮膚堅而厚，除耳、尾外全無毛。在肩胛、頸下及四肢關節處均有厚褶，呈楯狀，皮上有許多凸粒。皮爲黑灰色，稍帶紫色。雌雄均有一角，粗而不長，黑色，圓錐狀，堅硬。四肢粗壯，均 3 趾。

分佈　生活於亞熱帶潮濕茂密的叢莽草原。獨棲或雙隻同棲，夜行性。以鮮枝、嫩芽、竹芒果爲食。分佈於尼泊爾及印度北部。中國各動物園多有飼養。

採製　狩獵槍殺或陷井捉，致死割下角。

成分　含角質(keratin)及碳酸鈣、磷酸鈣等。加水分解產物有酪氨酸(tyrosine)、硫化乳酸(thiolactic acid)、胱氨酸(cystine)。水浸物有生物碱反應。

性能　苦、酸、鹹，寒。清血熱，解溫毒，定驚。

應用　用於熱病，驚狂譫語，發斑發黃，吐血，衄血，下血等。用量 0.9～3g。

文獻　《中藥誌》(1961 年版)四，132。

4496 野豬膽

來源 豬科動物野豬 Sus scrofa L. 的膽汁。

形態 體長 1～2m，體重約 150 kg，雄比雌大。外形與家豬相似，吻部十分突出。雄豬的犬齒特別發達，上、下頜犬齒皆向上翹，稱為獠牙，露出唇外；雌豬獠牙不發達。四肢較短。尾細。軀體被有硬的針毛，背上鬃毛發達，長約 14cm，針毛與鬃毛的毛尖大都有分叉。毛色一般為棕黑色，面頰和胸部雜有黑白色毛。幼豬軀體呈淡黃褐色，背部有 6 條淡黃色縱紋，俗稱"花豬"。

分佈 多棲息於灌木叢，較潮濕的草地或闊葉林及混交林中。夜間或晨、昏活動。分佈於全國各地。

採製 全年均可獵取，立即剖腹取膽，吊在通風處陰乾。

成分 膽汁中含鵝去氧膽酸 (chenodeoxycholic acid)，3α-羥基-6-氧-5α-膽烷酸 (3α-hydroxy-6-oxo-5α- cholanic acid)、石膽酸 (lithocholic acid) 等。

性能 清熱解毒。

應用 外用於瘡腫，瘰疬，燙火傷。外用適量。

文獻 《滙編》下，884；《大辭典》下，4409。

附註 本動物的皮、頭骨、蹄、睪丸、脂肪、膽囊中的結石(野豬黃)亦供藥用。

4497 駝鹿角

來源 鹿科動物駝鹿 Alces alces L. 已骨化的角。

形態 體形較大，長 2m 餘。頭大而長，頸短，四肢長。吻部突出，上唇肥大。鼻長如駝。眼大突出，有眉環。喉部有梨狀懸垂體，被有鬚狀長毛。背部具深色的鬃毛。全身黑棕色。蹄大。尾短。雄鹿有角，角基向側方伸出一小段，而後分成眉枝和主幹，呈廣闊的掌狀。嘴和額頰褐色，耳背灰褐色。夏毛灰棕色。

分佈 棲於混交林或闊葉林中，常出入大森林有水源處。以枝芽、嫩葉為食。春、夏兩季到鹽鹼地舐食鹼土。分佈於東北大、小興安嶺地區。

採製 春季拾取自然脫落的角，鋸成小段，劈碎，晾乾。

成分 含膠質、磷酸鈣、碳酸鈣及氮化物等。

性能 甘、鹹，溫。滋陰補虛，行血消腫。

應用 用於瘡瘍腫毒，瘀血作痛，乳汁不下，乳房脹痛，虛勞內傷，腰膝痠痛等。用量 5～15g。

文獻 《中國藥用動物誌》一，301。

4498 麕茸

來源 鹿科動物狍 Capreolus capreolus (L.) 的茸。

形態 體形中等。雄獸有角且短，呈樹枝狀三叉。無獠牙。額較高。鼻孔裸露，耳短寬圓，內外密生毛，眼大，有眶下腺，頸長。尾很短，隱於體毛內。四肢長，後肢稍比前肢長，蹄狹尖，懸蹄短，不着地。冬毛厚密，全身棕黃色。臀部有白色塊斑。夏毛短，整體呈紅棕色；腹部和尾呈淡黃色。

分佈 棲於丘陵地或溝峪灌草叢中。以灌木的全株及草類為食。分佈於東北、華北及西北。

採製 春季採鋸，洗淨，吸出血液，縫好鋸口，煮沸 5～6 小時，晾乾，次日再煮，經數次後，自然風乾。剛去茸毛，塗酒，放火上烤軟，切片或研粉。

成分 含骨膠原 (collagen)、肽類、氨基酸等。

性能 甘、鹹，溫。補精髓，壯腎陽，健筋骨。

應用 用於心悸，眩暈耳鳴，貧血，陽痿，遺精，尿頻，腰膝痠弱，崩漏帶下，瘡瘍不癒合。用量 5～15g。

文獻 《中國藥用動物誌》二，465。

4499　林麝（麝香）

來源　鹿科動物林麝 Moschus berezov-skii Flerov 雄獸香囊中的分泌物。

形態　體長 65～95cm，似鹿而小。體毛粗硬，曲折如波浪狀，中空，易斷，背部較深，至腹部漸淺。雌雄均無角。耳長直立，上部圓形。眼大，無眶下腺。雄麝：上犬齒發達；前腿比後腿短 1/3；尾比雌尾粗壯，密佈腺體，油脂豐富；肚臍和陰囊之間有一香腺囊。雌麝尾長約 4 cm，被細毛，無油脂和腺體；左右腹股溝內有乳房一對。蹄細長。

分佈　棲息於高山地區林中。分佈於青海、甘肅、四川、雲南、西藏。

採製　冬春取 3 歲以上壯年雄麝，綁縛，持消毒過的小匙，徐徐插入腺囊，掏取麝香，取後用消炎藥塗搽囊口。

成分　含 1.2～3.5% 麝香酮（muscon）、麝香吡啶（muscopyridine）、C_{14}～C_{33} 脂肪酸、膽固醇酯，雄甾烷類、多肽等。

性能　辛，溫。開竅，辟穢，通絡，散瘀。

應用　用於中風，痰厥，驚癇，中惡煩悶，心腹暴痛，癥瘕癖積，跌打損傷，癰疽腫毒。用量 0.03～0.15g。

文獻　《大辭典》下，5754。

附註　本動物肉甘溫，治癥病。

4500　山驢骨

來源　牛科動物鬣羚 Capricornis suma-traensis Bechstein 的骨骼。

形態　身長 1.4～1.7m。形似小驢。耳狹長而鈍尖，吻端裸露，具眶下腺。頸部有鬣毛。雌雄都有角，雄者較大，基部粗而先端尖，有狹窄的橫稜，角質堅實，黑色。四肢長，尾短。全身黑色稍帶棕色，毛上段多黑色，毛根灰白色。耳廓內及下唇白色。毛尖黑色。個體毛色變色較大。

分佈　棲於高山巖崖的地方。善於在高山裸巖活動。喜食菌類。分佈於甘肅、湖北、湖南、安徽、浙江、福建、廣東、廣西、貴州、四川、雲南等地。

採製　獵得後，剝皮，取骨骼，剔淨殘肉。置風處晾乾。

性能　辛、鹹，溫。無毒。祛風濕，鎮痛。

應用　用於風濕性痺痛，四肢麻木不仁，腰腿疼痛。用量 10～15g。

文獻　《大辭典》上，354。

參　考　書　目

一、中文

三畫

《大興安嶺藥用植物》——
李永江編著。呼和浩特：內蒙古
人民出版社，1990。

《大辭典》——《中藥大辭
典》（上、下冊及附編），江蘇新
醫學院編。上海：上海人民出版
社，1977。

《川生科技》（4）——四川
省生物研究所情報資料室編輯出
版，1977。

四畫

《中國藥典》（1985）一部
——《中華人民共和國藥典》一
九八五版一部，中華人民共和國
藥典委員委編。北京：人民衛生
出版社，1985。

《中國藥用真菌》——劉波
著。太原：山西人民出版社，
1984。

《中國藥用海洋生物》——
中國人民解放軍後勤部衛生部等
編著。上海：上海科技出版社，
1977。

《中國藥用孢子植物》——
丁恒山。上海：上海科學技術出
版社，1982。

《中國藥用動物誌》（一、
二冊）——《中國藥用動物誌》
協作組編著。天津：天津科學技
術出版社，1987。

《中國藥用真菌圖鑒》應建
浙等編著。北京：科學出版社，
1987。

《中國的真菌》鄧叔羣等編
著。北京：科學出版社，1963。

《中國高等植物圖鑒》——
中國科學院植物研究所編著。北
京：科學出版社，1972-1976。

《中國動物誌》（二）——
鄭作新等編。北京：科學出版
社，1962。

《中國動物藥》——鄧明魯
等編著。長春：吉林人民出版
社，1981。

《中國經濟動物誌》——
張璽等編。北京：科技出版社，
1962。

《中國的真菌》——鄧叔羣
著。北京：科學出版社，1964。

《中藥誌》（一至四冊）——
中國醫學科學院藥物研究所等編
著。北京：人民衛生出版社，
1981。

《中國主要植物圖説·豆
科》——中國科學院植物研究所
編輯。北京：科學出版社，
1955。

《中國四川杜鵑花》（中
文、英文版）——方文培等編
著。北京：科學出版社，1986。

《中國民族藥誌》（第一卷）
——衛生部藥品生物製品檢定
所及雲南省藥品檢驗所編著。北
京：人民衛生出版社，1986。

《中藥大全》——崔樹德主
編。哈爾濱：黑龍江科學技術出
版社，1989。

《中草藥學》——四川醫學
院編著。北京：人民衛生出版
社，1979。

《中草藥》——國家醫藥管
理局中草藥情報中心站，天津。

《中草藥通訊》——湖南醫
藥工業研究所，湖南邵陽。

《內蒙古中草藥》——內蒙
古自治區衛生局編著。呼和浩
特：內蒙古人民出版社，1972。

《內蒙古植物誌》（一至八
冊）——內蒙古植物誌編輯委員
會。呼和浩特：內蒙古人民出版
社。

《內蒙古中蒙藥誌》——

馬毓泉等編著。呼和浩特：內蒙
古人民出版社，1990。

《內蒙古藥材資源普查選
編》I集——中國藥學會內蒙古
分會編，1987。

五畫

《北京植物誌》——賀士元
等編。北京：北京出版社，
1984。

《四川中藥誌》——《四川
中藥誌》協作編寫組編著。成
者：四川人民出版社，1960。

《四川省宜賓中草藥植物
名錄》——宜賓地區藥品檢驗
所編。宜賓地區科學技術委員
會、宜賓地區衛生局印，1979。

《四川常用中草藥》——
四川省中藥研究所編著。成都：
四川人民出版社，1971。

《四川野生經濟植物誌》上
下冊——中國科學院四川分院
農業生物研究所編著。成都：四
川人民出版社，1962。

《四川珍稀瀕危植物》——
高寶蒓等編著。成都：四川民族
出版社，1989。

《四川藥用杜鵑名錄》（內
部資料）——四川醫學院藥學
系編著。

《甘孜州中草藥名錄》（一）
——甘孜州藥檢所編著。雅安
裝璜包裝公司印，1984。

《甘孜州藏藥植物名錄》
（一）——曹陽主編。四川康定
印刷廠，1984。

《包頭藥用植物調查》；
《包頭市藥用植物初步調查與
整理》——包頭市藥品檢驗所
編。包頭：包頭市衛生局醫藥衛
生學會印，1977。

六畫

《吉林中草藥》——長春中醫學院編著。長春；吉林人民出版社，1970。

《吉林省藥用植物名錄》——鄧明魯等編。《特產科學實驗》（中草藥專輯），1980。

《吉林省野生經濟植物誌》——《吉林省野生經濟植物誌》編委員編著。長春：吉林人民出版社，1961。

《吉林省梅河口地區藥用植物》——徐志遠編著。長春：吉林科技出版社，1989。

《吉林藥材圖誌》——段維和等編。北京：中醫古籍出版社，1987。

《西昌中草藥》——西昌地區地革委衛生局編印。1972。

《西藏植物誌》（三）——吳徵鎰主編。北京：科學出版社，1986。

八畫

《長白山植物藥誌》——吉林省中醫藥研究所等編著。長春：吉林人民出版社，1982。

《青藏高原藥物圖鑒》——青海省生物研究所等編著。西寧：青海人民出版社，1972。

《東北草本植物誌》——遼寧省林業土壤研究所編著。北京：科學出版社，1976。

《青海省中草藥野外辨認手冊》——青海醫學院編著。1977。

《臥龍植被及資源植物》——《臥龍植被及資源植物》編寫組編著。成都：四川科技出版社，1987。

《花卉園藝》——姚同玉等編著。北京：中國建築工業出版社，1981。

十畫

《峨嵋山杜鵑花》——胡琳貞、何明友等著。成都：四川大學出版社，1986。

《高原中草藥治療手冊》——若爾蓋革命委員會生產指揮組編。1971。

十一畫

《常見花卉栽培》——武漢市園林局編。武漢：湖北人民出版社，1980。

十二畫

《華南植物園名錄》——華南植物園編。廣州：廣東人民出版社，1987。

《植物誌》——《中國植物誌》，中國科學院中國植物誌編委會。北京：科學出版社，1978～1988。

《溫江地區中草藥名錄》——溫江藥檢所編著。植物學會交流稿，1982。

十三畫

《匯編》——《全國中草藥滙編》（上、下冊），《全國中草藥滙編》編寫組編。北京：人民衛生出版社，1976。

《萬縣中草藥》——《萬縣中草藥》編寫組編著。四川省萬縣地區衛生局，四川省萬縣地區科委出版，1977。

《新華本草綱要》——江蘇植物研究所等編著。上海：上海科學技術出版社，1988。

《新疆中藥資源普查名錄》——《新疆中藥資源普查辦公室編著》。烏魯木齊：新疆人民出版社，1987。

《新疆中草藥》——新疆維吾爾自治區革命委員會衛生局等編。烏魯木齊：新疆人民出版社，1975。

《新疆藥用植物誌》（1～3冊）——新疆生物土壤沙漠研究所編。烏魯木齊：新疆人民出版社，1977～1984。

十五畫

《廣西藥用動物》——林呂何編。南寧：廣西人民出版社，1976。

《廣西藥用植物名錄》——廣西壯族自治區中醫藥研究所編。南寧：廣西人民出版社，1986。

《廣西民族藥簡編》——黃燮才等主編。廣西壯族自治區衛生局藥品檢驗所，1980。

《廣東藥用植物手冊》——陳少卿等主編。中國科學院華南植物研究所出版，1982。

十九畫

《藥用真菌》——全國藥用真菌專業組、福建三明真菌研究所編印，1988。

二、外文

Mushrooms and other fungi of Great Britania and Europe — Roger Phillips.

C.A. — Chemical Abstracts (weekly), The Chemical Abstracts Service, U.S.

拉丁學名索引

Abies holophylla Maxim. 4053

Abrus mollis Hance 4179

Acacia sinuata (Lour.) Merr. 4180

Acampe multiflora (Lindl.) Lindl. 4443

Acanthopanax henryi (Oliv.) Harms 4258

Acer davidii Fr. 4224

Aconitum ambiguum Reichb. 4099

Aconitum barbatum Pers. 4100

Aconitum macrorhynchum Turcz. f. tenuissimum S. H. Li et Y.H. Huang 4101

Aconitum umbrosum (Korsh.) Kom. 4102

Acridotheres cristatellus (L.) 4490

Adenophora gmelinii (Spreng.) Fisch var. coronopifolia (Fisch.) Y.Z. Zhao 4352

Adenophora paniculata Nannf. 4353

Adonis sibirica Patr. ex Ldb. 4103

Afzelia xylocarpa (Kurz) Graib 4181

Ainsliaea pertyoides Fr. var. albo-tomentosa Beauv. 4354

Alces alces L. 4497

Alnus mandshurica callier H. -M. 4070

Alocasia cucullata (Lour.) Schott et Engl. 4402

Alpinia densibractiata T.L. Wu et Senjen 4438

Alpinia polyantha D. Fang 4439

Alpinia sanderae Sand. 4440

Alternanthera versicolor Regel. 4092

Ampelopsis humulifolia Bge. 4229

Anemone dichotoma L. 4104

Anemone silvestris L. 4105

Anser albifrons (Scopoli) 4479

Anthurium andrenum Linn. 4403

Antiaris toxicaria (Pers.) Lesch. 4072

Antidesma ghaesembilla Gaertn. 4219

Aquilegia amurensis Kom. 4106

Aquilegia parviflora Ledeb. 4107

Aquilegia viridiflora Pall. 4108

Araucaria cunninghamia Sw. 4058

Ardisia maclurei Merr. 4287

Arenaria capillaris Poiret 4093

Armillaria matsutake Ito et Imai 4030

Artemisia sacrorum Ledeb var. incana (Bess.) Y.R. Ling 4355

Artemisia integrifolia L. 4356

Artemisia lagocephala (Fisch. ex Bess.) DC. 4357

Arthraxon hispidus (Thunb.) Makino 4392

Artocarpus hypargyreus Hance 4073

Asparagus dauricus Fisch. 4412

Asplenium prolongatum Hook. 4047

Aster alpinus L. 4358

Aster maackii Regel. 4359

Astraeus hygrometricus (Pers.) Morg. 4043

Astragalus complanatus R. Br. ex Bunge. 4183

Atylosia scarabaeoides (Linn.) Benth. 4184

Avena sativa L. 4393

Avicennia marina (Forsk.) Vierh. 4310

Bauhinia corymbosa Roxb. 4185

Begonia laciniata Roxb. 4250

Begonia maculata Raddi. 4251

Begonia pedatifida Levl. 4252

Berberis sibirica Pall. 4126

Berberis silva-taroucana Scheid. 4127

Bidens biternata (Lour.) Merr. et Sherff. 4360

Blechnum orientale Linn. 4048

Blumea balsamifera (Linn.) DC. 4361

Boehmeria platanifolia Franch. 4080

Boletinus cavipes (Opat.) Kalchbr. 4016

Boletus edulis Bull. ex Fr. 4017

Brassaiopsis cilliata Dunn 4259

Bruguiera gymnorrhiza (Linn.) Savigny 4254

Brunsfelsia acuminata (Pohl.) Benth. 4327

Bubo bubo (L.) 4488

Bupleurum aureum Fisch. 4261

Caesalpinia crista Linn. 4186

Calanthe triplicata (Willemet) Ames 4444

Callicarpa nudiflora Hook, et Arn. 4311

Callicarpa rubella Lindl. f. angustata Péi 4312

Caltha fistulosa Schipcz. 4109

Caltha natans Pall. 4110

Calystegia soldanella (L.) R. Br. 4304

Canna flaccida Salisb. 4442

Canis lupus L. 4492

Canscora melastomacea Hand. -Mazz. 4294

Capparis spinosa L. 4142

Capreolus capreolus (L.) 4498

Capricornis sumatraensis Bechstein 4500

Caragana arborescens (Amm.) Lam. 4187

Caragana jubata (Pall.) Poir. 4188

Caragana pekinensis Kom. 4189

Carassius auratus L. var. Goldfisn 4462

Carex cruciata Wahlenb. 4397

Caryopteris mongolica Bunge 4313

Caryota ochlandra Hance 4401

Cassia fistula L. 4190

Cecropia peltata Linn. 4074

Chrysolophus aciculatus (Retz.) Trin. 4394

Chrysolophus pictus (L.) 4481

Chrysolophus amherstiae (Leadbeater) 4480

Chrysopogon aciculatus (Retz.) Trin. 4394

Cicuta virosa L.f. angustifolia (Kitatbel) Schube 4262

Cimicifuga simplex Wormsk. ex DC. 4111

Cirsium esculentum (Sievers) C.A. Mey 4362

Cirsium souliei (Franch.) Maltf. 4363

Cirsium setosum (Willd.) Mb. 4364

Cistanche deserticola Y.C. Ma 4335

Cladonia alpestris (L.) Rabht. 4044

Clavaria pistillaris L. ex Fr. 4010

Clematis filamentosa Dunn. 4112

Clematis intricata Bung. var. purpurea Y.Z. Zhao 4113

Clematis macropetala Ledeb. 4114

Clematis tangutica (Maxim.) Korsh. 4115

Clerodendrum cyrtophyllum Turcz. 4314

Clerodendrum fortunatum L. 4315

Clitocybe infundibuliformis (Schaeff. ex Fr.) Quel. 4031

Clitocybe laccata (Scop. ex Fr.) Quel 4032

Coffea arabica L. 4339

Coffea canephora Pierre ex Froehn. 4340

Comarum palustre L. 4155

Conioselinum tataricum Hoffm. 4263

Conyza bonariensis (L.) Cronq. 4365

Corchorus acutangulus Lam. 4232

Cordyceps sobolifera (Hill.) Benk. et Br. 4002

Cosmos bipinnatus Cav.   4366

Cotoneaster integerrimus Medic.
4156

Cotoneaster moupinensis Franch.
4157

Cotoneaster multiflorus Bunge.
4158

Crataegus sanguinea Pall. var. glabra
Maxim.   4159

Ctenopharyngodon idellus (Cuvier et
Valenciennes)   4463

Cuon alpinus pallas   4493

Cyanotis cristata Roem. et Schult. f.
4408

Cymbaria mongolica Maxim.   4328

Cynoglossum divaricatum Steph.
4308

Cynomorium songaricum Rupr.
4257

Cypripedium henryi Rolfe.   4445

Dacryomyces aurantius (Schw.) Farl.
4008

Delphinium chrysotrichum Finet et
Gagnep.   4116

Delphinium crassifolium Schr. ex
Spreng   4117

Delphinium tatsienensis Franch.
4118

Dendranthema zawaskii (Herb.)
Tzvel.   4367

Dendranthema zawadskii Tzvel. var.
latiloba (Maxim.) H.C. Fu   4368

Dendrobium candidum Wall. ex
Lindl.   4446

Dendrobium fimbriatum Hook.
4447

Dendrobium jenkinsii Wall. ex Lindl.
4448

Dendrocopos major (Linnacus)
4489

Desmodium blandum van Meeuwen
4191

Desmodium heterocarpun (L.) DC.
var. strigosum van Meeuwen
4192

Desmodium reticulatum Champ.
4193

Desmodium rubrum (Lour.) DC.
4194

Dianthus chinensis L. var. subulifolius
(Kitag.) Y.C. Ma   4094

Dianthus repens Willd.   4095

Dicranostigma leptopodum (Maxim.)
Fedde   4138

Dimocarpus longan Lour.   4225

Dolomiaea edulis (Franch.) Shih.
4369

Dracocephalum heterophyllum
Benth.   4318

Duchesnea chrysantha (Zoll. & Mor.)
Miq.   4160

Ehretia thyrsiflora (Sieb. et Zucc.)
Nakai   4309

Elaeocarpus sylvestris (Lour.) Poir.
4231

Elaphe carinata (Guenther)   4470

Elaphe taenius Cope   4471

Elatostema lineolatum Wight var.
majus Thw.   4077

Elsholtzia fruticosa (D. Don) Rehd.
4319

Elsholtzia stauntonii Benth.   4320

Embelia laeta (L.) Mez   4288

Empetrum sibiricam V. Vassil.   4220

Engelhardtia chrysolepis Hance
4069

Ephedra intermedia Schrenk ex Mey
4061

Epipremnum pinnatum (L.) Engl.
4404

Equisetum arvense L.   4045

Equisetum scirpoides Michx.   4046

Eremurus chinensis O.A. Fedtsch.
4413

Eriobotrya deflexa (Hemsl.) Nakai
4161

Eriocaulon sexangulare L.   4407

Erodium stephanianum Willd.   4206

Erronea errones (L.)   4456

Ervatamia officinalis Tsiang   4298

Erysimum cheiranthoides L.   4143

Eupatorium chinensis L.   4370

Euodia meliaefolia (Hance) Benth.
4212

Fagopyrum tataricum (L.) Gaertn.
4084

Favolus squamosus (Huds. ex. Fr.)
Ames.   4012

Ficus fulva Reinw.   4075

Ficus virens Ait. var. sublanceolata
(Miq.) Corner   4076

Filipendula intermedia (Glehn) Juz.
4162

Fissistigma polyanthum (Hook. f. et
Thoms.) Merr.   4133

Fomes roseus Cooke   4011

Fortunella hindsii (Champ.) Swingle
4213

Fortunella obovata Tanaka   4214

Fritillaria meleagroides Patrin et
Schult   4414

Fritillaria sichuanica S.C. Chen   4415

Fritillaria tortifolia Z.X. Duan et X.J.
Zheng var. cillina X.Z. Duan et
X.J. Zheng   4416

Fritillaria verticillata Willd.   4417

Ganoderma tornatum Bres.   4014

Gentianaella acuta (Michx.) Hüt
4295

Geoglossum paludosum (Pers.)
Durand.   4006

Geranium dahuricum DC.   4207

Geranium transhaicalicum Serg.
4208

Gleditsia australis Hemsl.   4195

Glyptostrobus pensilis (Staunt.) K.
Koch   4057

Gnaphalium baicalense Kirp.   4371

Grangea maderaspatana (L.) Poir.
4372

Grus nigricollis (Przevalski)   4485

Gymnadenia crassinervis Finet   4449

Gymnadenia orchidis Lindl.   4450

Haplophyllum dauricum (L.) Juss.
4215

Hedera nepalensis K. Koch. var.
sinensis Rehd.   4260

Hedysarum alpinum L.   4196

Helvella elastica Bull. ex Fr.   4005

Hemerocallis citrina Bareni   4418

Hemiboea henryi Clarke   4336

Herminium lanceum (Thunb.) Vuijk
4451

Herminium monorchis (L.) R. Br.
4452

Heracleum rapula Franch.   4264

Hibiscus schizopetalus (Mast.) Hook.
f.   4234

Hierodula patellifera Serville   4458

Homalium hainanensis Gagnep.
4249

Hoya pottsii Traill   4301

Hydrangea paniculata Sieb.   4149

Hygrophila salicifolia (Vahl.) Nees
4337

Hygrophorus speciosus PK   4020

Hypericum przewalskii Maxim.
4242

Hypophthalmichthys moriltrix (Cuv.
et Val.)   4464

Incarillea mairei (Lévl.) Grierson
4333

Inula linariaefolia Regel   4373

Iodes vetiginea (Hance) Hemsl.
4223

Ipomoea sibirica Pers.   4305

Iris laevigata Fisch.   4432

Iris tenuifolia Pall.   4433

Iris tigridia Bunge   4434

Iris typhifolia Kitag   4435

Ixeris chinensis (Thunb.) Nakai var. intermedia (kitag.) Kitag. 4374

Ixora coccinea L. var. lutea Corner 4341

Jasminum amplexicaule Buch. -Ham. 4292

Juncus gracillimus Krecz. et Gon. 4411

Jussiaea suffruticosa L. 4256

Kalanchoe spathulata DC. 4145

Kyllinga cororata (L.) Druce 4398

Lactarius deliciosus (L. ex Fr.) Gray 4024

Lactarius hygrophoroides Berk. & Curt. 4023

Lactarius uvidus (Fr.) Fr. 4025

Lagerstroemia speciosa Pers. 4253

Larix gmelini (Rupr.) Rupr. 4054

Larix mastersiana Rehd. et Wils. 4055

Lathyrus palustris L. var. pilosus (Cham.) Ledeb. 4197

Larus ridibundus (L.) 4487

Leccinum aurantiacum (Bull.) Gray 4018

Lentinus lepideus Fr. 4021

Leontopodium conglobatum (Turcz.) Hand. -Mazz. 4375

Lepidogrammitis rostrata (Bedd.) Ching 4051

Lepisorus clathratus (C.B. Clarke) Ching 4049

Lepisorus contortus (Christ) Ching 4050

Lespedeza floribunda Bunge 4198

Leucas zeylanica (Li) R. Br. 4321

Leucopaxillus giganteus (Sow. ex Fr.) Sing. 4033

Ligularia sibirica (L.) Cass. 4376

Ligusticum daucoides (Fr.) Fr. 4265

Ligustrum obtusifolium Sieb. et Zucc. var. suave Kitagawa 4293

Lilium bakerianum Collett et Hemsl. 4419

Lilium davidii Duchastre 4420

Lilium duchartrei Franch. 4421

Linum baicalense Juz. 4210

Linum stelleroides Planch. 4211

Lindernia numularifolia (D. Don) Wittst. 4329

Liriodendron chinesis (Hemsl.) Sarg 4130

Litchi chinesis Sonn. 4226

Litsea rotundifolia Hemsl. 4135

Lonicera lanceolata Wall. 4344

Lonicera tragophylla Hemsl. 4345

Lonicera vesicaria Kom. 4346

Lophura leucomelana (Latham) 4482

Loxoblemmus doenitzi Stein 4460

Lychnis sibirica L. 4096

Magnolia paenetalauma Dandy 4131

Magnolia sinensis (Rehd. et Wils.) Stapf. 4132

Malva mauritiana L. 4235

Marasmius siccus (Schw.) Fr. 4029

Marsdenia tinctoria R. Br. 4302

Meconopsis horridula Hook. f. et Thoms. 4139

Meconopsis lancifolia (Franch.) Franch. 4140

Meconopsis punicea Maxim. 4141

Melastoma intermedium Dunn 4255

Melochia corchorifolia L. 4237

Mentha dahurica Fisch. ex Benth. 4322

Micromelum falcatum(Lour.) Tanaka 4216

Millettia pachycarpa Benth. 4199

Morchella esculenta (L.) Pers. 4004

Morina alba H. -M. 4350

Moschus berezovskii Flerov 4499

Mucuna castanea Merr. 4200

Mugil soiuy Basilewsky 4465

Mugil vaigiensis Quog et Gaimard 4466

Murdannia triguetra (Wall.) Briickn. 4409

Musa coccinea Andr. 4436

Musa paradisiaca Linn. 4437

Mustinus caninus (Huds. ex Pers.) Fr. 4039

Mycenastrum corium (Guers.) Desv. 4041

Myricaria germanica (L.) Desv. 4243

Myricaria germanica (L.) Desv. var. bracteata (Royle) Franch. 4244

Naematoloma fasciculare (Huds. ex Fr.) Karst. 4038

Natrix tigrina lateralis (Berthord) 4472

Neottianthe cuculata (L.) Schltr. 4453

Nephelium topengii (Merr.) H.S. Lo 4227

Neptunea cumingi Crosse 4457

Notopterygium forbesii Boiss. 4266

Numenius madagascariensis (Linnaeus) 4486

Ochna integerrima (Lour.) Merr. 4239

Ophiophagus hannah (Cantor)

4476

Orostachys fimbriatus (Turcz.) A. Berg. 4145

Orostachys spinosus (L.) G.A. Mey 4146

Oxytropis psammocharis Hance 4201

Pandanus gressitii B.C. Stone 4390

Panicum repens L. 4395

Panthera tigris amoyensis Hilzheimer 4494

Panzeria alaschanica Kupr. 4323

Papilio machaon L. 4461

Parietaria micrantha Ledeb. 4078

Paris chinensis Franch. 4422

Parthenocissus heterophylla (Bl.) Merr. 4230

Pavo muticus (L.) 4483

Patrinia rupestris Juss. 4349

Pedicularis resupinata L. var. pubescens Nokai. 4330

Pedicularis spicata pall. 4331

Pelargonium graveolens L' Hérit 4209

Pelecanus onocrotalus Linnaeus 4026

Pelochelys bibroni (Owen) 4469

Peperomia dindygulensis Miq. 4062

Persea americana Mill. 4136

Peziza sylvestris (Boud.) Sacc. et Trott 4003

Phaius tankervilliae (Ait.) Bl. 4454

Phellorinia inquinans Berk. 4042

Philydrum lanuginosum Bands et Sol. ex Gaertn. 4410

Pholiota squarrosa (Murr. ex Fr.) Quel. 4037

Picea koraiensis Nakai 4056

Pimpinelle thellungiana Wolff. 4267

Piper laetispicum C. DC. 4063

Pistia stratiotes L. 4405

Plantago maritima L. var. salsa (Pall.) Pilger 4338

Pleurotus japanicus Kawam. 4028

Pluchea indica Less. 4377

Pneumatophoruss japonicus (Houttuyn) 4467

Podocarpus neriifolius D. Don 4060

Pogostemon auricularius (L.) Hassk 4324

Polemonium laxiflorum Kitam. 4307

Polianthes tuberosa L. 4431

Polyalthia nemoralis A. DC. 4134

Polygala arvensis Willd. 4218

Polygonum bungeanum Turcz. 4085

Polygonum dissitiflorum Hemsl.

4086

Polygonum lapathifolium L. 4087

Polygonum manshuriense V. Petr. ex Kom. 4088

Polygonum sibiricum Laxm. 4089

Polystictus membranaceus (Sw. ex Fr.) Cke. 4015

Pongamia pinnata (L.) Merr. 4202

Populus canadensis Moench 4065

Populus simonii Carr. 4066

Populus tomentosa Carr. 4067

Potamogeton perfoliatus L. 4391

Potentilla acaulis L. 4163

Potentilla ambigua Cam. 4164

Potentilla betonicaefolia Poir. 4165

Potentilla inquinans Turcz. 4166

Potentilla multifida L. 4167

Potentilla nudicaulis Willd. ex Schlecht. 4168

Potentilla tanacetifolia Willd. ex Schlecht. 4169

Pouzolzia sanguinea (Bl.) Merr. 4079

Primula fistulosa Turkcy. 4289

Primula maximowiczii Regel 4290

Primula sibirica Jacq. 4291

Ptyas korros (Sehlegel) 4473

Ptyas mucosus (L.) 4474

Pulsatilla ambigua Turcz. ex Pritz. 4119

Pulsatilla patens (L.) Mill. 4120

Pulsatilla turczaninovii Kryl. et Serg. 4121

Pulveroboletus ravenelii (Berk. et Curt.) Murr. 4019

Pyracantha angustifolia (Franch.) Schneid. 4170

Pyrola chlorantha Sw. 4268

Pyrrhocorax pyrrhocarax (Linnaeus) 4491

Pyrrosia lingua (Thunb.) Farw. 4052

Quamoclit sloteri House. 4306

Quercus mongolica Fisch. 4071

Ramaria stricta (Pers. et. Fr.) Quel. 4009

Ranunculus repens L. 4122

Reaumuria soongorica (Pall.) Maxim. 4245

Rhamnus erythroxylon Pall. 4228

Rhinoceros unicorni L. 4495

Rhododendron agglutinatum Balf. f. et Forrest 4269

Rhododendron augustinii Hemsl. 4270

Rhododendron calophytum Franch. 4271

Rhododendron capitatum Maxim.

4272

Rhododendron cephalanthum Franch. 4273

Rhododendron concinuum Hemsl. 4274

Rhododendron dendrocharis Franch. 4275

Rhododendron intricatum Franch. 4276

Rhododendron microphyton Franch. 4277

Rhododendron przewalskii Maxim. 4278

Rhododendron racemosum Franch. 4279

Rhododendron rubiginosum Franch. 4280

Rhododendron rufum Batal. 4281

Rhododendron sargentianum Rehd. ex Wils. 4282

Rhododendron searsiae Rehd. et Wils. 4283

Rhododendron spinuliferum Franch. 4284

Rhododendron sutchnenense Franch. 4285

Rhododendron thymifolium Maxim. 4286

Rhynchospora rubra (Lour.) Makino 4399

Ribes diacanthum Pall. 4150

Ribes odoratum Wendl. 4151

Ribes palczewskii Pojark. 4152

Ribes pauciflora Turcz. 4153

Ribes pulchellum Turcz. 4154

Rorippa islandica (Oder.) Borbas 4144

Rosa acicularis Lindl. 4171

Rosa alberti Regel. 4172

Rosa swginzowii Koehne 4173

Roscoea purpurea Simth. 4441

Rubus alceaetolius Poir. 4174

Rubus reflexus Ker. 4175

Rubus saxatilis L. 4176

Rubus sumatranus Miq. 4177

Rumex acetosella L. 4090

Russula alutacea (Pers.) Fr. 4026

Russula depallens (Pers.) Fr. 4027

Sabina davurica (Pall.) Ant. 4059

Salix matsudana Koidz. 4068

Sambucus latipinna Nakai 4347

Sarcandra hainanensis (Pei) Swamy et Bailey 4064

Sassafras tzumu (Hemsl.) Hemsl. 4137

Saussurea leucoma Diels 4378

Saussurea ussuriensis Maxim. 4379

Schima wallichii Choisy. 4240

Schnabelia oligophylla H. -M. 4316

Scirpus planiculmis Fr. Schmid. 4400

Scoparia dulcis Linn. 4332

Scorzonera austriaca Willd. 4380

Scorzonera radiata Fisch. 4381

Scorzonera sinensis (Lipsch.) Lipsch. et Krasch. 4382

Scutellaria galericulata L. 4325

Secotium agaricoides (Czern.) Hollos 4040

Sedum aizoon L. var. latifolium Maxim. 4148

Serissa foetida Comm. 4342

Sesbania aculeata Pers. 4182

Sida rhombifolia L. 4236

Silene vanosa (Gilib.) Aschers. 4097

Skimmia reevesiana Fortune 4217

Smilax china Linn. 4423

Smilax mairei Lévl. 4424

Smilax perfoliata Lour. 4425

Smilax polycolea Warb. 4426

Solidago virgaurea L. 4383

Sorbaria sorbifolia (L.) A. Br. var. stellipila Maxim. 4178

Spathiphyllum cocheeri Spathum 4406

Statilia maculata Thunb. 4459

Stellaria dichotoma L. 4098

Stephania delavayi Diels 4128

Stephania longa Lour. 4129

Sterculia nobilis Smith 4238

Streptopus simplex D. Don. 4427

Sus scrofa L. 4496

Swertia zayuensis T.N. Ho et S.W. Liu var. Havescens T.N. Ho et S.W. Liu 4296

Swertia pseudochinensis Hara 4297

Syrmaticus reevesii (Gray) 4484

Taxillus chinensis (DC.) Danser 4082

Teloxys aristata Moq. 4091

Thalictrum javanicum Bl. 4123

Thalictrum reticulatum Fr. 4124

Thesium longifolium Turcz. 4081

Toxicodendron succedaneum (L.) Ktze 4221

Tragopogon orientalis L. 4384

Trametes gallica Fr. 4013

Tremellodon gelatinosum (Scop. ex Fr.) Pers. 4007

Trichosanthes pedata Merr. et Chun 4351

Tricholoma gambosum (Fr.) Gill. 4022

Tricholoma mongolicum Imai 4034

Tricholoma personatum Quel.　4035
Tricholoma sordidum (Fr.) Quél.
　　4036
Tricyrtis macropodo Miq.　4428
Trimeresurus albolabris (Gray)
　　4477
Trimeresurus mucrosquamatus
　　(Cantor)　4478
Trionyx sinensis (Wiegmann)　4468
Tripterygium hypoglaucum (Levl.)
　　Hutch.　4222
Triumfetta bartramia L.　4233
Trollius ranunculoides Hemsl.　4125
Tulotis ussuriensis (Reg. et Macck)
　　Hara　4455
Tupistra aurantiaca Wall. ex Baker
　　4429
Tutcheria championi kakai　4241
Tylophora mollissima Wight　4303
Typha davidiana (Kvonf.) H. -M.
　　4389
Uncaria macrophlla Wall.　4343
Undaria pinnatifida (Harv.) Sur.
　　4001
Veratrum nigrum L.　4430
Veronica incana L.　4333
Vernonia patula (Ait.) Merr.　4385
Viburnum macrocephalum Forture
　　4348
Vicia baicalensis (Turcz) P.Y. Pr.
　　4203
Vicia ramuriflora (Maxim.) Ohwii
　　4204
Vigna cylindrica (L.) Skeels　4205
Viola gmeliniana Roemer et Schultes.
　　4246
Viola verecunda A. Gray　4247
Viola yunnanfuensis W. Beck.　4248
Viscum coloratum (Kom.) Nakai
　　4083
Vitex quinata (Lour.) A.N. Williams
　　4317
Wedelia prostrata (Hook. et Arn.)
　　Hemsl.　4386
Wrightia laevis Hook. f.　4299
Wrightia pubescens R. Br.　4300
Xanthium mongolicum Kitag.　4387
Youngia stenoma (Turcz.) Ledeb.
　　4388
Zaocys dhumnades Cantor　4475
Zea Mays L.　4396
Ziziphora clinopodioides Lam.　4326

中文名稱索引

一 畫

一文錢 4128
一皮草 4050

二 畫

九仙草 4081
十字苔草 4397
八角麻 4080

三 畫

三出葉委陵菜 4165
三脈球蘭 4301
三褶蝦脊蘭 4444
上樹蜈蚣 4260
叉歧繁縷 4098
叉指葉栝蔞 4351
口蘑 4022
土黃芩 4104
土銀花 4345
大杜鵑 4284
大杓鷸 4486
大刺兒菜 4364
大委陵菜 4168
大花老鸛草 4208
大花紫薇 4253
大花葵 4235
大花銀蓮花 4105
大紅菇 4026
大風艾 4361
大馬蓼 4087
大崗茶 4309
大斑啄木鳥 4489
大葉蒟 4063
大葉鈎藤(鈎藤) 4343
大對經草 4242
大管 4216
大蕉 4437
大黏藥 4079
大瓣鐵線蓮 4114
小果皂莢 4195
小果微花藤 4223
小花樓斗菜 4107
小花牆草 4078
小花糖芥 4143
小接骨丹 4229
小葉茶藨 4154
小葉楊 4066

小酸模 4090
小懸鈎子 4176
小螳螂(桑螵蛸) 4459
小露兜 4390
山白菜 4336
山杜英 4231
山牡荊 4317
山岩黃芪 4196
山野菊 4368
山橘 4213
山藜豆 4197
山驢骨 4500
川百合 4420
川羌活(羌活) 4266

四 畫

五角芩 4329
天山報春 4291
天星木 4342
太白花 4044
心葉紫金牛 4287
方葉五月茶 4219
木香薷 4320
木繡球莖 4348
木欖 4254
毛茛狀金蓮花 4125
毛木樹 4240
毛肋杜鵑 4270
毛果一枝黃花 4383
毛返顧馬先蒿 4330
毛相思子 4179
毛草龍 4256
毛排錢樹 4191
毛梗蚤綴 4093
毛喉杜鵑 4273
中麻黃 4061
中果咖啡 4340
水仙杜鵑 4282
水竹葉 4409
水松 4057
水柏枝 4243
水枸子 4158
水浮蓮 4405
水黃皮 4202
水蓑衣 4337
火把花 4222
爪哇唐松草 4123

牛扁 4100
王錦蛇 4470

五 畫

凹樸皮 4130
北京錦雞兒 4189
北芸香 4215
北側金盞花 4103
北野豌豆 4204
北陵鳶尾 4435
半春蓮 4455
半楓樟 4137
台灣枇杷 4161
四川杜鵑 4285
四川紅杉 4055
四孔草 4408
四季橘 4214
四棱筋骨草 4316
巨斧螳螂(桑螵蛸) 4458
本氏蓼 4085
石韋 4052
石筆木 4241
石蟬草 4062
玉米鬚 4396
甘木通 4112
甘青鐵線蓮 4115
田基黃 4372
田蔥 4410
白蘑 4034
白山蒿 4357
白毛雪兔子 4378
白花刺參 4350
白花委陵菜 4166
白花茶 4292
白花驢蹄草 4110
白背黃花稔 4236
白苞花燭 4403
白唇竹葉青 4477
白桂木 4073
白骨壤 4310
白婆婆納 4333
白腹錦雞 4480

六 畫

灰蓮蒿 4355
光背杜鵑 4278
光葉遼寧山楂 4159

全緣枸子　4156
印度犀(犀角)　4495
吊燈花　4234
多刺綠絨蒿　4139
多花山薑　4439
多花瓜馥木　4133
多花胡枝子　4198
多花脆蘭　4443
多裂委陵菜　4167
多裂烏頭　4099
多鬚公　4370
尖尾芋　4402
尖葉假龍膽　4295
托里黃花貝母　4416
灰包菇　4040
百日青　4060
百步還陽丹　4453
百里香葉杜鵑　4286
竹節秋海棠　4251
竹節草　4394
羊肚菜　4004
羊洪膻　4267
羽苞藁本　4265
老君扇　4432
老鼠瓜　4142
耳葉蓼　4088
肉蓯蓉　4335
西伯利亞小檗　4126
西伯利亞蓼　4089
西伯利亞橐吾　4376
西南手參　4450

七　畫
旱柳葉　4068
杉松　4053
沙棘豆　4201
秀雅杜鵑　4274
禿瘡花　4138
見血封喉　4072
角盤蘭　4452
貝加爾亞麻　4210
貝加爾野豌豆　4203
貝加爾鼠麴草　4371

八　畫
具苞河柏　4244
刺子莞　4399

刺田菁　4182
刺果蘇木　4186
刺薔薇　4171
刺藜　4091
咖啡　4339
東方婆羅門參　4384
東北樺木　4070
枇杷柴　4245
林地碗　4003
林麝(麝香)　4499
杯菌　4031
松乳菇　4024
松蕈　4030
杵棒菌　4010
歧裂馬勃　4042
沼委陵菜　4155
波葉忍冬　4346
法羅海　4264
油梨　4136
狗仔花　4385
狗筋麥瓶草　4097
空柄假牛肝菌　4016
花葉山薑　4440
花蔥　4307
虎掌菌　4007
虎斑游蛇　4472
金魚　4462
金黃柴胡　4261
金盞銀盤　4360
金線重樓(重樓)　4422
金蓮木　4239
長葉玉蘭　4131
長葉綠絨蒿　4140
長葉鐵角蕨　4047
阿穆爾樓斗菜　4106
青榨槭　4224

九　畫
匍枝毛茛　4122
匍枝烏頭　4101
南洋杉　4058
扁刺薔薇　4173
扁稈薦草　4400
扁頸蛇　4476
星毛委陵菜　4163
星毛珍珠梅　4178
柞樹皮　4071

柳葉忍冬　4344
柳葉沙參　4352
柳葉鼠李　4228
柳蒿　4356
段報春　4290
毒側耳　4028
毒勒黑傘　4038
秋英　4366
紅山螞蟥　4194
紅皮雲杉　4056
紅果菝葜　4426
紅花天料木　4249
紅花綠絨蒿　4141
紅花蕉　4436
紅草　4092
紅棕杜鵑　4280
紅腺懸鈎子　4177
紅酸七　4428
紅嘴山鴉　4491
紅嘴鷗　4487
紅蠟盤　4032
美味牛肝菌　4017
美容杜鵑　4271
美麗蠟傘　4020
苦燈籠　4315
苦蕎麥　4084
苦檀子　4199
英吉里茶藨　4152
風花菜　4144
首冠籐　4185
香茶藨子　4151
香絲草　4365
香葉天竺葵　4209
香螺　4457

十　畫
倒吊筆　4300
唇香草　4326
夏黃芪　4183
桂圓　4225
桃葉鴉蔥　4382
栓皮馬勃　4041
流蘇瓦松　4146
流蘇石斛　4447
消毒藥　4247
海南草珊瑚　4064
海南韶子　4227

烙鐵頭　4478
烏毛蕨　4048
烏梢蛇　4475
烏蘇里風毛菊　4379
狼肉　4492
狼麻　4188
狹葉山苦菜　4374
狹葉毒芹　4262
狹葉紅紫珠　4312
狹葉剪秋蘿　4096
狹葉樓梯草　4077
狹葉鴉葱　4381
窄葉火棘　4170
粉團花　4149
翅柄菝葜　4425
荔枝　4226
草地烏頭　4102
茵芋　4217
茴香蟲　4461
豺　4493
酒瓶花　4277
馬鞍菌　4005
馬蹄葉　4109
馬鬆子　4237
骨牌蕨　4051
高山紫菀　4358

十一畫

假黃麻　4232
假通草　4259
剪花火絨草　4375
匙葉伽藍菜　4145
匙鞘萬年青　4406
問荊　4045
基葉翠雀花　4117
密苞山薑　4438
晚香玉　4431
琉璃草　4308
梭鯔　4465
牻牛兒苗（老鸛草）　4206
盔狀黃芩　4325
粗毛栓菌　4013
粗根老鸛草　4207
粗根鳶尾　4434
粗葉懸鈎子　4174
細金牛草　4218
細葉白頭翁　4121

細葉野牡丹　4255
細葉鳶尾　4433
細燈心草　4411
蛇尾草　4451
蛇尾草　4324
蛇泡簕　4175
蛇頭菌　4039
通脈丹　4303
野甘草　4332
野亞麻　4211
野豬膽　4496
野漆樹　4221
異葉爬山虎　4230
異葉青藍　4318
陵水暗羅　4134
魚尾葵　4401

十二畫

單穗升麻　4111
單穗水蜈蚣　4398
掌裂葉秋海棠　4252
掌葉白頭翁　4120
棺頭蟋蟀　4460
無刺菝葜　4424
琥珀皮傘　4029
短距手參　4449
硬皮地星　4043
硬皮樹舌　4014
稀花蓼　4086
稀褶乳菇　4023
紫皮蘑　4035
紫沙參　4353
紫花野菊　4367
紫紅菇　4027
紫晶蘑　4036
紫萼鐵線蓮　4113
腋花杜鵑　4279
腎葉打碗花　4304
華西小檗　4127
華西貝母　4415
華南虎（虎骨）　4494
華南殼精草　4407
菊葉委陵菜　4169
菜木香　4369
菝葜　4423
裂葉秋海棠　4250
象牙參　4441

雁肉　4479
雲南菫菜　4248
飯豆　4205
黃鱔　4466
黃毛杜鵑　4281
黃毛榕　4075
黃毛翠雀花　4116
黃杞　4069
黃貝芝　4015
黃花瓦松　4147
黃花地桃花　4233
黃花美人蕉　4442
黃花菜　4418
黃花藥藥　4296
黃花龍船花　4341
黃粉牛肝　4019
黃梢蛇　4473
黃葛榕　4076
黃閨蛇　4474
黑鵬　4482
黑眉錦蛇（蛇蛻）　4471
黑頭鶴骨　4485

十三畫

圓苞紫菀　4359
圓葉木蘭　4132
圓葉豹皮樟　4135
新疆藁本　4263
楔葉委陵菜　4164
楔葉茶藨　4150
楊枸花　4067
楊樹花　4065
楝葉吳茱萸　4212
滇川角蒿　4334
滇百合　4419
落葉松　4054
落萼薔薇　4172
葵花大薊　4363
葵葉蔦蘿　4306
葉下花　4354
號角樹　4074
裙帶菜　4001
路邊青　4314
鈴當子　4305
雷蘑　4033

十四畫

滴地菊　4386
鹼黃鵪　4388
算盤七　4427
線葉旋覆花　4373
綠孔雀　4483
綠花鹿蹄草　4268
綠點杜鵑　4283
網脈唐松草　4124
網眼瓦韋　4049
蒙古獷　4313
蒙古白頭翁　4119
蒙古石竹　4094
蒙古香蒲　4389
蒙古蒼耳　4387
蒙古蕊巴　4328
蒙古錦雞兒　4187
裸花紫珠　4311
酸水草　4391
酸藤子　4288

十五畫

寬葉接骨木　4347
寬葉費菜　4148
寬鱗大孔菌　4012
廣桑寄生　4082
槲寄生　4083
潔麗香菇　4021
潮濕乳菇　4025
瘤毛獐牙菜　4297
皺果蛇莓　4160
皺珊瑚菌　4009
皺面草　4321
箭報春　4289
緬茄　4181
膠腦菌　4008
蓮座薊　4362
蔓草蟲豆　4184
褐毛黎豆　4200
褐地舌　4006
輪葉貝母（貝母）　4417
鋪地黍　4395
駝鹿角　4497
鴉蔥　4380

十六畫

凝毛杜鵑　4269
橙花開口箭　4429

橙黃疣柄牛肝　4018
樹生杜鵑　4275
燕麥　4393
獨尾草　4413
興安天門冬　4412
興安茶藨　4153
興安菫菜　4246
興安圓柏　4059
興安薄荷　4322
蹄玫菌　4011
闊苞菊　4377
遼東水蠟樹　4293
頭花杜鵑　4272
鴝鵒　4490
鴛鴦茉莉　4327
麖茸　4498
鮊魚　4467

十七畫

擬棗貝（白貝齒）　4456
穗花馬先蒿　4331
簇莖石竹　4095
龍舌箭　4445
糞箕篤　4129
糙毛假地豆　4192
糙葉五加　4258
蔞斗菜　4108
膿瘡草　4323
隱蕊杜鵑　4276
黿　4469

十八畫

翹鱗環鏽傘　4037
翻白蚊子草　4162
藍葉藤　4302
藍樹　4299
蓋草　4392
蟬蛹草　4002
鎖陽　4257
雞骨柴　4319
雞背石斛　4448
額敏貝母　4414
鮸魚　4463

十九畫

羅星草　4294
臘腸樹　4190

藜蘆　4430
藥用狗牙花　4298
鵬鵃　4488
麒麟尾　4404

二十畫

寶興百合　4421
寶興枸子　4157
藺問荊　4046
蘋婆　4238

二十一畫

籐金合歡　4180
鐵皮石斛（石斛）　4446
鶴頂蘭　4454

二十二畫

鰱魚　4464

二十三畫至二十五畫

巖高蘭　4220
巖敗醬　4349
顯脈山綠豆　4193
驚風藥　4118
鱉甲　4468
鱉雄　4481
鹽生車前　4338
鸛雉　4484